Paul Loup Suli… …it plus de quinze ans qu'il … internationales, une place … plan. Sa notoriété a dépassé le cadre de la France pour gagner la Grande-Bretagne, et surtout les Etats-Unis. Il est consultant, et, dans les affaires internationales, on fait appel à sa qualité d'expert financier.
Money, *c'est le premier roman de Paul Loup Sulitzer : le premier western financier.*

« De toutes mes forces, j'empoigne les barreaux. Le soleil du Kenya me brûle tout entier. Et je revois tout, avec une netteté inouïe : Londres, sous la pluie, la dernière poignée de terre, de boue sur le cercueil de mon père. Puis les huissiers et les déménageurs. L'hôtel particulier dépouillé... Et encore et surtout eux : Yahl, Hovius, Donalson et les autres... eux, ceux du Trust. »
Alors commence *Money,* la plus haletante des poursuites... Franz Cimballi, héritier d'une énorme fortune, a été dépouillé de tous ses biens et expédié à l'autre bout du monde dans le dénuement le plus total. Il va, avec une fulgurante énergie, tenter de reconstruire un empire et d'abattre l'un après l'autre tous ses ennemis, ceux qui ont trahi son père.
Du Kilimandjaro à la mer de Chine, de Londres au Chili, des Bahamas à la vallée de la Mort, dans le monde secret de la finance, à côté des parrains de la Mafia ou croisant la route des émirs, la formidable aventure de Franz Cimballi nous est contée avec un réalisme hallucinant qui laisse le lecteur étourdi, bouleversé, fasciné...
Money est le roman du monde d'aujourd'hui : celui des « grands » qui dans l'ombre tirent les ficelles. C'est le roman vrai de la puissance. Mais c'est aussi l'histoire d'une impossible revanche, et celle d'un amour fou.

PAUL LOUP SULITZER

Money

ROMAN

DENOËL

Toute ressemblance avec des personnes
ou des événements réels
est bien évidemment pure coïncidence.

Editions Denoël, Paris 1980.

A mon père
A mes amis J.-F. Prévost
J.-R. Hirsch
Olivier B.
J.-P. Rein

« Make Money »
C'est aussi un art,
une passion sans rapport avec son objet,
une permanente quête de l'inaccessible...

C'est une danse ironique,
distante et désespérée devant le Temps.

P.L. SULITZER

I

UNE IVRESSE FÉROCE ET GAIE...

1

Je suppose que l'on peut aussi bien commencer l'histoire ce 23 novembre au matin, vers onze heures trente, dans cette maison d'Old Queen Street, en bordure de Saint James Park, à Londres. Pourquoi pas ? C'est à ce moment-là que tout s'est joué, peut-être pas à onze heures trente précises, mais à partir de onze heures trente et au cours des cinq ou six heures qui ont suivi.

Le 23 novembre 1969, vers onze heures trente du matin, le policier venu de Scotland Yard s'assied en face de moi. J'ai encore dans l'œil le dessin du veston de tweed qu'il portait ce jour-là ; c'est un homme d'environ quarante ans, avec un visage d'Écossais roux, à la chevelure épaisse et bouclée tranchée par une raie rectiligne sur le côté gauche et prolongée à droite par un cran à double détente, s'appelant Ogilvie ou Watts. Il suit les déménageurs des yeux.

« Vous quittez cette maison ?

– C'est elle qui me quitte. On me reprend tout ce que je n'ai pas complètement payé. Je n'ai rien payé complètement. »

Téléphone. Je décroche et c'est encore la banque : le deuxième chèque est arrivé à son tour ; ils trouvent la situation *unbearable*, insupportable, ils me demandent ce que je compte faire, à quelle heure je serai chez eux, le plus tôt étant le mieux et est-ce que je sais ce qu'est un protêt ? « Je serai chez vous le plus tôt possible. – Quand ? – Dans une heure. » Je raccroche et j'ai toujours les yeux marron pensifs de ce policier fixés sur moi. Il a très certainement entendu, et compris qui m'appelait et pourquoi, mais il affecte de n'en avoir rien fait.

« Bon, dit-il, il me vient une idée : le mieux serait peut-être de refaire pas à pas ce que vous avez fait cette nuit-là. Vous n'y êtes pas obligé. Mais cela nous ferait gagner du temps. Et me permettrait de vous libérer plus vite. »

Je me lève, les jambes lourdes.

« Allons-y. »

Les déménageurs ont déjà fait et font encore du bon travail : ils ont commencé par le deuxième étage qu'ils ont entièrement vidé de tout ce qu'il contenait, ont poursuivi par le premier, vidé de même. Ils s'attaquent à présent au rez-de-chaussée et enlèvent tout, absolument tout, y compris le petit dessin à la plume qui représente la maison de Saint-Tropez.

« Quel âge avez-vous ?

– Vingt et un ans. Vingt et un ans, deux mois et quatorze jours.

– Quand avez-vous loué cette maison ?

– Il y a deux mois et quatorze jours.

– Cette soirée d'avant-hier était la première du genre ? »

Je suis des yeux le dessin qui s'en va, entre les mains de l'un des déménageurs.

« Pas la première. »

Entre le premier étage et les salons du rez-de-chaussée, il y a quelques marches. Nous les gravissons. Je me retourne une dernière fois pour tenter d'apercevoir le dessin mais l'homme qui le portait a gagné la rue, et les camions.

« Pas la première, mais sûrement la dernière.
– Vous fêtiez quelque chose en particulier ? »
Je pivote et le fixe :
« Ma ruine. »
Nous sommes dans l'escalier conduisant au premier étage. Je dis :
« J'étais en bas, dans le salon de droite. Je l'ai vue qui montait cet escalier. Elle s'est retournée, exactement ici. Elle m'a regardé, m'a fait un signe de la main puis a continué.
– Aucune expression particulière ?
– Non.
– Il y avait beaucoup de monde ?
– J'avais invité cinquante personnes. Il en est venu le triple. De la folie.
– L'heure ?
– Trois heures du matin, à peu près. »
Nous arrivons sur le palier du premier étage. Halte. Je dis encore :
« Ensuite, il s'est passé trente, quarante minutes. J'étais toujours en bas dans les salons. Je voulais monter aussi pour la rejoindre, mais il était difficile de se frayer un chemin à travers cette foule, et tout le monde me reconnaissait, me parlait, me retenait.
– Mais finalement vous êtes monté... »
Nous repartons. L'escalier du deuxième étage.
« Finalement, je suis monté. »
Un flamboiement brutal de ma mémoire : l'image de ce même escalier à présent vide et dépouillé même de sa moquette mais qui était alors submergé par cette foule exubérante, par cette horde, ces grappes humaines accrochées aux marches et me criant au-passage : « Joyeuse Ruine, Franz ! » Cela dure une seconde, à peine, même pas. Immédiatement après, l'escalier réapparaît tel qu'il est réellement : silencieux, sonore et désert.

« Comment saviez-vous qu'elle se trouvait précisément au second étage, dans cette partie de la maison ?
– Elle seule, avec moi, avait la clef de ma chambre, que j'avais fermée pour la soirée.
– Vous vous étiez disputés ?
– Non. Si. Un peu.
– Vous saviez qu'elle se droguait ? »
Le palier du deuxième étage.
« Oui. »
Nous avons suivi la galerie, nous arrivons devant la porte de ma chambre, qui est ouverte, qui était alors fermée. Deuxième flamboiement de ma mémoire, et le son s'y ajoute soudain à l'image : je me revois d'un coup devant cette même porte, essayant en vain d'en faire pivoter le battant, trente-deux heures plus tôt.
« Et vous-même ? Je veux parler de la drogue.
– Non. Non, jamais. »
Je suis sur le pas de la porte et je n'arrive pas à la franchir ; je n'y arrive tout simplement pas, la gorge et l'estomac noués.
« Je n'ai pas pu ouvrir la porte, elle l'avait fermée à clef de l'intérieur, et elle avait laissé la clef dans la serrure.
– Vous avez frappé.
– J'ai frappé et tous ces imbéciles dans les escaliers se sont empressés de m'imiter, croyant à un jeu, à...
– A une querelle d'amoureux », dit le policier strictement impassible.
En réalité, j'ai pensé les mots en temps voulu, mais c'est autre chose de les prononcer.
« Ils faisaient tant de bruit tous autour de moi qu'elle aurait aussi bien pu crier de l'intérieur sans que je l'entende.
– Vous avez donc fait le tour. »

Je transpire à grosses gouttes. La sensation de malaise devient plus forte à chaque seconde.

« J'ai fait le tour par la cour intérieure. Et je suis entré dans la salle de bain par le vasistas. »

Constatant que je ne bouge toujours pas, le policier m'écarte doucement de la main et franchit lui-même le seuil. Il traverse ma chambre et tourne immédiatement à droite pour pénétrer dans la salle de bain, il disparaît de ma vue. Mais sa voix me parvient :

« Ce vasistas-là ?

– Il n'y en a pas d'autre. »

J'appuie mon épaule, puis mon front contre le chambranle, et je baigne littéralement dans la sueur. La voix du policier m'arrivant :

« Pourquoi cette acrobatique précipitation de votre part ? Vous auriez pu vous rompre le cou. Elle aurait pu simplement vouloir s'isoler pour bouder. Vous aurait-elle laissé entendre qu'elle allait se suicider ?

– Non. »

Je l'entends qui ouvre le vasistas, se hisse jusqu'à l'ouverture, redescend.

« Mais vous pensiez qu'étant donné son exaltation naturelle, sous le coup de la dispute qu'elle avait eue avec vous, sous l'influence de la drogue qu'elle a dû prendre à ce moment-là, de cet alcool qu'elle avait sans doute bu, vous pensiez que pour toutes ces raisons elle pouvait tenter de se suicider ?

– Oui. »

Il ouvre des placards.

« Et néanmoins, vous avez attendu trente à quarante minutes avant de vous préoccuper d'elle ? »

Fouetté par le sous-entendu, par ce qu'il a d'injuste mais aussi parce qu'il relance ce sentiment de culpabilité qui est en moi, je fais les quelques pas qui me séparent encore de la salle de bain. J'entre dans celle-ci. Explose alors le troisième flamboiement de ma mémoire, comme un soleil écarlate ; et cette fois, aux images et aux sons, les odeurs viennent s'ajouter, odeur fade de ce sang qu'elle a projeté partout, dont elle a maculé les murs, la baignoire, le lavabo de marbre et jusqu'au verre dépoli du vasistas, quand elle s'est follement tailladé au rasoir les poignets, les chevilles, le ventre et les seins, quand elle s'est pendue.

Et j'ai juste le temps de me précipiter pour aller vomir.

Le même jour mais deux heures plus tard, soit vers une heure trente, je suis dans Charles-II Street, à l'entrée de cette banque dont le service du contentieux n'a pas cessé de m'appeler toute la journée d'hier puis toute cette matinée. Je pénètre dans le hall et ce n'est qu'à la toute dernière seconde que je fais demi-tour sans aller plus loin. La pluie s'est entre-temps remise à tomber quand je traverse Saint James Square, une petite pluie fine et froide qui m'accompagne dans Pall Mall, durant ma traversée de Green Park. Elle cesse quelques instants à la hauteur de Hyde Park Corner mais reprend un peu plus loin, lorsque je ressors de la station de métro de Knightsbridge où je me suis arrêté pour consulter le plan. Je n'ai pas à me tromper, c'est tout droit, par Brompton Road puis Old Brompton Road, à peu près trois kilomètres à parcourir.

Marcher me fait du bien, malgré ma fatigue, malgré cette pluie qui tourne au déluge. Ma nausée disparaît. En fait, c'est à ce moment-là que ça arrive, inexplicablement mais avec une force et une netteté extraordinaires ; la seconde précédente, j'étais à bout, écrasé, vaincu et c'est soudain comme quelqu'un, précipité dans l'eau, qui s'y enfonce et qui d'un coup, lorsqu'il atteint le fond, y rebondit d'un coup de talon et remonte vers la surface avec une énergie sauvage venue d'il ne sait où. Ça provient du plus profond de moi, c'est une rage, une rage féroce et gaie, c'est l'irrésistible sensation d'être invulnérable. Rien à voir avec mon âge, avec mes vingt et un ans, deux mois et quatorze jours, c'est plus puissant, plus permanent. Ça dure ce jour-là, ça reviendra ensuite, dans les mois et les années à venir. Sur le moment, même ma façon de marcher en devient différente : en dépit de la pluie et de mes quarante et quelques heures sans sommeil, je flotte dans un air qui me semble plus léger, mon pas se fait dansant.

Je danse comme mon nom.

J'arrive au cimetière de Brompton un peu avant trois heures, la famille est déjà là, serrée sous une mer cloquée de parapluies noirs. Je n'ose pas m'approcher et je m'abrite comme je peux sous une espèce d'auvent que soutiennent les colonnes d'un tombeau. Complètement trempé, je grelotte. Je suis à environ une centaine de mètres de la tombe et je vois le cercueil arriver, être descendu. Suit le lent défilé des condoléances. Une vingtaine de minutes s'écoulent encore avant que la foule des parents et amis ne se disperse tout à fait. J'attends que l'allée soit redevenue totalement déserte pour m'y aventurer enfin.

Je reste devant la tombe deux ou trois minutes. Il pleut toujours. Je suis triste bien entendu et plus que cela, déchiré ; et pourtant, dans le même instant, je ressens toujours cette espèce de rage et presque d'ivresse qui m'a pris tout à l'heure dans Old

Brompton Road et dont à chaque fois, plus tard, j'identifierai les signes.

Dehors un homme âgé, sorti du cimetière quelques mètres devant moi, s'apprête à se remettre au volant d'une Vauxhall. Je l'accoste :

« Je vais du côté de Saint James Park. Pourriez-vous m'en rapprocher ? »

Il commence par secouer la tête et puis son regard va se poser sur le cimetière que nous venons l'un et l'autre de quitter. Ensuite, il m'examine, avec mes airs de noyé, au point que si je pleurais, il n'y paraîtrait pas.

« Quelqu'un de votre famille ?

– Une jeune fille que je connaissais.

– Quel âge avait-elle ?

– Dix-neuf ans. Elle aurait eu dix-neuf ans dans trois semaines. »

Il hoche la tête.

« Moi, c'est ma femme. »

Il se décide et m'ouvre sa portière.

« Vous avez dit Saint James Park ? »

Il me dépose devant la chapelle des Gardes et bien que n'ayant pas échangé un mot de plus, nous nous serrons la main en nous quittant comme si nous étions unis par une secrète complicité. La maison d'Old Queen Street est à présent vide, on a même enlevé la moquette des salons, elle est extraordinairement et lugubrement sonore. La lettre éclate de blancheur sur le parquet de chêne ciré. Elle a été glissée par la fente prévue à cet effet dans la porte peinte en rouge sang ; elle ne comporte que quelques mots en allemand qui m'apprennent qu'on m'attend au Dorchester, de la part de Martin Yahl et de mon oncle Giancarlo. L'homme qui m'attend s'appelle Morf.

« Alfred Morf, je viens de Zurich. »

Il est légèrement plus grand que moi et ce genre de choses m'arrive assez fréquemment, étant donné ma taille qui n'est pas gigantesque ; il a un visage aigu, l'œil un tantinet bridé, les pommettes fortes et les joues concaves, creusées à défier un squelette. Il me toise, c'est vrai que je ruisselle littéralement : pour parvenir au Dorchester sur Park Lane, j'ai pour la seconde fois de la journée traversé Saint James Park à pied, et Green Park de même ; les gardes de Buckingham Palace vont finir par m'avoir à l'œil, à force de me voir passer devant eux.

« Vous êtes trempé, dit Morf en pinçant les lèvres.

– Observateur, hein ? C'est la transpiration. »

Je m'assois, sous l'œil atterré d'un serveur. Une flaque ne tarde pas à se former sous moi et je fume comme un bœuf qu'on vient de rentrer à l'étable. Je souris au serveur :

« Rassurez-vous : les autres arrivent, je les ai distancés en vue de l'Irlande. Du champagne pour moi, et que ça saute, mon brave. »

Je reviens à Morf. Il ne me faudrait pas grand-chose pour haïr ce type. Je le déteste déjà.

« Je suis, dit-il, fondé de pouvoir à la Banque Martin Yahl, de Genève et Zurich. Votre oncle est l'un de nos principaux clients. Il m'a chargé de régler définitivement votre situation.

– Mon oncle est un escroc. »

La flaque à mes pieds s'élargit, s'étend, vient lécher comme une marée montante les « Charles Jourdan » d'une dame mûre en vison. Je souris à la dame mûre en vison qui me foudroie du regard. Morf poursuit :

« M. Martin Yahl, le président de notre banque... »

Je souris toujours à la dame :

« Autre escroc, supérieur encore au premier. Et ce n'est pas une mince performance...

– C'est une honte », dit la dame au vison, outrée.

Je l'approuve.

« A qui le dites-vous !

– ... M. Martin Yahl, au nom de la vieille amitié qui le liait à monsieur votre père, est prêt une nouvelle fois, la dernière, à vous venir en aide. Conformément aux volontés de votre père, vous avez il y a moins de trois mois, lors de votre vingt et unième anniversaire, reçu la somme de cent trois mille livres sterling, représentant le reliquat de la fortune de votre père. Vous avez...

– Et six pence. Cent trois mille et six pence. »

Je tremble à ce point de froid que j'ai failli laisser échapper la flûte de champagne. Je bois un peu de vin. A nouveau, l'envie de vomir. Et la rage qui monte simultanément, par saccades sourdes. Je dis au dos de la dame en vison :

« Ils m'ont volé, lui et mon oncle. Je suis un pauvre orphelin spolié, ma brave dame...

– ... Vous avez dilapidé cet argent en un peu plus de deux mois, il ne vous reste même pas un shilling. Plus que cela, l'enquête que nous avons fait effectuer révèle que vous avez contracté des dettes pour un montant approximatif de quatorze mille livres sterling.

– Et six pence.

– J'ai pour mission de rembourser tous vos créanciers, dans la mesure où je tiendrai leurs créances pour valables. Je dois en outre vous remettre dix mille livres sterling. A la condition que vous quittiez l'Europe dans les six heures. Et mes ordres sont de vous accompagner moi-même jusqu'à votre avion. »

D'un coup, voilà que je ne suis plus à Londres,

au Dorchester, en vue des pelouses de Hyde Park par une fin d'après-midi pluvieuse et froide de novembre ; je suis à la Capilla, dans la maison de Saint-Tropez et l'on est en août, la plage de Pampelonne est encore à peu près déserte à l'exception de trois filles totalement nues qui regardent mon père en riant. Car mon père est là, accroupi à côté de moi, moins préoccupé des filles nues que d'essayer de faire démarrer le demi-cheval de la Ferrari rouge, d'un mètre cinquante de long, dans laquelle je suis assis. J'ai huit ans, il y a dans l'air chaud et légèrement vibrant l'odeur un peu huileuse mais enivrante des arbousiers et des cistes et je suis heureux à en hurler.

Je repose la flûte de champagne. J'ai toujours aussi froid.

« Et si je refuse ?

– Il y a ces chèques sans provision. Celui que vous avez remis à ce bijoutier de Burlington Arcade, cet autre que détient un antiquaire de Kensington Mall. La banque a consenti à attendre jusqu'à demain matin. Passé demain dix heures, plainte sera déposée. »

Je fixe toujours le dos outragé de la dame en vison :

« Et en plus, ils veulent m'envoyer en prison. Qu'est-ce que vous dites de ça ?

– Ça suffit, jeune homme, dit le compagnon sexagénaire de la dame au vison.

– Vous n'avez pas le choix, dit Morf.

– Et je peux choisir ma destination ?

– Pourvu que vous quittiez l'Europe dans les six heures, à compter de cette minute. Où voulez-vous partir ? »

Le bar du Dorchester s'emplit peu à peu. Tous les regards glissent sur moi, sur toute cette eau dont j'inonde la moquette. J'ai de plus en plus l'impression de sentir le chien mouillé, je sens probablement le chien mouillé. « Et perdu. » Mon regard s'arrête enfin sur un prospectus qui traîne sur une table voisine. Un nom et une image m'y frappent. Comme je répondrais l'Alaska ou la Patagonie, je réponds à Alfred Morf :

« Mombasa, Kenya. »

Je suis à peu près sûr que le Kenya se trouve en Afrique ; il y était encore récemment, probablement de l'autre côté du Sahara, on tourne à gauche après la dernière oasis ou quelque chose de ce genre ; je n'en sais guère plus. Quant à Mombasa, c'en est risible, le nom m'en est vaguement familier, j'ai dû le voir sur une affiche de cinéma mais, à part ça, j'en ignore tout. Morf a disparu silencieusement, avec des lenteurs furtives de caissier. Je vide ma flûte de champagne, grelottant plus que jamais. « Je n'arriverai pas au Kenya vivant ; je mourrai en route, tombant d'un chameau et oublié par la caravane dont la file s'évanouira sur la crête d'une dune. » Je distingue parfaitement la file des chameaux qui s'éloigne : apparemment, le champagne sur mon estomac vide est en train d'opérer des ravages.

Morf revient :

« Un avion de la British Airways quitte Londres dans un peu plus de trois heures, à destination de Nairobi au Kenya. A Nairobi, la correspondance pour Mombasa est assurée. J'ai retenu votre place, nous prendrons un billet à l'aéroport même. Venez, un taxi nous attend. »

Il paie le champagne que j'ai bu et l'eau minérale à laquelle il n'a pas touché et il a déjà gagné la porte que je n'ai pas encore bougé. A la porte, sentant que je ne l'ai décidément pas suivi, il s'immobilise mais ne se retourne pas, il m'attend. Allons, la chose est maintenant sûre : je hais ce type.

Dans le taxi, à la seconde où celui-ci vient de démarrer, en route vers Heathrow, Morf se ravise :

« Vous ne pouvez pas voyager dans cet état ; on risque de vous refuser l'accès à bord. »

En somme, ce qui le préoccupe, ce n'est pas que je risque la congestion pulmonaire, puis, en Afrique, l'asphyxie dans mon costume de laine peignée taillé sur mesure. Non, il craint que ma tenue ne désoblige la British Airways, qui pourrait alors m'interdire ses avions. Sans évidemment me consulter, il ordonne au taxi un changement de cap, le fait arrêter dans Oxford Street West, en face de la station de métro de Bond Street. Vingt minutes plus tard, de conserve, nous ressortons de chez Michael Barrie, puis de chez Lilley & Skinner, et je suis habillé, sous-vêtu, chaussé de neuf, ayant choisi ce qu'ils avaient de plus léger, de plus tropical.

« Je vous plais, Alfred ? Alfred, dis-moi que tu m'aimes. »

Il ne détourne même pas la tête. J'ai très envie de lui casser la gueule. Et d'abord, ça me réchaufferait. Le taxi repart, file sur Marble Arch, vers Kensington, en direction de l'aéroport de Heathrow. Il est à ce moment-là aux alentours de cinq heures quarante et la nuit tombe sur Londres luisant de pluie, que je vais quitter sans l'avoir décidé, sans avoir tout à fait compris ce qui est en train de se passer, ce qui s'est passé. Brusque bouffée d'un chagrin oppressant et douloureux, qui me contraint à poser ma nuque sur le rebord du siège, à fermer mes yeux, à enfouir mes mains au fond des poches de mon veston. Je devine que ma vie est sur le point de changer du tout au tout, que je me réveillerai demain très différent de ce que j'étais voici deux jours encore ; ce n'est pas un simple changement de route, c'est un avatar total, une nouvelle naissance. Qui plus est, ou l'un tenant l'autre, soit effet du champagne, soit celui de la fatigue, la tête me tourne.

« Signez ici, je vous prie. »

Il me tend des papiers, étalés sur un attaché-case de cuir fauve ; il m'explique :

« Un reçu. Je dois vous remettre ces dix mille livres et je dois rendre compte à M. Martin Yahl. Et puis il y a les formalités d'usage : nous sommes aujourd'hui le 23 novembre 1969, le fidéicommis décidé par votre père est venu à expiration depuis aujourd'hui midi. A dater de ce jour... »

Je l'écoute à peine, secoué par les nausées, encore incapable d'ouvrir les yeux.

« ... A dater de ce jour, ne comptez plus que sur vous-même. Voici votre chèque de dix mille livres. Attention, il est au porteur. Signez ici. Et encore ici. »

Durant peut-être un centième de seconde, extraordinairement fugitif, j'éprouve la sensation d'un piège implacable qui se referme. Ou peut-être l'ai-je imaginée plus tard, cette sensation, quand j'ai appris la vérité. Le fait est que j'ai signé, là où il me disait de le faire.

L'aéroport.

« Voulez-vous manger, boire quelque chose de chaud ? »

Voilà qu'il s'inquiète de moi, à présent. Mais il demeure toujours aussi froid. Il est vêtu en confection et, ce qui est pis, a effectivement l'air de s'habiller en confection ; il porte de grosses chaussures de cuir, du genre de celles qu'on achète parce qu'elles font de l'usage ; il arbore une montre de gousset, qu'il consulte fréquemment, comme s'il ne faisait aucune confiance aux horloges du hall.

Je n'ai pas répondu à sa question. Il m'entraîne jusqu'à l'un des comptoirs de la British Airways, où il achète un billet Londres-Mombasa qu'il règle avec une carte du Diners Club. « Oui, aller simple. » Mais il garde le billet au lieu de me le remettre et c'est ensemble que nous nous présentons à l'accès, limité aux seuls voyageurs, de la zone hors douane. Je choisis ce moment-là pour filer. Je me perds dans la foule, à l'abri d'un groupe de Pakistanais enturbannés. La jeune femme qui tient la boutique de fleuriste a de doux yeux bleus bêtes, un corsage plat, de grosses mains rouges de blanchisseuse.

« Vous pouvez livrer des fleurs ? Des roses blanches, c'est pour une jeune fille. »

Je lui écris le nom et l'adresse et ça lui donne un choc.

« Le cimetière de Brompton ?

– Travée 34 Ouest. On l'a enterrée ce matin. »

Non, aucune carte et aucune inscription, simplement des roses blanches.

J'endosse le chèque et je le lui tends.

« Dix mille livres. Je veux dix mille livres de roses blanches. Et six pence, que voici. Vous aurez tout le temps de vous assurer que le chèque est bon. Tout le temps. Pour la pièce de six pence, elle est également authentique, je vous le garantis personnellement. »

Je prends le reçu qu'elle finit par me remettre, au moment où Alfred Morf, un rien égaré, un rien essoufflé, vient tout juste de me rejoindre. Je lui dis :

« Allons-y, mon brave Alfred. »

Il est médusé, se retourne à deux reprises vers la boutique de fleuriste, probablement se demandant ce qu'il peut bien faire et s'il a la moindre chance de récupérer cet argent. Si bien que c'est moi qui dois maintenant l'entraîner. Il présente au contrôle nos deux billets, le mien pour le Kenya, le sien pour Zurich. Nous pénétrons côte à côte dans la zone hors douane. Je me dirige vers la petite librairie. Le hasard y fait bien les choses : j'y trouve le livre admirable *Out of Africa* * de Karen Blixen, qu'à l'époque je n'ai pas encore lu. Je prends le livre et je dis à Morf :

« Payez, mon brave, vous savez bien que je n'ai plus d'argent, même pas six pence. »

Soixante-dix-sept minutes plus tard, l'avion m'emporte, crevant le plafond de nuages. Je me mets à lire. J'ai faim, une faim énorme et animale, que je n'ai pas ressentie depuis des jours et des jours et qui est comme un retour à moi-même, le signe de ce que tout redevient normal après ces mois, voire ces années de folie. Il est huit heures et dix ou vingt minutes. J'ouvre le livre que j'ai acheté et j'en relis à plusieurs reprises les premières lignes : « J'ai possédé une ferme en Afrique au pied du Ngong. La ligne de l'équateur passait dans les montagnes à vingt-cinq miles au nord ; mais nous étions à deux mille mètres d'altitude... »

La Ferme africaine de Karen Blixen se trouvait au Kenya. Au Kenya. Je cherche en vain une carte que j'aurais dû penser à acheter avant mon départ de Heathrow. Où diable est Mombasa par rapport au Ngong dont me parle le livre ?

L'avion a achevé son ascension, le ronronnement de ses moteurs s'apaise, les rangées de fauteuils devant moi redeviennent horizontales. J'ai l'esprit vide, pâle, un peu comme la lueur baignant cet habitacle anonyme. Je pense peut-être à des fleurs. A des roses blanches ; à une montagne de roses blanches. Kilimandjaro ? Je ne sais pas.

* En français : « La Ferme africaine ».

Ma main glisse dans le vide perdu de ma poche. Alors comme une blessure tendre et limpide. Jamais, plus jamais cela. Rien ne me le fera accepter. Ma main se referme soudain sur une matière dure et brûlante, douce et terrible.

Je sens mes lèvres qui l'appellent.

J'entends ma voix qui la nomme : « Money ! »

Je n'avais jamais rencontré l'argent. Cela ne m'avait jamais préoccupé. Cela vient de changer. Définitivement.

Je porte un nom éclatant et sonore, un nom qui danse. Du moins est-ce ainsi que je le perçois, je l'ai toujours imaginé s'accompagnant d'une musique presque barbare, en tout cas sauvage, féroce, très gaie, dansante. Et ce départ précipité de Londres, par un soir de novembre vers le soleil africain, a été pour moi le vrai début de la danse.

Mon nom est Cimballi.

2

A l'AÉROPORT de Mombasa, un autobus jaune, surchargé de passagers et de bagages provenant de l'avion d'East African Airlines.

Il s'engage sur une route mal entretenue, creusée de nids-de-poule, à l'asphalte rongé par les pluies. Je m'attendais à une chaleur écrasante, il fait simplement bon, sans plus ; l'air en revanche est poisseux, et il charrie des odeurs innombrables, qui ne sont pas forcément appétissantes. Les gens autour de moi sont évidemment des Noirs, dans leur grande majorité mais pas uniquement : il y a ces peaux plus claires qui me semblent appartenir à des Indiens, au moins deux Arabes et un Européen. De celui-ci je cherche les yeux et quand je croise son regard, je lui adresse un début de sourire. Mais il détourne la tête sans me répondre. Le car s'arrête et tout le monde descend. « Terminus », annonce le chauffeur à ma seule intention en constatant que je n'ai pas bougé. Je mets pied à terre.

Il est presque midi, ce 24 novembre. A Nairobi, en attendant ma correspondance, je ne suis pas sorti de l'aéroport ; j'ai passé mon temps à lire Karen Blixen et je n'ai à peu près rien vu du Kenya. Je n'en ai jusqu'ici guère aperçu davantage, sinon sur la route de Mombasa un village en forme de lotissement, avec des huttes rondes crépies de blanc et un toit de chaume conique, avec des femmes vêtues pour la plupart en rose, enjuponnées de ce qui me semble être des serviettes de toilette, enturbannées de bleu, narines épatées mais pas laides pour autant et qui, à mon grand regret, ne vont pas la poitrine nue.

Descendant de l'autobus jaune, je suis pour la première fois en contact direct avec ce pays où je me suis jeté. Je vois une grande rue animée, bordée de magasins et de boutiques, dont je ne tarderai pas à apprendre qu'elle s'appelle Kilindini Road, et qu'elle est l'artère principale de la vieille ville de Mombasa. Tout ce que je possède est sur moi, je n'ai même pas une valise, même pas une brosse à dents, ce qui est plus désagréable.

« Le moment est venu de faire fortune. » L'ivresse sauvage d'Old Brompton Road ne m'a pas quitté. On remonte d'autant plus vite, on va d'autant plus haut qu'on est descendu plus bas. Je me demande qui a dit ça. Moi, peut-être. Dans mon cas, la remontée devrait être météorique : je n'ai rien. Au fait, quelle est la monnaie du Kenya ? Des perles ? des miroirs de poche ou des chèques de voyage ? L'enseigne de la Barclays Bank un peu plus loin m'attire, je vais examiner d'un œil scrutateur le tableau des changes et j'y apprends que je suis désormais tenu de faire fortune en quelque chose qui se nomme le Shilling Est Africain, que ça vaut à peu près soixante-dix centimes français, et qu'il faut donc dix-huit shillings et demi pour une livre anglaise, et donc sept shillings pour un dollar.

Voilà qui me fait la jambe belle.

Je ressors dans Kilindini Road et j'y déambule, scrutant l'ombre des boutiques où se tiennent tapis des Indiens, aux yeux de femme et aux cheveux luisants, à l'évidence prêts à faire à la marge bénéficiaire le don de leur personne. Je finis par trouver ce que je cherche : celui-là est à peu près de mon âge, à peu près de ma taille voire un peu plus petit que moi, et il a encore ses preuves à faire, ce qui est également mon cas, c'est le moins qu'on puisse dire.

« Mon cher ami, voilà, lui dis-je. Je suis venu tout exprès de Londres par l'aéroplane le plus vif afin de vous permettre de réaliser l'affaire du siècle. Cette superbe montre que je porte peut être à vous, non vous ne rêvez pas c'est vrai, peut être à vous en échange de six cents dollars, quoique je l'ai payée le double chez Boucheron à Paris, téléphonez-leur de ma part sur-le-champ pour contrôler mes dires. »

Il ignore tout de Boucheron, ça saute aux yeux et qui plus est il a l'air de s'en foutre. Mais l'essentiel est ailleurs, sans doute dans cette lueur de gaieté apparue au fond de ses prunelles liquides.

« Entre toutes ces boutiques, sachez que c'est la vôtre que j'ai choisie. Le coup de foudre. »

J'ai misé juste. J'élargis mon sourire, il dessine le sien. Je me mets à rire carrément, il fait de même, pour un peu nous nous taperions mutuellement sur le ventre. De vrais potes.

« Allons, dis-je encore, c'est une très bonne affaire, comme vous n'en ferez plus, ne laissez pas passer votre chance. Et puisque vous insistez à ce point pour me l'acheter, je vous la laisse pour cinq cent cinquante. »

Il rit de plus belle, cela tourne au fou rire. Il s'écarte du seuil de sa boutique et me fait signe d'entrer ; un client aussi hilarant que moi ne se laisse pas sur le pas de la porte. Dix minutes plus tard, je lui ai appris mon arrivée de Londres, et le moindre détail de ma situation, j'ai joué à fond la carte de la franchise, de la camaraderie à venir, il m'a offert du thé, des gâteaux poisseux dégoulinant de sucre et ma montre est passée de main en main, successivement examinée par un père, des oncles, des frères et des cousins appelés à la rescousse pour une totale expertise.

« Cent dollars.

– Quatre cent cinquante. »

On repart dans le fou rire. On reboit du thé, ma montre repart pour une deuxième tournée.

« Cent vingt dollars.

– Quatre cents.

– Cent trente.

– Trois cent quatre-vingt-quatre et dix-sept *cents*. »

Je m'amuse vraiment, c'est toujours ça de pris. Mais trois quarts d'heure et six tasses de thé plus tard, ayant assez rigolé, nous tombons d'accord, Chandra et moi : cent soixante-quinze dollars, plus un rasoir et trois lames neuves dont une vraiment, vraiment neuve, plus un caleçon de toile blanche de style Armée des Indes au bain, plus une brosse à dents, plus une carte du Kenya. Chandra est entre-temps devenu mon ami, quasiment mon frère et il me tient par l'épaule affectueusement tandis que je surveille à tout hasard sa main au cas où elle errerait dans ma poche (j'ai tort, Chandra se révélera scrupuleux et de tout repos, à l'usage). Il m'indique un hôtel, le Castle, qui se trouve juste derrière les deux grosses défenses d'éléphant en béton qui ouvrent ou ferment Kilindini Road. C'est un bâtiment vaguement victorien, augmenté d'un balcon hispano-mauresque et d'un cabinet à la turque au fond du couloir. La chambre m'y coûte douze shillings, presque deux dollars et au sortir de la douche unique ouverte aux clients, je m'allonge sur mon lit et je déploie la carte du Kenya, afin de voir enfin à quoi celui-ci ressemble. Pour être franc, pas à grand-chose du moins sur le papier. Au plus, à une sorte d'entonnoir dont la pointe prend appui sur l'océan Indien. En faisant face à l'intérieur des terres, on a la Somalie à droite, puis l'Éthiopie, puis l'Ouganda et le lac Victoria et tout à gauche enfin la Tanzanie. Je cherche le Kilimandjaro, ses neiges et son léopard. Pas de Kilimandjaro ; je ne trouve que le mont Kenya, qui culmine tout de même à cinq mille deux cents mètres. Et on aurait volé le Kilimandjaro ? Finalement, je le repère par hasard en Tanzanie, pas très loin. On me l'aura changé de place, je l'avais toujours situé au Kenya.

Je me sens soudain seul, très seul, et loin de tout, en tous les sens du terme. En bref, c'est l'aile du cafard qui m'effleure, allongé sur ce lit à la propreté théorique, dans cette chambre bruyante où le ventilateur a des halètements d'asthmatique.

Ça ne dure pas. Old Brompton Road toujours et cette force que j'y ai rencontrée. J'ai cent soixante-quinze dollars, vingt et un ans, deux mois et quinze jours. Au pis, j'ai de quoi tenir un mois et demi, quitte sur la fin à ressembler à Robinson Crusoé pas le vendredi mais la veille. J'aurai trouvé quelque chose avant, j'en suis sûr. Je ne sais pas quoi : je n'ai jamais travaillé, jamais gagné un centime, rejeté par les divers lycées parisiens au profit d'établissements de province, puis de collèges suisses, puis de public schools anglaises, Franz Cimballi le Boute-en-Train des soirées de Londres ou de Paris, des stations helvétiques de ski, des endroits « in » de la Côte, gai luron bon à rien, capable d'allégrement jeter par la fenêtre, en deux mois et demi, cent dix-sept mille livres sterling ce qui, il n'en a jamais disconvenu, n'a pas été des plus malin.

Mais un autre Cimballi est né ou va naître incessamment. Le moment est venu de faire fortune.

Je me donne une semaine. Et c'est un fait qu'il me faudra attendre sept jours pour rencontrer Joachim.

Joachim me regarde du haut de son mètre quatre-vingt-cinq et quelque, de ses petits yeux d'éléphant, vrillés et fixes, trouant un visage à vous épouvanter une tribu masaï. Il me demande :

« Tu as cru que j'en voulais à ton argent ? »

J'éclate de rire :

« Moitié moitié. »

Il fronce les sourcils sans comprendre. Puis, très bizarrement, il rougit comme une (vraie) jeune fille. Il secoue la tête.

« Oh ! non, j'aime les femmes.

– Moi aussi. »

Il est portugais, il ne tardera pas à m'apprendre qu'il a passé quatre ou cinq ans au Mozambique, qu'auparavant il était en Angola, et qu'il a conservé l'habit militaire jusqu'au moment où, dit-il dans un chuchotement timide, il a quitté l'armée, autant dire qu'il l'a désertée. Il a véritablement une trogne à faire peur en plein jour, à plus forte raison la nuit, avec un nez en péninsule, busqué et bosselé, et deux rides profondes comme des cicatrices au milieu du cuir grêlé de ses joues. Son vrai nom, celui du moins sous lequel il se produit au Kenya, est Joachim Ferreira da Silva et quatorze ou quinze autres patronymes divers. « Tu connaissais un footballeur nommé Eusebio ? – Jamais entendu parler. – C'était le meilleur joueur du monde, meilleur que Pelé. Tu as entendu parler de Pelé ? – Vaguement. – Eusebio était bien meilleur que Pelé. – Très bien. – Tu ne me crois pas ? – Quelle idée ! » Je ne vois aucune raison de contrarier Joachim sur ce point. J'ai rencontré le Portugais dans les bâtiments de l'aéroport, je dirai comment. C'était le septième jour de ma présence à Mombasa ; les jours précédents, je les ai consacrés à faire à pied le tour de la ville. La ville est un bien grand mot : deux estuaires, des rias, envahis par la mer et entre les deux une péninsule, à quelques mètres au-dessus de l'eau, sur laquelle les Arabes et les Persans chassant l'esclave, puis les Portugais, ont bâti des forts et des mosquées et des églises. Au nord-est, le vieux port arabe avec ses dhows et ses boutres venus d'Arabie ; au sud, le port moderne de Kilindini plein de cargos. C'est là que débouche le chemin de fer approvisionnant Nairobi et l'Ouganda. Entre Mombasa et le continent, une chaussée à péage. Prenez-la et tournez au nord, vous suivrez une grande et merveilleuse plage, au-delà du port des boutres, au long de laquelle s'alignent des hôtels de luxe tout neufs, et la demeure personnelle de Jomo Kenyatta, dont j'aurais bientôt de tristes raisons de connaître en détail la façade.

Voilà pour le décor.

Il ne faut pas des semaines pour en découvrir les limites. Le port moderne ? N'importe quel transitaire arabe ou indien en sait cent fois plus que je n'en saurai jamais. Le négoce ? Lequel ? Et d'ailleurs, à défaut de toute autre, je porte en moi une certitude : je n'ai nulle intention de m'engager dans une de ces ascensions patientes, qui vous prennent pour le moins vingt ou trente ans de travail et de vie. Le moment est certes venu de faire fortune, mais il s'agit de la faire vite. C'est bien sûr de la prétention mais je m'en fous.

D'ailleurs, je détiens un atout, même si je ne le sais pas encore, et c'est précisément Joachim qui va m'en révéler l'existence. J'ai aperçu pour la première fois Joachim à la terrasse du Castle Hotel.

Avec son physique de tueur au chômage, il n'a guère de chances de passer inaperçu. Je le revois le lendemain et puis à deux reprises le jour suivant, et ensuite au cours de mes pérégrinations mombasiennes, je tombe de plus en plus souvent sur lui, qui m'évite avec des hésitations de pucelle. Timidité qui me surprend et me lance même sur une fausse piste, je l'imagine en voulant à ma vertu, et ça n'est pas fait pour m'enchanter. Pour un peu, je lui aurais mis mon poing dans la figure. Deux choses m'en ont empêché, d'abord ma bonne humeur naturelle, ensuite la crainte qu'il ne me rende mon coup et ne me pulvérise.

« C'est vrai, je vous suivais, dit-il en se balançant d'un pied sur l'autre comme un gros ours. Mais c'est parce que j'ai une affaire à vous proposer. »

Il s'explique, timide au naturel, victime de son physique, cœur de collégien boutonneux sous le poil de King-Kong : il vit des safaris qu'il organise. Pas des safaris de grand luxe.

« Pour des clients allemands surtout et quelquefois des Suédois ou des Danois, des Anglais qui veulent faire vite, qui veulent un buffle entre deux avions. »

Joachim parle anglais ou du moins il essaie, laborieusement, avec un accent atroce. Nous nous comprenons mieux l'un l'autre dans un charabia franco-italo-anglais mêlé d'un zeste d'espagnol.

« Combien leur prends-tu ?

– Dix mille shillings. »

Sept mille francs français.

« Et en quoi as-tu besoin de moi ? »

Je suis, m'explique Joachim, jeune et sympathique (c'est également mon opinion) et je parle, outre français et italien qui me sont ici à peu près aussi utiles que des patins à glace, anglais et allemand.

« Moi, dit Joachim, quand j'accoste les touristes allemands, je leur fais peur. Et ils ne me comprennent pas. » Joachim m'offre deux mille shillings par client que je lui amènerai. Nous transigeons à trois mille. Nous buvons le Coca-Cola de l'amitié, Joachim ne buvant pas d'alcool, à la suite d'une promesse qu'il a faite à Notre-Dame de Fatima – je le dévisage interloqué mais il est sérieux comme un pape –, moi parce que je ne bois que du champagne et encore pas beaucoup et de toute façon je n'en ai pas. J'en suis à échafauder les plus fantasmagoriques combinaisons : imaginons que je trouve deux, et pourquoi pas quatre ou cinq clients par semaine ; soit quinze mille shillings par semaine en engageant évidemment d'autres Joachim, dès lors celui-ci ne suffirait plus à la tâche ; mais si c'est moi qui engage les Joachim futurs, je n'aurais plus trois mille mais disons six mille shillings par client, et si j'ai trente clients par semaine, multipliés par le nombre de semaines dans le mois, en supposant, c'est une supposition, toute la jungle kényenne peuplée de centaines de milliers de touristes allemands, voire de millions de ces types en colonne par cinq, ils aiment ça d'ailleurs, je pourrais aisément parvenir à six cent soixante-neuf mille quatre cent vingt-quatre shillings par mois, c'est un strict minimum et je pourrais ensuite étendre l'affaire aux pays avoisinants, voire jusqu'au Sénégal...

Je déchante presque aussi vite que j'ai établi mes calculs. La vérité est que les touristes débarquant d'avion rêvent de plages sur l'océan Indien, d'exotisme, de Mombasa port d'esclaves, de Mombasa par où passa un certain Stanley à la recherche du nommé Livingstone. Ils ne rêvent pas de safari ou alors très peu. Le marché, diraient les économistes, est dérisoirement étroit. Je le constate en quelques jours en traquant chaque touriste fraîchement débarqué au pied des passerelles, en les suivant pas à pas tandis qu'ils errent stupidement, achetant d'horribles bois taillés et d'authentiques fausses armes masaïs...

Et pourtant.

Dans la réflexion que m'a faite Joachim, je commence à discerner un embryon d'idée. C'est vrai que mon atout est d'être blanc, de pouvoir parler à ces touristes, de leur inspirer confiance. Pas au point de leur vendre des safaris dont ils ne veulent pas, mais est-il vraiment nécessaire de leur vendre quelque chose ?

Je retourne voir mon ami indien, Chandra, à qui j'ai vendu ma montre. Je suis revenu dans sa boutique à plusieurs reprises depuis notre première rencontre, nous nous sommes en quelque sorte liés d'amitié, d'autant qu'il a déjà revendu ma montre et avec un bénéfice qu'il n'ose même pas m'avouer. Les réponses qu'il fait à mes questions me confirment dans mon idée première.

Le moment est venu de faire fortune ?

Eh bien, j'ai trouvé.

Mon premier client est un Allemand du Sud, des environs de Munich je m'en souviens, avocat ou médecin, en tous les cas profession libérale. Il me dévisage dès mes premiers mots :

« Où avez-vous appris l'allemand ?

– Ma mère était autrichienne. »

Non, un safari ne l'intéresse pas, il n'est pas chasseur. Non, il n'a pas besoin de guide, pas davantage d'interprète. « Et si j'ai envie d'une femme, je suis capable de la trouver tout seul. » Je lève les bras en signe de reddition :

« Je ne vous propose rien de tout ça. Je voulais simplement vous dire quelque chose : vous allez changer de l'argent. Disons par exemple cent dollars. Pour cent dollars, le bureau de change qui est devant nous vous donnera sept cents shillings, c'est le cours officiel. Moi, je peux vous en donner sept cent cinquante. Vous gagnez cinquante shillings, soit un peu moins de trente deutsche marks. Pour deux cents dollars, cent shillings, soixante deutsche marks. Pour mille dollars, cinq cents shillings, trois cents deutsche marks. »

Il a des yeux bleus, je l'amuse par ma jeunesse et ma faconde, et ses yeux bleus prennent une expression amicale, un peu pensive et méfiante quand même :

« Où est le truc ? »

Je ris :

« Il n'y a pas de truc. Sept cent cinquante shillings pour cent dollars et il n'y a pas de truc. Et aucun policier ne surgira.

– *Ein moment.* »

Il part vers le bureau de change et dans un anglais tout à fait convenable s'enquiert du taux. Il revient, encore un peu hésitant. « Et bien entendu vos shillings sont en bonne monnaie ? – Faites vérifier les billets à la banque, si vous le désirez. » Il finit par se décider et change quatre cents dollars. Je fais signe à Chandra qui s'est tenu à l'écart jusque-là et qui, de son espèce de sacoche, retire et compte scrupuleusement trois mille shillings en billets usagés. J'ai insisté auprès de Chandra pour, précisément, que ces billets soient usagés, pensant que des billets neufs pourraient susciter la méfiance. Bien entendu, les billets sont tout à fait bons mais je ne tiens pas outre mesure à ce que les employés de la Banque centrale du Kenya accordent trop d'attention à mes opérations de change.

Mon Munichois parti, Chandra me verse comme convenu ma commission : deux cents shillings – vingt-huit dollars. Au cours officieux, le dollar est acheté non pas sept shillings mais un peu moins de huit et demi. Et à ce prix, il trouve aisément acquéreur : l'importante colonie indienne de Mombasa, comme d'ailleurs celle de Nairobi, se prépare à compléter son premier exode de 1968, qui a vu des milliers d'Asiatiques, surtout des Indiens, s'en retourner au pays ancestral en réponse aux mesures prises par Kenyatta cherchant à les éliminer des commandes du commerce national qu'ils avaient accaparées. Pour Chandra et les siens, acheter du dollar, même à huit shillings et demi, même à neuf et même à dix, est la seule façon de réaliser les biens acquis et les économies faites, avant un départ éventuel qui pourrait être précipité.

C'est sur cette différence entre les deux taux, et sur cette forte demande de dollars, que j'ai décidé de jouer. Et de jouer très vite.

Je suis favorisé par un phénomène nouveau que les Indiens eux-mêmes ont mal perçu : la brusque progression du tourisme européen, allemand notamment. Et il me faut aller vite parce que tôt ou tard, je m'attends à avoir des ennuis avec les autorités kényennes, qui ne peuvent apprécier mon intervention, quoiqu'elle ne soit pas pour l'heure véritablement illégale.

Chandra arbore un sourire épanoui : même en décomptant ma commission, il a payé trois mille deux cents shillings, au lieu de trois mille quatre cents, les quatre cents dollars qu'il vient d'acheter. Il est prêt à recommencer, à m'amener nombre de ses congénères. Je le mets en garde :

« A une condition : toi comme eux ne traiterez qu'avec moi. »

Il me le jure sur la tête de je ne sais qui. Pas la mienne, j'espère.

« Autre chose, Chandra : tu n'en parles à personne. Tu y gagneras de pouvoir continuer à m'acheter des dollars à un taux préférentiel, c'est-à-dire huit shillings, au lieu de huit et demi. »

C'est-à-dire que je vendrai, à tous sauf à lui, huit shillings et demi un dollar que j'aurai quant à moi acheté sept et demi. Soit un shilling de bénéfice par dollar. A condition de trouver d'autres Munichois. Les deux jours suivants, je ne quitte pas l'aéroport. Pas le moindre succès pendant des heures et puis je décroche un premier gros lot : ceux-là sont également allemands et ils sont trois, accompagnés de leurs femmes, qui me trouvent mignon. Je leur change deux mille deux cent cinquante dollars, la moitié de la somme rachetée directement par Chandra, l'autre revendue à un commerçant de Kilindini Road. Bénéfice net : mille six cent quatre-vingt-sept shillings. Deux cent dix dollars. Environ huit cent quatre-vingt-douze francs français.

Je suis fou de joie.

Ça y est ! c'est arrivé. Pour la première fois de ma vie, j'ai gagné de l'argent et j'ai cette révélation étrange qui me stupéfie et fait naître en moi une formidable joie : c'est simple ! Prodigieusement simple ! Quelque chose est arrivé : j'ai eu une idée et cette idée s'est transformée en monnaie sonnante. Pourtant ce n'était pas une idée extraordinaire, et les gains ne le sont pas encore davantage. Mais je suis sûr que ce n'est qu'un début et je suis loin de me douter à quel point, loin d'imaginer les centaines de millions qui m'attendent au bout de cette route que j'appelle et appellerai toujours ma danse.

Dans mon exaltation, une idée saugrenue me vient. De retour à Mombasa, j'achète deux cartes postales identiques, représentant le même chacal. J'adresse la première à mon oncle, Giancarlo Cimballi, Riva Giocondo Albertolli, Lugano ; la seconde à Martin Yahl, Sa Grandeur Bancaire Soi-Même, président-directeur général de la banque du même nom, banque privée (surtout de sens moral), quai Général-Guisan, à Genève. Dans les deux cas, le même texte : « Vous voyez bien que je ne vous oublie pas. » Gaminerie ? sûrement. Sans conséquences en tout cas. Du moins je le crois. Et je le croirai longtemps jusqu'au moment où m'arrivera la réponse, une espèce de réponse, fracassante.

J'ai même trouvé un client pour Joachim, un client double en quelque sorte puisqu'il s'agit d'un jeune couple de Zurich. Ils s'appellent Hans et Erika. Lui est quelque chose dans l'administration des postes et elle travaille dans l'électronique, ingénieur pour le moins. Ils sont charmants et très amoureux. Ils ont prévenu Joachim : « Nous ne voulons pas vraiment tuer. Promenez-nous et montrez-nous le pays. » Dans les premiers instants où ils ont vu Joachim, ils ont eu un mouvement de recul, inquiétés par son allure. A présent, touchés par la gentillesse de mon gros ours apprivoisé, ils s'entendent parfaitement. De Mombasa, nous partons tous quatre vers le nord, vers Malindi et Lamu, en suivant la côte bordée de récifs coralliens à fleur d'eau, qui découpent des lagons fantastiquement calmes et transparents. Hans et Erika se baignent nus et je ne tarde pas à les imiter. Pas Joachim qui, loin de goûter le spectacle de la jeune Zurichoise en tenue de nature, s'éloigne en grommelant, indigné. Le soir, agenouillé devant son lit de camp surmonté de la sacro-sainte statue de Fatima, il prie pour nous qui vivons tout nus.

Après Lamu, qui se trouve à une centaine de kilomètres de la frontière éthiopienne, Joachim lance sa vieille Land-Rover vers l'ouest. Nous revenons en arrière, au prix d'un détour par l'intérieur. Nous campons sur les bords de la Tana avant de partir à l'assaut des hauts plateaux masaïs. Pas de jungle mais dans le meilleur des cas une forêt de fougères géantes, de bruyères, de bambous, le tout bardé de lianes ; le reste du temps, une savane faite d'acacias aux étranges feuillages horizontaux, stratifiés, plus rarement plantée de baobabs et d'euphorbes. La vie animale est intense, et Joachim ne cesse de pointer ses gros doigts velus ; il a été chasseur, très bon chasseur même m'a-t-on dit mais, à présent, il n'aime plus ça, et je sais qu'il apprécie cette promenade où l'on n'a pas besoin de tuer.

L'altitude augmente encore : nous sommes dans le Parc national du Tsavo, où nous allons passer deux jours. Ceci est ma première véritable vision du Kenya et elle me coupe le souffle ; le ciel n'y est jamais tout à fait bleu, plutôt blanc brillant, constamment parcouru de caravanes de nuages, roses ou dorés, en mouvement permanent ; la terre est ocre ou rouge ou violette, parfois carrément écarlate après la pluie quand les cactées éclatent de fleurs ; les couchers de soleil sont flamboyants et incroyables, les aurores tout aussi miraculeuses, au moment où des troupeaux de buffles surgissent en silence des brumes matinales, fantomatiques. Les deux nuits que nous passons dans le Tsavo resteront à jamais pour moi le Kenya, où que j'aille et quoi que je fasse ensuite.

Le soir, dînant des cailles et des pintades tuées par Joachim, nous parlons notamment de la Suisse. Hans et Erika m'ont cru moi-même suisse. Je les détrompe :

« J'ai la nationalité française. Je suis né à Saint-Tropez. »

Ils s'exclament : ils sont justement allés à Saint-Tropez l'été précédent. Ils se sont baignés tout nus à Pampelonne.

« La maison où je suis né se trouve sur cette plage. Ou s'y trouvait. »

Pour un peu, ils se souviendraient de la maison, qu'ils n'ont probablement ni vue ni remarquée ; ils fouillent gentiment leurs souvenirs dans l'espoir d'y retrouver une image : « Un grand bâtiment blanc ? ou bien cette espèce de château avec des tours ? – Non, c'est tout près du bord. Il y a un mur de pierre et par-derrière un terre-plein avec des palmiers. » Les images soudain refluent en moi. Pourquoi ai-je gardé un souvenir aussi précis, aussi extraordinairement net d'une maison que je n'ai connue qu'étant enfant, même pas, où je ne suis pas retourné depuis la mort de mon père ?

« Quel âge aviez-vous quand il est mort ?

– Huit ans.

– Cimballi est un nom d'origine italienne, n'est-ce pas ?

– Mon père venait du Tessin, pas le Tessin suisse, mais de l'autre côté de la frontière, juste de l'autre côté. A quelques hectomètres près, il serait né suisse. »

Joachim a sorti sa guitare et ses doigts épais en caressent les cordes avec une délicatesse surprenante.

« Et votre mère a également disparu ?

– Elle est morte quand j'avais onze ans. »

Elle est morte d'un cancer. Pas n'importe où : à Paris, rue de la Glacière. Ce seul nom de la rue serait grotesque s'il n'était tragiquement exact. Là encore, je me souviens. Je me rappelle les derniers mois de cette agonie, cette ronde infernale, cette ignoble sarabande de l'oncle Giancarlo agissant je le sais sur les instructions de Martin Yahl, assiégeant le lit de la moribonde, pressant les docteurs de tout faire pour prolonger sa vie – et ses souffrances – non par amour pour elle mais pour qu'elle vive assez afin de signer tous ces papiers dont ils avaient besoin. La haine féroce que je porte à mon oncle et à Martin Yahl ne date certes pas de cette période, elle a toujours été instinctive, mais elle a, durant ces semaines du printemps 1960, trouvé une base matérielle, sur laquelle depuis elle n'a fait que se développer. Je hais ces deux hommes avec une violence qui, par moments, me semble à moi-même inexplicable, qui m'a poussé à pratiquement brûler tout ce qu'ils m'ont donné, études ou argent, qui me paraît presque relever de l'obsession pathologique.

« Son père était très riche, dit Joachim de sa grosse voix, en me désignant d'un mouvement de menton. *Father very very rich...* »

Il me sourit, le regard éclairé par une confondante amitié. Il hoche la tête.

« *Very rich.* Et puis fini. »

Il se met à chanter *A Micas das Violetas*, son fado préféré. Hans et Erika se serrent l'un contre l'autre, et moi je contemple la Croix du Sud.

Chaque touriste, allemand ou autre, mais le plus souvent allemand, change en moyenne huit cents dollars à son arrivée. Je gagne à peu près huit cents shillings, soit un peu plus de cent dollars par touriste. Le calcul est simple, il est même enfantin : dans les deux semaines qui suivent ma découverte de ce pactole, je suis en mesure de me passer des services de Chandra en tant que bailleur de fonds, c'est-à-dire que je fais travailler mes propres shillings, ceux obtenus des commerçants indiens me rachetant mes dollars. Après exactement douze jours – je me souviens de la date parce qu'elle marque la fin de ma troisième semaine de séjour à Mombasa et au Kenya – je suis capable de réunir quatre fois en une seule et même journée les six mille shillings nécessaires à l'achat des dollars de quatre touristes d'un même avion. Quatre cent vingt dollars de bénéfice net pour deux heures de travail. Non qu'il m'arrive tous les jours de recevoir une telle manne, ce jour-là en vérité est à marquer d'une pierre blanche, à ce stade en tout cas de mes opérations.

Une chose est sûre : je vis de ce que je gagne. Et au-delà. Le 22 décembre, à deux jours de Noël, je quitte le Castle Hotel, son ventilateur bruyant, ses murs constellés de moustiques écrasés, sa douche commune puant l'urine au fond du couloir. Je m'installe au White Sands Hotel, pas très loin de la résidence de Jomo Kenyatta Soi-Même. Devant moi, la merveilleuse plage blanche et la splendeur corallienne de l'océan Indien.

Je commence à me sentir tout à fait chez moi à Mombasa, presque un mois après mon débarquement.

La lettre m'arrive le 23 décembre. Elle est à mon nom, correctement orthographié, avec deux l et un c initial, et porte simplement comme adresse « Mombasa, Kenya ». Je ne saurai jamais par quel miracle la poste kényenne a réussi à l'acheminer jusqu'à moi ; mais les Européens dans cette ville de deux cents et quelque mille habitants ne sont pas si nombreux, surtout les non-Britanniques.

Je l'ouvre, après avoir noté qu'elle a été postée à Paris onze jours plus tôt, soit le 12 décembre à seize heures quinze, rue Beethoven, dans le XVIe arrondissement. L'enveloppe ne contient qu'une feuille de papier format 21 × 27 sans filigrane. Le texte en est tapé à la machine : « *Au moment de la cessation du fideicommis, vous avez touché environ un million de francs français, représentant le reliquat de la fortune de votre père. En réalité, cette fortune représentait entre cinquante et soixante millions de dollars, dont vous avez été spolié.* »

Aucune signature.

3

J'AI passé la nuit de Noël en conférence avec une Somalienne aux seins superbes et par ailleurs nantie d'une chute de reins à déclasser Niagara Falls. Elle est douce, souriante, pleine de bonne volonté, à défaut d'être dotée d'esprit d'entreprise.

Joachim a été indigné : il aurait voulu que je l'accompagne à la messe de minuit. Ce Portugais me surprend tous les jours : cet ancien mercenaire qui m'a avoué avoir brûlé quelques villages çà et là, au Mozambique, en Angola ou au Congo, en oubliant parfois les femmes et les enfants restés à l'intérieur des huttes, cet ancien égorgeur est catholique pratiquant comme pas deux, portant chapelet dans la poche de poitrine de sa chemise et vous chantant *Gloria in Excelsis Deo* en chœur avec les catéchumènes kikuyus. J'ai eu un soir la curiosité d'aller voir où il habitait, j'en ai été presque horrifié : j'ai découvert un gourbi infâme, en bordure du ghetto africain (africain par différence avec les milieux européens, arabes ou indiens), meublé d'un lit de camp tiré au cordeau, d'une table, d'un banc de bois et d'une cantine de métal fermée par d'innombrables cadenas, sur laquelle on a effacé à la peinture noire les inscriptions sans doute militaires qu'elle devait porter. Sur le mur de boue séchée, six gravures de Notre-Dame de Fatima et la photo dédicacée du susdit Eusebio en costume de footballeur, et encore trois ou quatre clichés jaunis pris des années plus tôt, sans doute à Lisbonne à en juger par le carrelage des trottoirs, représentant Joachim avec un air d'enfance sur le visage déjà laid, en compagnie d'une vieille femme en noir.

« Pourquoi n'es-tu jamais rentré au Portugal ? »

Il ne sait que me répondre. Probablement parce qu'il y a plusieurs réponses et donc aucune : sa situation de déserteur, la peur de retrouver les siens en revenant plus pauvre encore qu'il n'est parti. Ou la difficulté de s'arracher à l'Afrique. J'ai de l'amitié pour Joachim, et un peu de pitié aussi.

Pour mes opérations de change, les choses vont plus vite que j'aie jamais osé l'espérer. Les fêtes de fin d'année, les vacances en Europe font déferler les touristes, qui débarquent par avions entiers. Pas seulement par la ligne régulière, il y a aussi des vols charters, de plus en plus nombreux, sur des appareils affrétés par des organisations du type Kuoni. Le 26 décembre, trente-deux jours après que j'ai moi-même débarqué, j'établis un nouveau record : sept clients traités dans la même journée, six cent quatre-vingt-dix dollars de bénéfice. Deux d'entre eux se laissent tenter par une promenade safari-photo avec Joachim pour guide, et le Portugais s'obstine à me ristourner ma part de rabatteur, ce qui porte à plus de neuf cents dollars le montant de mes gains pour cette seule journée.

Retour dans ma chambre de White Sands et là je me souviens : j'étale les billets, tous les billets sur le lit et les contemple, incrédule, enivré, fasciné.

Je vais jusqu'au miroir de la salle de bain. Je suis bien moi ! Je reviens vers le lit et là je plonge sur le tapis d'argent. Un vrai saut de l'ange...

Le moment de faire fortune. « Make money ». Ça vient.

D'autant que les jours suivants, la tendance se maintient, comme on dit à la bourse, toujours sous l'effet de ces vacances d'hiver. En pleine matinée, à court de shillings du fait de six opérations de change successives pour un montant total de vingt-neuf mille shillings, je suis obligé de faire à nouveau appel à Chandra, qui accourt à mon aide avec émerveillement.

Et le 31 de ce mois de décembre, pour me fêter tout seul la belle année, je m'offre un costume blanc, des chaussures, une valise et divers effets. Dépenses excessives qui n'empêchent pas mon capital de dépasser pour la première fois les dix mille dollars, soit environ cinquante mille francs français.

Les jours suivants, je m'attendais certes à cette décrue des touristes regagnant leur Bavière, leur Mecklembourg, leur Wurtemberg natal. Néanmoins, le coup est rude lorsque, de dix à douze clients par jour, je retombe brutalement à un ou deux. Quand je trouve des clients. Je reste jusqu'à trois jours de rang sans parvenir à accrocher quoi que ce soit. Déjà j'en étais à envisager de m'adjoindre Chandra dont je devine qu'il brûle de travailler avec moi. Il n'en est plus question, du moins pour l'instant. J'enrage, et à seule fin de me calmer les nerfs, je convoque en séance plénière ma Somalienne à qui, pour plus de sûreté, je recommande de se faire accompagner de sa jeune sœur, dont elle m'a abondamment vanté les mérites de conférencière. La jeune sœur a douze ou treize ans, disent-elles. Moi, je veux bien, elle en paraît plutôt dix-huit. Mais il est certain qu'elle a du talent pour les conférences.

Si bien que nous sommes, ce jour de janvier, tous

trois à batifoler gaiement sous la douche quand on frappe à la porte. La façon de frapper, toute en puissance, me fait naturellement penser au Portugais, avec ses gros poings poilus et pesants. Je crie : « J'arrive, Joachim ! »

J'ai bien une serviette sous la main mais pour le seul plaisir d'agacer le prude Joachim, je me l'enroule autour du front. Je vais à la porte, faisant le clown, mes Somaliennes nues figées au garde-à-vous, j'ouvre et je me trouve nez à nez – en quelque sorte – avec un Kényen à cheveux gris coupés en brosse, l'œil plissé derrière des lunettes, et qui m'apprend consécutivement qu'il est commissaire de police et qu'il vient procéder à mon arrestation.

Il me considère de haut en bas.

« Vous êtes tout nu.

– Toujours, sous la douche. »

Les Somaliennes s'esquivent sur la pointe des pieds et réintègrent la salle de bain. L'eau s'y arrête. Le regard du policier se porte dans cette direction, puis revient à moi. Brusquement, son visage me revient en mémoire. Joachim m'a parlé de cet homme. Je me détourne et j'enfile un bermuda en essayant de demeurer digne.

« Et pourquoi ?

– Pourquoi quoi ?

– Pourquoi m'arrêter ?

– Infraction à la législation sur les changes. »

Normalement, il devrait attendre que j'aie achevé de m'habiller, pour ensuite m'emmener. Au lieu de cela, il pénètre carrément dans la chambre, marche jusqu'à la salle de bain, en expulse les deux filles par quelques mots en swahili. Les Somaliennes décampent comme deux éclairs noirs, dans des tressautements de seins et de fesses qui me chatouillent l'œil. Le policier referme la porte derrière elles et je comprends. Je m'assois. C'est bien l'homme dont Joachim m'a parlé, plus justement contre lequel il m'a mis en garde. Il s'appelle, disons Wamaï. Il ne paie pas de mine, petit et décharné, le teint cendré, la peau parcheminée et les perles noires de ses yeux légèrement injectées de sang.

« Je vous ai vu souvent, monsieur Cimballi. Je vous ai vu souvent dans Mombasa.

– Je suis sûr que vous avez apprécié le spectacle. »

Il a le sens de l'humour d'une serviette-éponge. Il ne rit pas du tout. Le revenu moyen d'un Kényen est de quinze à vingt dollars par mois. Celui-là, commissaire de police, doit gagner huit ou dix fois plus, me semble-t-il. Bon. Je suis prêt à aller jusqu'à cent dollars. Peut-être même cent cinquante.

« Vous êtes dans une mauvaise situation, dit Wamaï. Très mauvaise situation. »

Joachim m'a prévenu : Wamaï s'est acoquiné avec le juge, ils font équipe. Mieux vaut les payer directement, l'un et l'autre, plutôt que se fier à leur justice. D'accord, j'irai jusqu'à trois cents dollars, cent cinquante pour chacun. Je demande avec amabilité :

« Et que dois-je faire pour sortir de cette situation ?

– Je peux, dit Wamaï, intercéder en votre faveur. »

Quant à moi, intérieurement, je viens de décider de commencer les enchères à vingt-cinq dollars, cinquante pour les deux, prix de gros. Vingt-cinq ? pourquoi pas vingt ? Cela me permettra une étape de plus dans la négociation que je prévois longue.

« Évidemment, dit Wamaï, il y aura des frais. »

Je lui adresse le grand sourire désolé de celui qui voudrait bien mais ne peut pas...

« C'est que mes moyens sont très limités. C'est à peine si je sais comment je vais pouvoir payer cette chambre... »

Il hoche la tête.

« Cinq mille dollars, monsieur Cimballi. Vous les paierez chaque mois et vous serez tout à fait tranquille. »

Là-dessus, je lui parle de sa sœur.

Et il m'embarque.

Jusqu'à la dernière seconde, j'ai cru qu'il bluffait, qu'il tentait simplement de m'effrayer. Je l'ai cru tandis qu'il me faisait défiler dans le hall du White Sands entre deux policiers – en passant devant la réception, je n'ai pas pu m'empêcher de faire le pitre : « Je raccompagne ces messieurs et je reviens. » Je l'ai cru encore quand il m'a fait monter à l'arrière de la Land-Rover, toujours entre ses deux sbires mais cette fois menottes aux mains. Je le crois déjà un peu moins, c'est-à-dire que je commence à avoir des doutes quand, m'ayant amené jusqu'au commissariat, il m'abandonne complètement dans une grande cellule qui se sent pas très bon en compagnie d'une demi-douzaine d'individus parlant exclusivement le swahili et que la présence d'un Blanc parmi eux semble curieusement gêner. (Elle me gêne aussi.)

J'ai tendance à ne plus le croire du tout quand on me fait monter dans l'étrange camion-cellule que j'ai vu passer une fois ou deux dans les rues de Mombasa. C'est un camion ordinaire sur la plate-forme duquel on a dressé une cage de fer s'ouvrant uniquement par l'arrière. Dans l'axe le plus long de cette plate-forme, une barre d'acier est fixée au plancher. C'est à cette barre que sont accrochées les chaînes qu'on m'a passées aux chevilles et aux poignets, à moi comme à mes compagnons ; nous sommes bien quinze ou vingt dans la cage et l'on nous promène en ville comme si l'on y prenait plaisir. Pour les habitants de Mombasa, le spectacle n'est pas si exceptionnel, quoiqu'il attire toujours l'œil ; ils ont l'habitude de voir déambuler le camion-cellule. Mais, apparemment, c'est la première fois qu'ils y voient un Européen dans une saloperie de bermuda blanc avec des palmiers roses et bleus.

Je n'ai évidemment jamais été enchaîné jusqu'à ce jour, moins encore enfermé dans une cage. Je n'aime pas du tout, vraiment pas du tout. Pendant quelques fulgurantes secondes, je ressens la folle panique, la rage démente d'une bête prise au piège. Wamaï devant moi, je l'aurais à coup sûr étranglé. J'ai envie de vomir, de hurler à pleine gorge, de me débattre à m'en arracher les mains. Ça ne dure heureusement pas très longtemps, j'arrive à me reprendre. « Regarde-toi, Cimballi, regarde-toi de l'extérieur, tu as vu la tête que tu fais ? » Je réussis à m'asseoir sur une espèce de banc de bois, je place ma tête entre mes genoux, plantant les dents dans les muscles de mon avant-bras. Bientôt, cela va à peu près. Je relève la tête au moment où le camion, virant sans douceur excessive, s'engage dans Kilindini Road. Nous défilons au long d'un trottoir garni de boutiques dont je connais chaque propriétaire. Succession de visages effarés, luisants, tous tournés vers moi avec ces regards vides de gens sur un quai de gare à l'heure où le train s'en va. Nous allons passer devant le Castle Hotel, sous les défenses de béton et je découvre alors la femme : c'est une Européenne brune, mince, vive, avec de superbes yeux verts, une bouche rouge au pli moqueur. Nos regards s'accrochent, se fixent, n'arrivent plus à se séparer. Machinalement, par pur réflexe d'orgueil, je me redresse, je relève mes poignets enchaînés pour un salut et je lui souris. Sans les chaînes, je la saluerais à la façon d'un pugiliste vainqueur. Tandis que le camion roule après un court ralentissement, je me penche autant que je le peux pour ne pas la perdre des yeux, pour la quitter le plus tard possible et je la vois qui penche elle-même la tête pour me suivre. J'ai le temps de la voir sourire. Je ne la connais pas, je ne l'ai jamais vue à ce jour et rien dans son attitude n'indique qu'elle me connaisse davantage. Un tournant nous sépare enfin, tandis que le camion-cellule file au nord.

Ensuite le tribunal. Je m'y attends à une discussion serrée. Je pense avocat, consul, ambassadeur, intervention de ma saloperie d'oncle ou, pis encore et déchéance suprême, de Sa Grandeur Bancaire Martin Yahl Elle-Même. Plutôt tirer vingt ans. Enfin...

Le tribunal est un bâtiment à deux étages enveloppant de leur galerie à la portugaise une cour intérieure dans laquelle stoppe le camion-cellule. On nous fait descendre, fers aux pieds et coups de pied au cul, sauf pour moi tant je suis sympathique. Et c'est vrai qu'il semble qu'on me porte une attention particulière ; en fait, on me sépare très vite de mes compagnons de chaîne et l'on m'oblige, encore enchaîné, à me hisser jusqu'à une petite pièce du premier étage où, derrière une table, siège un Indien boudiné et suintant comme une bougie en train de fondre.

« Vous avez commis une sérieuse infraction à la législation sur les changes. C'est très grave. »

J'ai le temps de dire : « Écoutez », puis aussi : « Je veux un avocat », après quoi il tend à mes gardes du corps un papier qu'il avait apparemment signé avant notre intéressant entretien, on me prend en poids sous les aisselles et on me propulse dehors.

Je me retrouve dans le camion-cellule avant d'avoir compris, d'autres condamnés m'y rejoignent et, peu de temps après, le véhicule s'ébranle et roule vers le nord.

On passe devant les luxueux hôtels de la plage, dont mon White Sands, puis devant la résidence de Jomo Kenyatta. On parcourt une trentaine de kilomètres toujours plein nord et l'on arrive à la prison. J'ai eu, lorsque je suis allé à Malindi et Lamu en compagnie de Joachim et des Suisses, l'occasion d'y jeter un coup d'œil. Je n'en ai pas gardé un souvenir impérissable ; touristiquement parlant, ça ne vaut pas le détour. Je vois maintenant une sorte de camp avec des baraquements en dur, ceinturé de clôtures qui sont en bambou vaguement décoré de fil de fer barbelé. Les bâtiments à ras du sol, au toit plat, sont faits d'agglomérés de ciment qu'on ne s'est pas préoccupé de crépir, à plus forte raison de peindre. La puanteur qui jaillit par nappes épaisses des ouvertures, au travers des barreaux complétés de grillages, est absolument, épouvantablement, suffocante. La pénombre qui règne dans ces baraquements chauffés à blanc est percée de visages plaqués, tendus vers la lumière, ruisselant de sueur, lourdement maquillés de crasse. Durant les quelques secondes où je m'imagine enfermé là-dedans, je suffoque par avance, secoué par le dégoût et, disons-le, la peur. Du coup, un immense soulagement m'envahit quand je découvre qu'on m'en éloigne. Je me crois presque déjà sauvé. Je clopine sur un sol inégal, les chevilles d'ores et déjà blessées par le contact de l'acier sur ma chair nue : non seulement je suis en bermuda et chemise hawaiienne, mais je n'ai aux pieds que des sandales japonaises. Je trébuche et n'ai guère le temps de m'inquiéter de ma destination.

Si bien que je découvre la grille à la dernière seconde. Elle est à ras du sol et maintenue fermée par un cadenas.

On l'ouvre pour moi. On met en place une sorte d'échelle – en fait une poutre de bois sur laquelle on a cloué des barreaux inégaux.

« *Down.* »

En bas, je trouve six hommes, entassés dans ce trou à même la terre nue, circulaire, profond de presque cinq mètres, large de deux, où l'on patauge dans une gadoue épouvantablement nauséabonde dont la composition n'est que trop évidente. Je m'y enfonce jusqu'aux chevilles, pleurant presque sous l'effet des nausées qui me secouent ; j'y trébuche avant de trouver enfin une place dans l'ombre, dos à la paroi. Au-dessus de ma tête, la grille s'est refermée et les policiers s'en vont. D'abord, autour de moi, je ne distingue que les silhouettes, en raison de l'obscurité. Et puis je dévisage mes six codétenus qui me dévisagent aussi. Quatre d'entre eux me considèrent avec surprise, voire une légère expression de sarcasme ; les deux autres ne m'accordent guère qu'un regard méprisant. Ceux-là sont immenses à n'y pas croire, pour un peu le sommet de leur crâne atteindrait le rebord du trou ; ils ont ce même crâne rasé au-dessus du front, le reste de la chevelure dissimulé sous une sorte de résille rouge, ils portent des colliers multicolores autour du cou ; ils sont impassibles, seigneuriaux, figés par une fierté animale. Ce sont des Masaïs.

Et ils puent abominablement.

Les quatre autres sont des Kikuyus, avec des bobines de bandits de grand chemin à vous donner des cauchemars. J'apprendrai plus tard qu'il s'agit de simples braconniers, coupables d'avoir abattu des bêtes dans une réserve. Sur le moment, ils m'épouvantent en tout cas plus que les Masaïs, leurs chuchotements suspects en swahili, leur hardiesse insolente au fond de leurs prunelles, rien de tout cela n'est rassurant. Je me résous à me déplacer, à patauger encore, soulevant à chaque pas une bouffée odorante. Je traverse le *no man's land* au milieu de la fosse et je vais me glisser entre les deux Masaïs. J'ai l'air d'un demi de mêlée entre deux seconde-ligne. Les Masaïs ne bronchent absolument pas. Une heure passe et la lumière commence à décroître, en même temps que mon courage. Les premières morsures me font bondir, les suivantes me brûlent. Dans l'obscurité grandissante, je découvre que mes pieds et mes jambes sont littéralement recouverts d'une marée de chenilles brunes qui s'emploient à me dévorer vivant. Je trépigne et je danse sur place, à demi fou. Les Kikuyus hurlent de rire, les Masaïs ne m'accordent pas plus d'attention que si j'étais invisible et à dix mille kilomètres de là. Et il en sera ainsi de toute la nuit.

Au matin, on nous fait remonter. On nous sert une viande aux reflets bleus, qui pue le cadavre, à laquelle je n'ose pas toucher. Si j'en crois le soleil, il est à peu près sept heures du matin quand, après une longue attente, on nous embarque, non seulement mes codétenus et moi mais aussi des dizaines d'autres prisonniers, dans cinq ou six camions ordinaires. Retour vers Mombasa. Mais mon espoir aussitôt conçu de me retrouver devant le juge, devant le commissaire, devant n'importe qui que je puisse apostropher, cet espoir disparaît très vite. Voilà qu'on nous débarque, camion après camion. Et quelques ordres me fixent sur ce que l'on attend de moi : je dois réparer une route, en boucher les trous et pour cela transporter des pierres, beaucoup de pierres, assez de pierres pour construire une ville me semble-t-il. Et la route que j'ai l'honneur de recréer se trouve exactement en face de la résidence de Jomo Kenyatta, président du Kenya.

C'est snob en diable.

Joachim apparaît en fin de matinée. Il a l'air inquiet, n'ose pas s'approcher et m'adresse de grands signes difficiles à interpréter et auxquels je ne comprends pas grand-chose. Apparemment, cela veut dire qu'il s'occupe de moi. Le repas de midi est pris sur le bord même de la route, sous un soleil de plomb. Naturellement, je ne tiens plus debout ou peu s'en faut. Je suis ivre de fatigue, je n'ai rien mangé depuis vingt-quatre heures et je n'ai pas dormi, ayant passé la nuit à lutter contre ces infernales chenilles, et à surveiller mes Kikuyus. Chaque fois que je pense à la nuit suivante, qui ressemblera inéluctablement à la première, je frôle l'évanouissement.

Mais vers trois heures, une petite Austin s'arrête devant moi. En descend Wamaï le policier.

« Vous avez réfléchi, Cimballi ? »

Envie de le frapper. Même pas : de lui écraser la tête à coups de pierre, et ensuite de sauter à pieds joints sur son cadavre.

« Pas pour cinq mille dollars. »

Il se détourne, esquisse le geste de remonter en voiture et j'ai aussitôt le cœur entre les dents. Je vais le rappeler ! A une seconde près, je vais le faire. Mais il s'immobilise, il revient :

« Disons trois mille. »

J'ai les jambes en coton, les reins en feu, la tête légère et par moments ma vue se trouble. Mais ce n'est pas un policier kényen qui me damera le pion. Je prends le temps de faire passer une pierre d'un premier tas à un second, je recule, je considère mon ouvrage avec une orgueilleuse et visible satisfaction ; enfin je fais de mon mieux pour qu'elle soit visible.

« Cinq cents. Je ne peux pas faire plus et vous le savez.

– Deux mille.

– Quinze cents.

– Deux mille. »

Je suis sur cette foutue route depuis maintenant huit heures d'affilée. Je commence à la trouver antipathique. Et je pense à mes quatre Kikuyus ricanant dans leur cloaque, braquant sur moi leurs yeux de braise – sans parler du reste, qui n'est pas moins incandescent. Je pense aussi aux chenilles. Je tente un ultime baroud :

« D'accord pour deux mille. Mais vous me donnerez un reçu. »

Ça lui en flanque un coup : ses yeux s'arrondissent. J'explique avec dignité :

« Un reçu. Un papier où vous reconnaissez avoir reçu de l'argent de moi. C'est pour mon contrôleur des impôts. »

Il n'en revient toujours pas, et se demande si je suis complètement fou ou bien si je me paie sa tête.

« Je ne ferai jamais ça, dit-il enfin.

– Alors, mille. »

Qu'il partagera comme il voudra avec son copain le juge. Je ne m'en mêlerai pas, c'est juré.

Je lis dans ses yeux qu'il va céder et le plus dur à ce moment-là est de résister à l'impulsion qui me pousse à l'achever d'un coup de pelle. Il sauve l'honneur :

« Douze cents. »

Je m'appuie sur ma pelle. J'en pleurerais. Je dis :

« D'accord. »

« J'ai fait ce que j'ai pu, me dit Joachim. Moi, tu sais bien que je n'ai pas d'argent et ici, c'est tout juste si on me tolère. Je suis allé avertir Chandra. L'un de ses cousins est le cousin du beau-frère de l'oncle d'un cousin du juge qui t'a condamné. Normalement, ils devaient te garder une semaine. Tu as été condamné à une semaine. »

Depuis déjà vingt minutes, je suis sous la douche dans ma chambre du White Sands Hotel. Bien entendu, comme je m'y attendais, cette chambre a été fouillée de fond en comble. Mais en vain, je n'y avais pas entreposé un shilling, mon argent est tout bêtement à la banque, un peu sur un compte, beaucoup dans un coffre.

« Chandra est intervenu. Il a fait un cadeau à son cousin et la sentence a été ramenée à un jour de prison, que tu as fait.

– Et je suis libre. Merci, Joachim.

– C'est Chandra.

– Je le remercierai aussi. »

J'ai été relâché deux heures plus tôt. Avant de partir, j'ai voulu savoir de quoi étaient accusés mes codétenus. Pour les Kikuyus, il s'agit donc de braconnage. Pour les Masaïs, auprès de qui je me sentais tellement en sécurité, ils sont coupables de meurtres, ils ont tué toute une famille indienne, découpée en rondelles avec une sauvagerie inouïe. J'ai vraiment du flair. J'apprends du même coup à quoi servent les fosses : on y met au frais les condamnés de courte durée, comme moi, ou les inculpés en attente d'une lourde condamnation, comme les Masaïs. Curieux mélange. Mais je suis déjà loin de tout ça. Et il le faut, ne serait-ce que pour acquitter mon impôt de douze cents dollars. Que j'ai réglé d'ailleurs le soir même de ma libération. Dès le lendemain, le 5, je reprends ce que j'appelle désormais mon travail à l'aéroport. Bilan : deux clients. Autre bilan : moi, je viens de découvrir que cet épisode ne m'a pas diminué. Chance ? Non, c'est vraiment moi. L'événement m'affûte comme une lame, me décape de toute faiblesse et met à nu une agressivité efficace et froide dont jusqu'à ce jour je n'avais pas soupçonné l'existence. Et l'espèce de creux de vague qui avait immédiatement suivi les fêtes de fin d'année, ce creux s'atténue, disparaît ; les affaires reprennent. Mes frais déduits, je frôle les dix mille dollars de bénéfice pour le mois de janvier. Ensuite, février, mars, je passe ce cap, je le passe doublement en mars, quand j'enregistre vingt-cinq mille dollars de bénéfice net, malgré les douze cents que je continue de payer à mon policier et à mon juge, malgré le fait que j'ai pris Chandra pour adjoint – il me revient à deux mille dollars par mois. Il partage son temps entre les opérations de change et la gestion de sa boutique, où je conduis mes clients moyennant remise par Chandra de vingt-cinq pour cent sur tout ce qu'ils achètent. Système de courtage que je développe vers la mi-mars, en l'étendant à tous les commerces qui acceptent de me consentir cette commission, et ils sont de plus en plus nombreux.

Le plus fort est que, prenant déjà vingt-cinq pour cent sur le prix de vente, je prends également vingt pour cent sur le prix d'achat (cette deuxième commission m'étant directement versée par l'acheteur) et, malgré cette double ponction, le touriste y gagne encore. Avec mon système, il paie une statuette, des armes, des défenses de rhino ou d'éléphant, n'importe quel bijou, trente à quarante pour cent moins cher qu'il ne les paierait s'il concluait seul la transaction. Bref, je suis un bienfaiteur.

Rapport de cette activité secondaire : quinze cents à deux mille dollars au début, puis aux alentours de quinze mille – par mois – sur la fin de mon séjour.

Fin avril, lors d'un rapide voyage à Nairobi où, prenant appui sur un cousin de Chandra, je monte une annexe de mon affaire de change (qui ne tardera pas à devenir aussi rentable que la première), j'achète à crédit quatre Mini-Moke, sortes de petites jeeps décapotables fabriquées par British Leyland. Mon intention est de les louer à Mombasa. Joachim, que le safari nourrit décidément de moins en moins, accepte de prendre en main cette activité nouvelle. Il est vrai qu'en dehors des armes et de leur usage, la mécanique est l'un des rares domaines – avec la liturgie – où il ait quelque connaissance. Trois semaines plus tard, la rotation des voitures me prouve que j'avais vu juste. J'enchaîne immédiatement en passant commande de quatre autres véhicules. Au total, à la fin de mon séjour, Joachim administrera un parc de seize voitures.

Un chiffre pour fixer les esprits : en mai, toutes activités confondues et tous frais déduits, je réalise un bénéfice avoisinant les soixante mille dollars. Je me souviens avoir dépassé le capital de cent mille dollars le 21 avril. A un ou deux jours près, je suis au Kenya depuis cinq mois.

Et j'ai retrouvé la jeune femme aux yeux verts qui m'a souri, tel l'Auvergnat de Brassens, quand on m'emmenait en bermuda dans mon camion-cellule.

Elle me dit qu'elle a vingt-quatre ans. Elle est à Mombasa depuis le début de janvier, y est arrivée en fait la veille de mon arrestation ; elle s'appelle Sarah Kyle et travaille au White Sands Hotel où elle s'occupe d'administration. Quant à sa taille, nous

nous valons, à condition qu'elle ne mette pas des talons trop hauts. Elle parle aussi français.

« J'ai suivi les cours de l'école hôtelière de Lausanne. »

Quand ses yeux verts se posent sur moi, je lis en permanence au fond de ses prunelles une sorte d'énorme amusement, comme si j'étais le type le plus rigolo qu'il soit possible de rencontrer, comme si elle attendait constamment de moi que je la fasse hurler de rire.

« Je suis si drôle que ça ?

– Assez. Vous m'amusez. »

C'est quand même un peu vexant. Je dis :

« C'est déjà pas mal.

– Que faisiez-vous dans cette cage ?

– Je me prenais pour un canari et j'avais cru voir un chat.

– Une erreur judiciaire.

– Tout juste.

– C'est la première fois que je vois une erreur judiciaire en bermuda. »

Son visage triangulaire légèrement renversé en arrière, le regard filtrant entre ses paupières à demi baissées, elle me jauge et j'ai l'impression désagréable d'avoir quinze ans. J'en suis à me demander comment diable je vais faire pour l'amener dans mon lit. Mais elle ne me laisse pas le choix et je ne l'aurai jamais avec elle. Le 7 janvier, lendemain de ma libération, dès nos premiers mots, je l'ai invitée à dîner, invitation qu'elle a déclinée. Le lendemain, je la croise apparemment par hasard dans le couloir menant à ma chambre. Où elle pénètre, afin dit-elle de s'assurer que je suis bien installé. Elle vérifie le fonctionnement de la douche et de la baignoire, de la chasse d'eau, de l'installation électrique, de la climatisation ; elle contrôle la bonne fermeture des portes-fenêtres et des tiroirs. Je dis :

« C'est le lit qui ne va pas. Il est dur.

– Vraiment ? » dit-elle.

Elle se déshabille, clle se met nue et s'allonge sur le lit, croisant les chevilles et plaçant sa nuque brune dans ses paumes... Elle cambre deux ou trois fois les reins et les ressorts du lit fonctionnent parfaitement. Je dis :

« Ça alors, c'est extraordinaire ! ce matin encore, il était dur. Vous permettez ?

– Je vous en prie », dit-elle.

Je me déshabille aussi et bientôt nous faisons rebondir de concert le matelas. Une heure, deux heures, enfin un peu plus tard, elle m'affirme :

« J'en étais sûre : nous n'avons que du matériel de première qualité. »

Et je réponds :

« C'est exactement comme moi. »

Soixante-dix-huit mille dollars en juillet, pour un seul mois. Mon agence de Nairobi donne à plein. Mais en juillet, avant toute chose, c'est le début de l'époque de l'or, la pleine et courte époque de l'or telle que je la vivrai.

J'ai rencontré Hyatt à Nairobi, lors de ce voyage que j'y ai fait fin avril. Rencontre qui ne m'a pas bouleversé et que j'aurais sans aucun doute oubliée si, deux semaines plus tard, le même Hyatt n'avait débarqué à Mombasa.

« Comment marchent les voitures ? »

C'est lui qui me les a vendues. Nous sommes au bar du White Sands mais, souhaitant me parler, il m'entraîne sur la plage où toute une cargaison de Hollandais au teint de crustacés trempés dans l'eau bouillante est en train de s'ébattre avec des grâces pachydermiques.

« J'ai entendu parler de vous », me dit Hyatt.

Je l'interroge du regard.

« Par cet Indien qui s'occupe de vos intérêts à Nairobi, et par d'autres Indiens qui sont à Mombasa, ceux qui vous appellent Petit Chef. »

Et de me citer des noms. Il m'explique qu'il est impressionné par ma réussite rapide ; il estime que nous devrions pouvoir travailler ensemble. Justement, il cherche un associé.

« Il s'agit d'or.

– Pourquoi moi ?

– Parce que nous ne serons pas trop de deux. Vous pourrez mettre de l'argent dans l'affaire.

– Pourquoi pas vous ?

– Qui a dit que je ne mettrais pas d'argent ? Je le ferai. Et vous avez la confiance des Indiens. »

Les choses vont aller très vite. En somme, on n'attendait que moi. Nous faisons notre première opération ensemble, Hyatt et moi, moins de deux semaines après en avoir admis le principe. L'affaire est d'ailleurs simple : il s'agit de vendre à des Indiens venus de Calcutta ou de Bombay, par voie maritime, et vous attendant à la limite théorique des eaux territoriales, un or qui vient essentiellement d'Afrique du Sud. Pourquoi ces achats de la part d'Indiens (qui seront parfois remplacés par des juifs anglais – le vrai nom de Hyatt n'est pas Hyatt, je l'apprendrai par hasard) ? Tout simplement parce que l'entrée de l'or sur le territoire de l'Union indienne est sinon interdite du moins très sévèrement réglementée, alors que les Indiens eux-mêmes depuis toujours raffolent des bijoux en or. Et vu le nombre de la population en Inde, le marché est évidemment considérable.

Les détails en sont presque classiques : l'or arrive en lingots ou en barres, *via* la Rhodésie, la Zambie et la Tanzanie, naturellement en contrebande. A Mombasa, il est tout d'abord jugé quant à sa qualité par un expert reconnu par toutes les parties, en l'espèce un Juif natif d'Amsterdam, possédant la double nationalité britannique et israélienne et effectuant pour la circonstance des aller-retour Tel-Aviv - Nairobi. Une fois expertisé, l'or est fondu, transformé en porte-mât, en ancre, en chaîne d'ancre, voir en bitte d'amarrage. On paie deux pour cent du montant de la transaction à l'expert, huit à dix pour cent au fondeur. Reste à réaliser la partie la plus délicate et, éventuellement la plus dangereuse : troquer en haute mer l'or contre les dollars venus de Bombay ou Calcutta. Arriver les bras chargés de métal jaune, la bouche en cœur et l'âme confiante, est risqué, surtout en pleine nuit. Les traditions en pareil cas prévoient un complexe système d'échange d'otages, de billets coupés en deux et remis en deux étapes donc, autant de péripéties qui ne m'enchantent guère et feront que je ne m'attarderai pas dans ce trafic un peu trop rocambolesque pour mon goût. Hyatt, lui, y est parfaitement à l'aise. Le danger physique le mettrait plutôt de bonne humeur. Mais le whisky qu'il ingurgite au litre contribue largement à sa décontraction. Il est toujours d'accord pour être l'otage, hautes fonctions auxquelles je ne postule guère, pour ma part. Il le sera à chaque fois et à chaque fois sera si soûl qu'il ne se rendra compte de rien. L'aurait-on menacé d'un canon qu'il aurait peut-être placé de lui-même sa tête dans l'âme en chantant *Tipperary*. J'aurai à cinq reprises beaucoup de mal à le récupérer, tant il se sera attaché à ses geôliers occasionnels.

Je ferai cinq opérations en tout. Une fin mai, trois en juin, une dernière en juillet. Sur chacune la marge bénéficiaire est d'un peu plus de trente-cinq pour cent. La première fois, j'ai misé trente mille dollars. Pour voir. J'ai vu. Les opérations suivantes, je mets en jeu la quasi-totalité du capital dont je dispose. Soit pour l'affaire de juillet, ma dernière, un bénéfice de quelque quatre-vingt-cinq mille dollars pour une mise de deux cent quarante mille.

Je suis au Kenya depuis sept mois et demi.

Par la filière que m'indique Hyatt entre deux cuites, et qui emprunte un établissement bancaire curieusement installé dans une île au nom prédestiné – Mafia Island, au large de la Tanzanie – je vire la quasi-totalité de mes avoirs sur une banque de Hong Kong, la Hong Kong and Shangai Bank. Il y en a pour trois cent quarante-cinq mille dollars. Auxquels il convient d'ajouter ce que je garde avec moi, en quelque sorte comme argent de poche. Hyatt, à qui je ne peux m'empêcher, par pure gloriole un peu puérile, de communiquer ces chiffres, est impressionné. Je le suis également. Même Sarah, quoiqu'elle ne veuille pas le reconnaître.

Pour moi, le moment est venu. Le 7 juillet, racontant à Sarah, à Joachim, à Chandra, à Hyatt, à tous mes différents compères, agents et amis de Mombasa et de Nairobi que je me rends pour quelques jours aux Seychelles, où je veux examiner le terrain en vue d'investissements, je passe en réalité la frontière tanzanienne. Précaution sans doute inutile et quelque peu ridicule, mais je préfère que l'on ignore ce que je vais faire. Et prendre un avion à Nairobi, en passant devant le nez de mon équipe de changeurs opérant sur l'aéroport d'Embakasi, serait par trop voyant.

J'applique un plan que j'ai longuement mûri.

Cet avion, je le prends en fin de compte à Dar-es-Salam. A destination du Caire, et du Caire pour Rome, de Rome pour Nice. J'ai payé mon billet d'avion en liquide, je paie également en liquide la voiture que je loue à l'aéroport de Nice. J'ai environ vingt-cinq mille dollars sur moi.

En fin d'après-midi du 9 juillet, j'arrive en vue de Saint-Tropez.

4

Mon père est mort le 28 août 1956. Je suis né le 9 septembre 1948. J'avais donc, à quelques jours près, huit ans au moment de sa mort.

Mon père s'appelait Andrea Cimballi et il était né à Campione. C'est une ville italienne qui n'est pas en Italie mais en Suisse ; c'est une enclave en territoire helvétique, minuscule. J'y suis allé, j'ai trouvé une petite bourgade calme, sans histoire, faisant cohabiter les salles de jeux d'un petit casino et une église baroque consacrée à la Madonna dei Ghirli, à Notre-Dame des Hirondelles. Si vous escaladez la courte volée de marches de l'église, en quelque direction que vous regardiez, vous voyez la Suisse ; et Lugano, son lac, sont en face de vous. Pourtant, vous êtes en Italie, soumis aux lois italiennes. Le premier village suisse est à trois kilomètres de là, et s'appelle Bissone, de l'autre côté du pont-digue qui n'existait pas du temps de la naissance de mon père et qui supporte aujourd'hui la route, la voie ferrée et l'autoroute, tout à la fois. Mon père serait-il né trois kilomètres plus loin que tout en aurait été changé, que rien ou presque ne serait arrivé. Peut-être même serait-il encore vivant.

La famille de mon père était de Florence, financièrement à l'aise, sans être riche, avec une ascendance lombarde, je crois. Famille de commerçants avec un professeur ou deux, deux ou trois juristes ; classique. La maison de Campione a été achetée par mon grand-père juste avant la Première Guerre mondiale, façon de se mettre à l'abri des canons autrichiens, en se plaçant à l'ombre de la neutralité suisse, sans pour autant quitter le territoire national. Mon père y est né en 1919. C'était à l'évidence un homme remarquablement intelligent. Il a le temps d'achever ses études, tout juste – il est ingénieur et licencié en droit –, avant d'être expédié en Libye et en Tripolitaine où il est blessé, fait prisonnier. Au début de 1946, il est de retour en Italie, au terme d'un séjour de près d'un an au Canada et aux États-Unis. Il ramène de ce séjour une idée, dont il croit qu'elle peut lui valoir la fortune : il s'agit d'une série d'opérations immobilières visant à l'achat, à l'aménagement et à la location d'aires destinées aux maisons mobiles, et aux caravanes telles qu'elles existent sur le continent nord-américain. Un seul inconvénient : c'est une idée qui n'est alors réalisable qu'aux seuls États-Unis, à la rigueur au Canada. Mon père dispose d'un petit capital de famille. Il est disposé à le risquer. Il présente en conséquence aux autorités italiennes une demande de sortie de fonds. Né en Suisse ou en Allemagne, cette demande n'eût été qu'une formalité. En Italie, ou en France, pays prétendument libéraux, provenant d'un inconnu, une telle demande fait automatiquement ricaner l'administration.

La demande est rejetée. Et ce refus est capital.

J'ai attendu la tombée de la nuit à Sainte-Maxime, de l'autre côté du golfe et ce n'est que vers dix heures que je remets en route le moteur de ma voiture. Je n'entre pas dans Saint-Tropez même, je prends à droite vers Ramatuelle puis à gauche et, par un lacis de chemins creux, je rejoins la route de Pampelonne, m'étonnant moi-même de mon aisance à me repérer. Au cours de ces dernières années, entre deux années scolaires ratées, je suis plusieurs fois revenu à Saint-Tropez ; jamais je n'ai poussé jusqu'à la Capilla. Quelque chose m'en a toujours empêché. La maison n'est plus à moi et j'ai toujours refusé jusqu'ici l'idée même de la voir détenue par quelqu'un d'autre, transformée.

A un endroit de la petite route, on franchit un pont minuscule par-dessus un ruisseau. Ensuite un virage à droite et une ligne droite, pins à gauche, vigne à droite. Je laisse la voiture à l'entrée d'un chemin. On a beaucoup construit depuis treize ans, à moins que ma mémoire ne me trompe en me restituant cet endroit plus désert qu'il ne l'était autrefois.

Moteur coupé, le silence est total. C'est une nuit immobile et douce, les parfums y sont plus forts que dans mes souvenirs. Un premier raidillon ; il y a là un sentier que je retrouve avec le plus grand naturel, comme si je l'avais foulé la veille. La mer et la plage sont à six cents mètres de moi, la maison est donc légèrement sur ma gauche, si elle existe encore. Une jungle basse d'arbousiers odorants. Le sentier cesse maintenant de monter, au contraire il s'incline et entame sa descente vers la plage. Quelque chose me trouble : normalement, sauf encore une fois si ma mémoire me trompe, je devrais avoir maintenant la maison en vue directe, et apercevoir ses lumières. Malgré les lauriers-roses. Or, je ne vois rien. Pas la moindre lumière, aucun bruit.

Deux cents mètres encore et soudain je la sens, présente dans l'ombre. Je la sens comme on sent une femme couchée près de soi dans la nuit.

Et elle est inhabitée.

Moins d'une semaine après le refus du gouvernement italien, mon père est à Lugano. Il y fait la connaissance d'un banquier suisse un peu plus âgé que lui, Martin Yahl, de Zurich. Yahl est venu dans le Tessin suisse afin d'y ouvrir une agence de la banque privée établie à Zurich puis à Genève par son grand-père. Mon père et Martin Yahl sympathisent, ou bien mon père se montre suffisamment convaincant. En tout cas, Martin Yahl accepte de l'aider financièrement, soit ayant trouvé le moyen de faire passer en Suisse les capitaux italiens de mon père, soit prêtant à celui-ci de son propre argent. Quoi qu'il en soit, les deux hommes travaillent ensemble. Plus que cela, Martin Yahl va tout à la fois se retrouver banquier, porteur de parts, actionnaire dans la société que va créer mon père et gérant, trustee, de cette même société.

Il s'agit d'un holding, c'est-à-dire d'une société anonyme spécialement créée pour contrôler et diriger un groupe d'entreprises de même nature – dans le cas présent à l'échelle mondiale – œuvrant dans le même secteur d'activité. Et Martin sera officiellement chargé de la gestion du holding par la vertu de ce que l'on appelle un acte de trust – trust signifie confiance, en anglais – il sera donc un trustee. Martin Yahl est l'homme de confiance, le seul à apparaître, le seul à savoir vraiment qui possède, qui a créé, qui anime vraiment le holding.

Mon père a absolument besoin de ce secret. Il a fraudé le fisc italien, d'une certaine façon. Même si cet argent dont il se sert pour créer son entreprise est le sien, sur lequel il a acquitté ses impôts italiens. Mais on lui interdisait de l'utiliser comme il l'entendait, il a passé outre, c'est son crime. Il pouvait le perdre aux courses, en tapisser les murs de la maison de Campione, mais non l'exporter, fût-ce pour créer la Dupont de Nemours ou la General Motors. A moins d'appartenir à l'establishment, d'être le P.-D.G. d'une grande multinationale, auquel cas il eût pu sans doute passer quelque arrangement avec le ciel.

Mon père a besoin de ce secret et il s'en sert. Ensuite, les années passant, il ne peut revenir en arrière. Difficile d'aller trouver le fisc italien et de lui dire : j'ai fraudé, voudriez-vous passer l'éponge – à quel prix ! – et me laisser me réinstaller officiellement dans mon pays d'origine, en qualité de créateur d'empire ? D'autant plus qu'entre-temps, mon père s'est établi en France, qu'il s'y est marié avec une jeune Juive autrichienne rencontrée chez les Yahl, qu'il a acquis des biens officiels, un avoir sur quoi il paie très normalement ses impôts. Parmi ces biens officiels, s'ajoutant à deux entreprises de construction, à des parts dans des sociétés diverses, à des immeubles dont un dans la rue de la Pompe à Paris, où il réside légalement, il y a les trente hectares et la maison sur la côte sud-est de la presqu'île de Saint-Tropez.

Activité principale du holding : la construction immobilière et les investissements à haute rentabilité – lotissements, achats de terrains et donc immobilier en général, le tout accompagné d'importantes prises de participation, partout à travers le monde, dans des entreprises de construction et de matériaux de construction. Quelqu'un m'a dit un jour : « Ce que votre père possédait de véritablement extraordinaire était cette façon qu'il avait, ayant décelé l'ouverture, la faille, l'amorce de l'idée, de s'y engouffrer avec une rapidité stupéfiante, d'aussitôt l'élargir, la développer. Simplement, il pensait plus vite que quiconque autour de lui. Et à peine commençait-on à comprendre ce qu'il était en train de bâtir qu'il était déjà ailleurs. Il y a deux façons de réussir : la patience et la prestesse fulgurante du joueur. Votre père était de la deuxième sorte. »

De 1946 à 1956, dix ans. En dix années, l'idée de base de mon père se révèle remarquable. Il ne s'en satisfait pas. Il attaque dans d'autres directions, partout. Dans les derniers mois de sa vie, de notre si courte vie commune, je me souviens de ces voyages qu'il faisait en Amérique latine, de ce morceau de métal qu'il me montra un jour, me disant : « Il est encore peu utilisé par l'industrie. Un jour viendra où il sera essentiel. Et je serai ce jour-là, nous serons toi et moi, parmi ces rares hommes dans le monde à en contrôler la mise sur le marché... »

Je sais – mais je sais peu de chose – que le holding consistait en une société anonyme installée à Curaçao dans les Antilles néerlandaises. Cette société de Curaçao, avant de disparaître brusquement un jour de septembre 56, détenait la totalité des actions d'autres sociétés, celles-là ayant leur siège social respectif au Nevada, à Hong Kong, au Liechtenstein et détenant elles-mêmes la totalité des titres d'une troisième volée de sociétés établies aux États-Unis, en Argentine, au Luxembourg, en France...

Une fabuleuse pyramide, coiffée donc par Curaçao, elle-même gérée par une filiale discrète de la Banque privée Martin Yahl.

Et en 1956, en août 1956, tout indique que cette pyramide est faite d'or pur.

Je suis à trois mètres de la maison et je ne perçois toujours rien. A gauche, le bâtiment bas des garages et des remises, et le petit appentis où l'on rangeait ma Ferrari rouge d'un demi-cheval. Toutes les portes en bois en sont fermées, scellées par des chaînes et des cadenas. On ne peut rien voir de ce qu'il y a à l'intérieur.

Face à moi, le bâtiment d'habitation. Il comporte douze ou quatorze pièces, je ne m'en souviens plus. C'est un bâtiment en U, ouvert en direction de la mer. La porte principale à double battant est à quelques mètres. Je m'approche et j'actionne le heurtoir. Les coups sourds résonnent dans le silence de la nuit mais, après plusieurs minutes, sans le moindre résultat.

Je me décide à allumer la torche achetée à Sainte-Maxime : elle éclaire la grande haie de lauriers-roses à ma droite ; les arbustes semblent avoir encore grandi et j'ai soudain l'impression d'un jardin laissé à l'abandon.

Qui a acheté la maison quand elle a été mise en vente ?

Je contourne le bâtiment, l'odeur de la mer dans les narines. Le jardin est là, avec ses palmiers, ses agaves, ses bougainvillées, ses yuccas, ses lauriers-roses, ses buissons ardents et ses massifs d'hortensias en bataillon compact. La piscine doit être à gauche, et tout au fond se trouve sans doute le mur de pierre, haut de trois mètres, avec sa grille et son escalier par où l'on accédait à la plage et au ponton. Je me retourne et je gravis les marches conduisant au cœur du U, sur cette espèce de semi-patio où nous dînions le soir, par des nuits vibrantes de phalènes. Les six portes-fenêtres sont pareillement fermées et tandis que le faisceau de ma torche découpe les trois façades, les volets clos, la génoise de tuiles ocre en dépassement du toit, pénètre en moi la certitude que ces portes-fenêtres, ces volets, n'ont pas été ouverts depuis des années. Est-il possible que non seulement la Capilla soit vide, en ce mois de juillet où Saint-Tropez vit intensément son été, chaque mètre carré de son territoire occupé deux fois plutôt qu'une, mais encore qu'elle n'ait pas été modifiée ?

Je retrouve l'un de mes itinéraires d'enfant : le toit de l'appentis, celui de la plus haute des remises et de là, crochant le toit et progressant sur la génoise, atteindre ce que l'on appelait le fenestron, qui éclaire en plein jour le grenier. Le crochet qui maintient le volet saute aussi aisément qu'autrefois ; une minute plus tard, je suis au premier étage, progressivement saisi par une angoisse sourde, et l'impalpable sentiment d'une présence muette. La maison pourtant est déserte, j'en jurerais. Mais dans le même temps... A ma gauche, sur la galerie, le grand vide par où l'on découvrait l'immense salle de séjour ; sur ma droite, les chambres. Ma chambre était au fond, en bout de galerie, on y voyait la mer par les fenêtres. La chambre de mes parents se trouvait dans l'autre aile de sorte que d'un balcon à l'autre, par-delà les huit ou neuf mètres du patio, ma mère chaque matin me souriait et me parlait, dès mon réveil.

Hésitation. Mais quelque chose m'attire en bas. Marche après marche dans l'escalier, j'ai la sensation de m'immerger dans un univers tout à la fois familier et inconnu. Une fascination monte en moi, je la ressens sans la comprendre. Le faisceau de ma torche est venu presque malgré moi sur la porte de cette pièce qui est dans l'aile gauche, à l'aplomb de la chambre de mes parents. Le battant de cette porte est légèrement entrouvert. Les souvenirs déferlent : nous étions sur la plage, mon père et moi, quelques minutes après le départ de ce visiteur. Il y avait trois jolies filles nues, regardant mon père en riant. Il leur parle, de sa voix grave, avec cet accent léger qu'il avait en parlant français. Nous quittons la plage, montons l'escalier, traversons le jardin. La Ferrari rouge est dans le patio, au milieu des chaises longues.

Je m'y installe. Mon père ébouriffe mes cheveux, passe, entre dans cette pièce dans l'aile gauche, qui est son bureau. Nous sommes seuls dans la maison, lui et moi. Ma mère est sortie, les domestiques, Pascal et sa femme, sont aux courses ou je ne sais où. Mon père est dans le bureau et il téléphone. Il parle en allemand. Je tente de mettre en marche la Ferrari, sans y parvenir. Un coup sourd et un cri étranglé, il me faut un moment pour comprendre et agir, j'entre dans le bureau et je vois mon père sur le sol, rampant vers moi, le visage écarlate, les yeux exorbités. Il se traîne et tend une main vers moi, en essayant de parler. Je me mets à hurler et, parce qu'il n'y a personne d'autre, après avoir couru à la cuisine, je me précipite vers la plage. Les trois filles nues se sont mises en marche et sont déjà à cent mètres de moi. Je cours aussi, à cet endroit de la plage où le sable est humide et ferme et quand nous revenons tous quatre à la maison, mon père est déjà mort, couché sur le dos, bouche démesurément ouverte, tenant dans sa main un bouddha d'obsidienne d'un noir de jais. Le bouddha est ventripotent, nu ; il tient les deux bras allongés au-dessus de lui, ses doigts placés presque perpendiculairement et très déployés ; sa tête est penchée sur son épaule, il a les yeux clos et il sourit d'un air d'extase mystérieuse.

Je pousse le battant et je pénètre dans le bureau, ma torche me tirant. Et c'est le choc. Le tapis est là, et l'on peut presque imaginer qu'il est froissé à l'endroit où mon père s'est écroulé et a rampé en le pliant sous lui. Le téléphone que tenait mon père à la seconde de sa mort est à la même place que treize ans plus tôt. Tout est à la même place que treize ans plus tôt, tout est intact, inchangé, exactement et fantastiquement semblable. Le temps s'est figé et j'ai huit ans. Je m'adosse au battant que j'ai refermé, j'y appuie ma tête et je me mets à pleurer pour la première fois depuis treize ans, le visage dans l'obscurité, le faisceau de la torche centré sur le petit bouddha d'obsidienne qui est posé sur l'angle du bureau et qui m'adresse son impénétrable sourire du bonheur sans limites.

Mon père est mort le 28 août 1956, d'une crise cardiaque, dans le bureau de sa maison de Saint-Tropez, alors qu'il téléphonait à quelqu'un qui ne s'est jamais fait connaître. Il avait trente-sept ans.

Au mois d'août 1956, de par la volonté exprimée par mon père, je suis son seul héritier. Théoriquement, je devrais entrer en possession de la société de Curaçao, du moins des parts au porteur qui en représentent la propriété. Rien de plus clair sur ce point que le testament de mon père, qui a désigné deux fidéicommissaires : Martin Yahl et mon oncle Giancarlo. Le fidéicommis concerne la totalité des avoirs, actif officiel en France, en Suisse ou holding tel que défini par l'acte de trust.

Théoriquement.

J'entre en effet en possession de ces parts au porteur. Je les ai vues, on me les a montrées et, quand j'ai eu vingt et un ans révolus, on me les a même remises en main propre. Mais elles ne valaient pas alors, ne valaient plus le papier dont elles étaient faites. Et de m'expliquer que tout a tenu à la façon même dont mon père avait dans ses débuts échafaudé sa fortune : « Ton père, m'a dit Sa Grandeur Bancaire Martin Yahl, était un homme exceptionnel, doté d'un véritable génie pour créer. Mais créer suppose qu'on administre, creuser une galerie suppose qu'on étaie à mesure qu'on avance. Malgré mes objurgations véhémentes, ton père n'a jamais voulu étayer. Et un jour, tout s'est effondré. Il est malheureusement possible que la crise qui l'a emporté ait été précisément provoquée par le sentiment de son échec... »

Ainsi parle Sa Grandeur Bancaire. Il dit bien : « mes objurgations véhémentes ». Je ne crois pas qu'il soit au monde un homme que je puisse jamais haïr autant. Même pas mon oncle Giancarlo, qui n'a jamais été qu'un imbécile.

Quant aux avoirs suisses et français de mon père, on m'expliquera qu'ils ont été employés dans leur totalité à éponger les pertes subies par ailleurs. On a les preuves, cela s'entend, et prêtes à affronter tout examen par n'importe quel spécialiste au cas où, hypothèse absurde, on douterait de la bonne foi des fidéicommissaires. « Franz, nous avons, ton oncle et moi, pris soin de toi, nous t'avons suivi et gâté, peut-être trop, à parler franc. Tu as vingt et un ans, tu es majeur au terme de la loi française. Nous avons décidé, pour toute l'amitié et l'affection que nous portions à ton père en dépit de ses errements, de puiser dans notre propre argent et de te constituer un capital, qui te permettra de te lancer dans la vie, tes études n'ayant malheureusement pas été très heureuses. »

J'ai pris le chèque qu'ils me tendaient et je suis parti, en fait pour l'Angleterre, pour Londres où, parce que s'y trouvait cette jeune fille aujourd'hui morte, je pensais n'être pas tout à fait seul. Je suis parti, rendu à moitié fou par la haine, à cette époque inexplicable, que je portais à ces deux hommes. Et j'étais plus qu'à moitié fou : j'ai dépensé cet argent en deux mois et quatorze jours, dans une frénésie suicidaire.

Je m'assois au bureau même de mon père, dans

le fauteuil de cuir noir à haut dossier qui était le sien. Le bouddha me tourne le dos. Je le retourne et nous nous considérons l'un l'autre, quoiqu'il ait quant à lui les yeux clos. De la poche de poitrine de ma chemise, je retire la lettre anonyme que j'ai reçue à Mombasa, deux jours avant Noël. Je la relis pour la millième fois : « *Au moment de la cessation du fidéicommis, vous avez touché environ un million de francs français, représentant le reliquat de la fortune de votre père. En réalité, cette fortune représentait entre cinquante et soixante millions de dollars, dont vous avez été spolié.* »

Pour Martin Yahl et mon oncle Giancarlo, mon père est mort en août 1956, dans ce bureau où je suis ; il est mort succombant à une crise cardiaque et il est mort ruiné ; au point qu'il a fallu tout vendre, y compris cette maison où est ce bureau, y compris *La Capilla*. Et par amour pour mon père, néanmoins, Sa Grandeur Bancaire et Tonton Giancarlo ont financé ma jeunesse, m'ont gâté – pourri serait plus juste et je vois à présent que ce n'était pas par bonté d'âme – et ils ont même, à ma majorité, généreusement puisé dans leurs deniers personnels pour me constituer une dot de jeune vierge.

C'est leur version.

Elle est fausse, j'en suis désormais convaincu.

Les trois heures suivantes, je fouille chaque recoin de la maison, avec l'espoir que mon père m'y aura laissé quelque chose, à moi seul destiné, une trace, un indice. S'il m'a par-delà sa mort adressé un avis, c'est dans cette maison qu'il l'a caché, ou nulle part. Il aimait *La Capilla* et ne l'eût échangée contre rien. Cela aurait dû m'alerter : au cœur de la pire débâcle, mon père aurait à coup sûr trouvé le moyen de sauver cette maison. Il n'en a rien fait. Pour moi, la conclusion est claire.

Je quitte la maison au moment des premières lueurs de l'aube sur la mer. J'emporte le bouddha extasié, que j'ai volé.

A neuf heures, je débarque au Carlton de Cannes. J'y prends une douche et je commence à téléphoner. Il me faut moins d'une heure pour toucher un notaire.

« Je m'intéresse à une propriété sur la commune de Saint-Tropez, près de la plage de Pampelonne-Tahiti. Cela s'appelle *La Capilla*.

– La propriété n'est pas à vendre.

– Je suis prêt à étudier n'importe quel prix.

– Désolé, monsieur. Il ne saurait être question de vendre.

– Mais l'on m'a dit que la propriété était laissée à l'abandon. »

Silence.

« On vous aura mal informé, monsieur. »

La voix est courtoise mais ferme, teintée d'un léger accent provençal.

« Puis-je au moins rencontrer le propriétaire ? Je voudrais m'adresser à lui directement, pour raisons personnelles. »

Je vais aussi loin que je l'ose sans indiquer mon nom. En vain :

« Même pas, monsieur. »

Ce notaire-là est un mur. Après avoir remercié, raccroché, je reste quelques secondes à contempler le récepteur. Et si j'avais essayé l'argent ? Un renseignement peut toujours s'acheter, à défaut d'être obtenu gratuitement. Mais je suis persuadé que j'aurais couru à un échec. Suivent quelques minutes d'irritation, à laquelle je m'abandonne. Pourquoi ce mystère ? Qui a acheté *La Capilla*, pour le seul résultat de la laisser intacte, rigoureusement intacte, telle qu'elle était treize ans plus tôt, le 28 août où mon père est mort ?

Ce n'est pas de mon oncle Giancarlo, qui est aussi sentimental qu'un rideau de douche et de surcroît détestait son frère trop doué.

Martin Yahl ? Risible.

Pourtant « la personne détenant les droits de propriété », comme dit le notaire, a consenti, lors de l'achat, un important effort financier. Même il y a treize ans, trente hectares sur la presqu'île de Saint-Tropez avaient leur prix, surtout avec une maison d'une quinzaine de pièces dessus, avec une piscine et des dépendances et un ponton privé. L'acheteur avait les moyens. Il les a toujours, au point de n'avoir pas besoin, aujourd'hui encore, de ce capital ainsi bloqué. Mon mystérieux propriétaire est riche.

Je quitte Cannes dans l'après-midi. Dans la soirée du 10 juillet, je suis à Paris et j'y descends au Ritz, où je ne suis jamais allé, où l'on ne risque donc pas de me remarquer, en souvenir de ma jeunesse folle. Nouvelle séance au téléphone. L'homme que je cherche dîne ce soir-là, je finis par l'apprendre à force d'insistance, de menaces et de supplications, au restaurant La Bourgogne, avenue Bosquet. Je l'y joins. Il accepte, d'abord surpris, puis un peu plus accommodant quand je lui parle argent, un rendez-vous place du Trocadéro, à l'entrée de l'avenue Georges-Mandel. Il demande, incertain :

« Comment nous reconnaîtrons-nous ?

– Je serai dans une Rolls Royce. »

Ça le rassure un peu, qui kidnapperait en Rolls ? Il est à l'heure au rendez-vous et vient se ranger avec sa Citroën juste à côté de la Rolls. Il hésite puis, découvrant ma jeunesse et constatant que je suis seul, il vient s'asseoir auprès de moi, remarque :

« Vous êtes très jeune.
– Ce n'est pas contagieux. »
Je lui tends la liasse.
« Dix mille dollars. »
Il rit un peu nerveusement et plus tard, nous rirons ensemble des circonstances de ce premier contact.
« Si c'est un homme de main que vous cherchez... »
Je lui présente un bloc-notes et un crayon.
« La Banque Martin Yahl, siège social avenue Général-Guisan à Genève. Et Giancarlo Cimballi. L'adresse... »
Je lui raconte tout ce que je sais de Curaçao. Je lui dis mes soupçons, en fait ma certitude, de ce qu'un détournement a eu lieu, treize ans plus tôt. Il s'exclame : après tant d'années !
« Je veux savoir d'abord si ce détournement a eu lieu, ensuite s'il est encore possible de prouver quelque chose, bref si l'on peut démonter la machination. Je veux savoir enfin qui, outre Yahl et Giancarlo Cimballi, est susceptible d'y avoir pris part.
– S'il y a eu machination.
– Pouvez-vous mener une enquête ? il est impératif qu'elle soit discrète. Je ne veux en aucun cas que Yahl la soupçonne. »
Il me dévisage. Dans l'ombre de la voiture, il discerne mal mes traits et j'ai chaussé des lunettes de soleil. Il demande :
« Comment avez-vous eu mon nom ? »
Je lui cite le dernier personnage de la filière que j'ai remontée en quinze ou vingt coups de téléphone. Ce n'est rien moins qu'un ministre en exercice.
« Je vérifierai, bien entendu », dit-il.
– Bien entendu. »
Il est clair que sa légère appréhension de tout à

l'heure a maintenant fait place à de la curiosité. Ce mystère dont je m'entoure l'intrigue. Je dois reconnaître que, quant à moi, il m'amuse assez. Mon interlocuteur s'appelle Marc Lavater, c'est un homme d'une cinquantaine d'années qui deviendra l'un de mes amis les plus chers ; il a été l'un des cadres supérieurs de l'administration française des impôts, dirigeant une brigade de contrôle de la rue Volney ; il est ensuite passé de l'autre côté de la barricade, prodiguant ses conseils à ceux que jusque-là il pourchassait. On m'a surabondamment vanté son efficacité, l'étendue de ses relations, même internationales, et ce que mon dernier interlocuteur a nommé dans son jargon sa « fiabilité ».

« Le problème, dit-il, est que votre affaire a surtout la Suisse pour cadre. J'y suis moins à l'aise qu'en France. D'autre part...

– Vous acceptez, oui ou non ?

– Laissez-moi finir. D'autre part, ce serait déjà une enquête difficile en France, surtout si l'on doit la mener sans alerter les intéressés...

– Oui ou non ?

– D'un autre côté, j'ai conservé beaucoup d'amis dans les services fiscaux suisses... »

Il considère les billets. Je dis :

« Cent mille dollars en fin de parcours. Quand j'aurai mes réponses. »

Il se met à rire :

« Je vais accepter, dit-il. Pas pour l'argent. Encore que... Mais surtout parce que votre histoire m'amuse. Vraiment. »

Je ne le crois pas sur le moment. J'ai tort. Je le saurai plus tard. Je dis :

« Et il y a autre chose... »

Je lui parle de la maison de Saint-Tropez.

« Je veux savoir qui l'a achetée. Et si le propriétaire actuel est le même qu'il y a treize ans. »

Il me pose quelques questions. Non, il ne pourra pas me joindre, c'est au contraire moi qui reprendrai contact avec lui. Il sourit, à présent tout à fait à son aise :

« Et si je vous demande votre nom ? »

Je lui retourne son sourire :

« Appelez-moi Monte-Cristo. »

Le lendemain 11 juillet, un rien flageolant, je suis de retour à Mombasa. A Sarah, j'explique :

« Les Seychelles sans toi sont comme un repas sans fromage. »

Et un peu plus tard, à Hyatt :

« Tu m'as proposé de partir ensemble pour Hong Kong ? C'est d'accord. Le Kenya appartient désormais au passé. »

5

UNE chose est sûre chez Hyatt : il connaît Hong Kong où il est né. Il parle chinois et il est clair qu'il se sent ici chez lui.

Nous y sommes arrivés depuis deux semaines. Nous avons, j'ai personnellement quitté Mombasa quatre jours après mon retour d'Europe. J'ai proposé à Sarah de m'accompagner. Elle a d'abord accepté, puis refusé. Je l'ai sentie hésitante et moi-même j'hésitais, ne sachant trop si je tenais à poursuivre cette liaison ou au contraire à me servir de mon départ comme d'un excellent prétexte pour rompre. « Je te rejoindrai peut-être là-bas. Il est possible que j'arrive à y trouver du travail. – Tu n'as pas besoin de trouver du travail, je suis là. » Secouant la tête : « Des clous, je tiens à mon indépendance. »

A Hong Kong, dans Central, île de Victoria, je marche dans DesVœux Road suivant un trajet que j'ai déjà parcouru vingt ou trente fois depuis mon arrivée et bientôt je débouche en face de ces deux bâtiments gris crème, géométriques et laids mais néanmoins impressionnants, à gauche la Banque de Chine, à droite la Banque de Hong Kong et de Shangai. C'est dans celle-ci que dorment pour l'instant les trois cent cinquante mille dollars « kényens » que j'y ai déposés.

Je n'ai pas encore vingt-deux ans, je les aurai dans deux mois. Que s'est-il passé au Kenya ? Certains jours, je me demande si je n'ai pas rêvé. J'ai vraiment gagné tout cet argent ? et si vite ? Ai-je bénéficié de circonstances exceptionnelles ? Qu'est-ce que je vaux vraiment ?

Le funiculaire du Pic se trouve à quelques centaines de mètres, derrière le Hilton. La pente est extraordinairement rude mais à mesure que la voiture – elles sont deux en fait et se contrebalancent – gagne en hauteur, la vue se dégage à en couper le souffle, d'abord sur la cathédrale Saint John, et les collines bordant le front de mer avec, se découvrant sur la gauche, le Jardin zoologique puis, à mesure que le panorama fabuleux s'élargit, les grandes tours de Victoria, la rade et la Vallée Heureuse apparaissent, tout comme Wanchaï et Causeway et en face, par-delà le détroit, la péninsule de Kowloon, amorce du continent chinois saignée profondément par la trace rectiligne de Nathan Road.

J'ai gagné trois cent cinquante mille dollars. Par chance ou non. Je peux m'en tenir là, me ranger, acheter un bar-tabac ou épouser n'importe qui. Je peux aussi tout remettre en jeu, recommencer comme à Mombasa.

En réalité, je ne suis pas dupe de l'espèce de dépression que je ressens : elle est due un peu à l'absence de Sarah, qui me manque plus que je ne m'y étais attendu ; elle est due aussi à cette inquiétude agacée, éprouvée quand je pense à ce que j'ai mis en marche, en Europe, par le truchement de Lavater. Elle est due surtout à Hong Kong ; ce n'est pas une ville où je suis à mon aise, cette foule asiatique qui n'en finit pas de couler m'oppresse. Et puis, qu'y faire ? Je me suis laissé convaincre d'y venir par Hyatt. Maintenant que j'y suis, je mesure la gigantesque complexité de ce que j'affronte. Au point d'avoir la nostalgie de mes parades dans Kilindini Road, au volant de ma Mini-Moke, saluant mes clients et amis pour qui j'étais « Petit Chef ». Ici, je ne suis rien, et ne vois guère le moyen de devenir quelque chose.

En sortant du funiculaire, je gagne Lo Fung, qui est un restaurant au deuxième étage de la tour de Victoria Peak. Les serveuses y circulent entre les tables en portant dans des paniers multiples accrochés à leur cou des dizaines, voire des centaines de spécialités différentes. D'après Hyatt, Lo Fung est un dim sum, une « estouffade à la cantonaise », et dim sum signifierait petit cœur en cantonais. Hyatt, justement, est déjà là et il agite les bras :

« Tu en fais une tête. Ça ne va pas ? Au moins, ne fais pas la gueule au type qui va venir. Il a beau n'être que directeur commercial, beaucoup de choses dépendent de lui. »

Il se lance dans une description enthousiaste de l'avenir qui nous attend et presque aussitôt l'homme avec qui nous avons rendez-vous arrive. C'est un Chinois mince et élégant, vêtu de ce qui est peut-être du shantung, en tous les cas de couleur crème, et qui parle un anglais de présentateur à la B.B.C. Il est très légèrement condescendant à l'égard de Hyatt qui ne semble pas, mais ce n'est peut-être qu'une apparence, s'en rendre compte. Avec moi, il se conduit différemment. Ma jeunesse l'intrigue. Et il profite d'un court silence de Hyatt pour me demander :

« Vous êtes associés depuis longtemps ? »

Je souris :

« Des années. Nous avons fait la guerre ensemble. »

Deux heures et quelque plus tard, tous les trois,

nous roulons sur le continent chinois, à travers Kowloon, en direction des Nouveaux Territoires. Je m'oriente : nous allons au nord-ouest. J'aperçois une île sur la gauche.

« Tsing Yi, commente Hyatt. On y a installé les chantiers navals qui étaient autrefois à Hong Kong. »

Nous défilons devant les interminables possessions de la brasserie San Miguel qui, avec la bière Tsing Tao, écrase le marché asiatique. Un peu plus loin :

« Nous y sommes. »

L'usine emploie six cents personnes. Pas un seul Occidental, on est entre Chinois.

« Les jouets, Franz, commente Hyatt. J'ai tout : les points de chute en Europe, les contacts avec les distributeurs, tout. Tu sais à combien revient une poupée fabriquée ici par rapport à une autre, la même, fabriquée en Europe ? Même pas la moitié. Maximum ! C'est une affaire de tout repos. On travaille trois ou quatre mois par an et le reste du temps... »

Geste large de ses petites mains potelées. Pour Hyatt, l'avenir est là : paisible, assuré, un court trimestre de travail et puis le *dolce farniente* le reste de l'année. Bref, la retraite.

« Ça n'a pas l'air de t'enthousiasmer. Tu as quelque chose contre les jouets ? Noël est pour bientôt. »

Je n'ai rien contre les jouets, ni contre le farniente. Mais je ne me vois pas passer ma vie à Hong Kong, au milieu de cette mer humaine où pour moi tous les visages se ressemblent. Nous défilons dans les ateliers, on nous sourit gentiment, un contremaître ou l'équivalent déverse un flot d'explications que Hyatt me traduit. Moi, je pense à Sarah, à son corps mince et nerveux, à ce regard sarcastique qu'elle coule entre ses paupières à demi closes...

« Ici, nous avons notre bureau d'études. »

Je vois toutes sortes de machins à pile, des animaux, des véhicules, d'autres poupées qui pleurent et vous disent maman en trente-six langues. Il y a deux heures au moins que nous sommes dans cette usine et un ennui mortel me gagne. Au moment où, enfin, nous sommes sur le point de prendre congé, quelque chose enfin m'attire l'œil. Ça ressemble à un gratte-dos. C'est un gratte-dos.

« Mais il est électrique. Vous le placez contre votre dos et il marche tout seul, sans que vous ayez besoin de bouger le bras. Ce n'est qu'un gadget. »

Notre directeur commercial, celui avec qui nous avons déjeuné, s'appelle Ching Quelque Chose. Je lui demande :

« Et vous avez d'autres trucs de ce genre ? »

Il secoue la tête en riant :

« Ce sont nos jeunes gens du bureau d'études qui se sont amusés. Ce n'est qu'un gadget.

– Vous en vendez ? »

Nouveau sourire :

« Non, bien sûr. Ce n'est...

– Ce n'est qu'un gadget, je sais. »

Pour une idée idiote, c'est une idée idiote.

Retour à Hong Kong. Ching Quelque Chose, sur ma demande, consent à me parler de « ces jeunes gens de notre bureau d'études qui s'amusent ». Deux d'entre eux, les plus cinglés paraît-il, habitent à Central. Ils travaillent surtout pour le cinéma, dans les effets spéciaux, et sont parmi les éminents spécialistes de cette hémoglobine qui déferle comme un torrent dans tous les films made in Hong Kong. Le soir même, je les rencontre dans un restaurant de Wanchaï. Ils s'appellent Li et Liu, ou le contraire, je n'arriverai jamais à distinguer Li de Liu ct *vice versa*. Ils ont à peu près mon âge. Quand je leur parle de mon idée, ils hurlent de rire.

« Et vous comptez vendre notre gratte-dos électrique dans Carnaby Street à Londres ?

– Et ailleurs. »

Le fou rire, ils en pleurent. Nous buvons une sorte de saké chinois, du hsiao shin, ou quelque chose d'approchant ; c'est un vin couleur d'urine, exactement, fait à partir de riz et servi chaud, chauffé qu'il est devant nous au bain-marie. Après trois ou quatre absorptions, je suis obligé de m'accrocher à la table. Nous nous retrouvons le lendemain matin, cette fois dans le hall de la Chambre de commerce, et les trois ou quatre idées de gadgets que je leur propose les font repartir dans leur fou rire, qui ne devait décidément rien au hsiao shin.

Il n'y a pas à Hong Kong de formalités douanières réelles pour les importations, et *a fortiori* les exportations ; seules des taxes indirectes sont perçues sur quelques produits comme le tabac, les alcools et les hydrocarbures. Pour mes gadgets, aucun problème, me dit-on, ça les ferait plutôt rigoler qu'autre chose. La Trade Licensing Section du Département du Commerce et de l'Industrie me remet une patente gratuitement et sans délai, et avec le sourire. On m'apprend, mais Hyatt m'en avait déjà informé, que mes exportations se feront donc en franchise. Toutefois, j'aurai à rembourser certains droits, au demeurant assez modestes, puisqu'il s'agit souvent de matériaux – plastique notamment – de matériaux taxés, manufacturés localement et directement exportés ensuite à partir d'une usine de la Colonie. Plus tard, je réussirai même à faire annuler cette disposition. Nous n'en sommes pas encore là. Dans l'après-midi du même jour, le même Département du Commerce et de l'Industrie accepte le principe de me délivrer, pour des produits qui n'existent pas encore mais qui vont exister sous peu, dans pas longtemps, l'obligatoire certificat d'origine. Cela s'appelle un Certificat d'Origine de Préférence Généralisée et cela va me permettre d'exporter librement vers les six pays initiaux du Marché commun européen, plus le Royaume-Uni, la Nouvelle-Zélande, la République d'Irlande, la Suède, la Suisse, l'Autriche, le Japon, les États-Unis, le Danemark, la Grèce, le Canada, l'Australie, et un certain nombre d'autres contrées.

« Mais tu n'as pas le Béloutchistan, ni le Burundi, et pas davantage les Samoa », me fait remarquer Hyatt avec aigreur.

Hyatt croit que je suis devenu fou. A cet instant de l'affaire, je peux difficilement lui donner tort. J'ai essayé de lui expliquer, je lui ai dit ce que j'ai ressenti, précisément dans Carnaby Street à Londres, devant cette espèce d'étalage de bidules sans nom, sans rime ni raison, qu'on s'arrachait avec d'autant plus de frénésie qu'ils ne servaient strictement à rien, dans ces échoppes presque en plein vent installées près de la boutique de Mary Quant.

« Il y a une demande pour des choses ne servant à rien. Ou si elle n'existe pas encore vraiment, nous la créerons.

– Pas nous. Je ne marche pas. »

Il se bute et boude. Je vais tout essayer pour le convaincre sans parvenir à l'ébranler. Il tient à son idée d'un trimestre de travail pour neuf mois de vacances et ne sort pas de là. Et il ne cédera pas, dit-il. J'ai pourtant besoin de lui ou, sinon de lui, du moins de son argent. L'usine de Ching Quelque Chose accepte de produire en quantités surprenantes le Chausse-Pied Lumineux pour Se Chausser

Sans Réveiller Sa Femme, le Ciseau à Froid à Découper la Glace, le Briquet Parleur qui Vous Insulte Chaque Fois que Vous Allumez une Nouvelle Cigarette, l'Ivrogne dont le Nez Rouge Clignote quand Votre Verre est Vide, la Banane Hurleuse (quand on la pèle), l'usine veut bien fabriquer tout ça à la chaîne, à condition que je leur signe une commande ferme. Autant dire que je dois engager dans l'affaire la totalité de mes capitaux. Qui ne sont pas extensibles à l'infini, d'autant que je suis susceptible de devoir régler la note d'honoraires – quatre-vingt-dix mille dollars – que peut m'envoyer à tout moment Marc Lavater. Ça coûte décidément cher de jouer les Monte-Cristo dans une Rolls, même si ça m'a beaucoup amusé dans l'instant. Et puis, il me faut de l'argent pour aller préparer le terrain en Europe, pour y prendre les contacts nécessaires ; et il me faudra encore de quoi vivre, à Hong Kong et ailleurs, en attendant que rentrent les bénéfices.

Si bénéfices il y a.

Le refus obstiné de Hyatt me laisse sans parade. Il me manque cent ou plus justement cent cinquante mille dollars ; aucune banque interrogée ne semble croire aux gadgets, à ce prix.

« Hyatt, au moins prête-moi l'argent. »

Rentrant le menton dans son cou :

« Je t'ai proposé une affaire en or, trois mois de travail neuf de vacances, tu n'en as pas voulu. A mon tour de ne pas marcher. »

Et les jours passent. Nous sommes entre le 15 et le 20 août. Par deux fois, j'ai appelé Paris au téléphone et à chaque fois le secrétariat de Marc Lavater m'a répondu que Lavater lui-même était absent et qu'il n'y avait aucun message à mon intention. C'est peut-être vrai qu'il n'a encore aucune nouvelle à me donner, c'est probablement vrai ; je ne l'imagine guère empochant mon argent pour m'oublier le lendemain. Mais ce silence m'exaspère. De même que m'irrite l'attitude de Sarah : je lui ai déjà câblé deux fois, télégraphié et téléphoné à m'en ruiner, tour à tour primesautier : « Tu n'aurais pas cinq cent mille dollars à me prêter ? » ou le plus souvent insistant : « Viens me rejoindre. Tu me manques. – Il n'est pas facile de trouver du travail à Hong Kong quand on est une vraie jeune fille. – Nom d'un chien, qui parle de travail ? – Moi, j'en parle. Et je fais plus qu'en causer, bonhomme. »

Et Ching Quelque Chose qui, à chaque fois que nous nous rencontrons, m'informe courtoisement que l'usine n'attend plus que moi. Ultime tentative auprès de Hyatt : rien à faire. Il affirme que même s'il le voulait, il ne pourrait désormais plus investir à mes côtés : il a engagé des fonds dans, non plus une affaire de jouets, mais de radios à transistors. Je reviens à Ching Quelque Chose.

« Écoutez, Ching, il devrait y avoir moyen de s'arranger.

– On ne peut pas modifier sans garantie l'organigramme de toute une usine. »

C'est une discussion que nous avons déjà eue dix fois.

« Mais votre société pourrait elle aussi prendre quelques risques. Le marché du jouet est surchargé, celui du gadget est à ouvrir.

– Est-ce vraiment un débouché ? »

C'est reparti.

« Qui déciderait d'une éventuelle participation de votre société à mes côtés ? Qui commande ?

– Pas moi, dit Ching.

– Alors, qui ? »

Hyatt, un soir, a prononcé un nom devant moi. Et ce nom me revient.

« M. Hak ? »

Regard surpris de Ching Quelque Chose.

« M. Hak est un homme très important. Très très important.

– Je voudrais le rencontrer. Arrangez-moi un rendez-vous.

– C'est impossible. »

J'insiste. Il finit par accepter d'essayer. La nuit suivante, pour la troisième fois, j'appelle Paris où, en raison du décalage horaire, il est dix heures trente du matin. Miracle, Marc Lavater lui-même vient en ligne.

« J'ai quelques-uns des renseignements que vous m'avez demandés. La maison tout d'abord. Elle a été achetée le 11 octobre 1956, un mois et demi après la mort de votre père, par un notaire agissant sur instructions confidentielles, pour la somme d'un million cent mille francs actuels, ce qui n'était vraiment pas cher. Le propriétaire officiel est une société établie au Liechtenstein, ce qu'ils appellent à Vaduz une Anstalt, un Établissement. Discrétion totale, impossible d'en savoir plus.

– C'est aujourd'hui encore le même propriétaire ?

– Le même.

– Les activités de cette Anstalt ?

– Nulles. Absolument. Mais quelqu'un paie chaque année les mille francs suisses réclamés au titre de l'impôt sur le revenu par le gouvernement liechtensteinois, ainsi que les honoraires de l'avocat de Vaduz chez qui l'Anstalt est officiellement domiciliée. J'ai voulu remonter la piste : les fonds viennent de Suisse, compte à numéros. Ne me demandez pas comment mais je suis allé au-delà : je suis tombé sur un deuxième avocat de Genève muet comme une carpe, qui est lui-même réglé par prélèvement automatique sur un deuxième compte à numéros, régulièrement approvisionné. Je n'ai pas pu aller plus loin. Du diable si je comprends quelque chose à un mystère aussi impénétrable. Une chose est sûre : ce n'est pas votre banquier. Lui-même a effectué voici quelques années une enquête identique à la mienne, en s'y cassant les dents. »

Martin Yahl a essayé de découvrir l'identité de l'acheteur de la maison... Je digère la nouvelle.

« Et l'autre affaire ?

– Ça se dessine », dit Lavater.

A près de dix mille kilomètres de distance, je sens une sorte d'excitation dans sa voix pourtant ordinairement calme et précise. Moi-même, par contrecoup, face à la nuit de Hong Kong illuminée, j'éprouve soudain une fièvre qui pour un peu me ferait trembler.

« Écoutez, dit Lavater, c'est la plus fantastique affaire de détournement dont j'aie jamais entendu parler. Attention : je n'ai pas de preuves. Et si vous voulez mon avis, je n'en aurai jamais. Aucune chance, je vous dirai pourquoi tout à l'heure. Non, pas de preuves mais plus qu'une impression, presque une conviction absolue. Il est invraisemblable que votre père soit mort ruiné. Notre enquête est formelle... »

Je note brusquement que Lavater parle de « mon » père et donc a compris qui je suis. Et alors ?

« Il y a eu manipulation, détournement, spoliation, captation d'héritage, appelez ça comme vous voulez. Cinquante ou soixante millions de dollars a écrit votre correspondant anonyme. A mon avis, c'est une sous-estimation. Il faut parler du double, peut-être même du triple.

– Les chances d'une action en justice ?

– Sauf élément nouveau : nulles. A moins que quelqu'un n'accepte de parler. Et même dans ce cas, je n'y crois pas.

– Pourquoi ?

– Parce que le coup a été fabuleusement bien monté.

– Par qui ?

– Pas de noms au téléphone. Mais le ou les auteurs ont eu des complices. Nous effectuons un tri en ce moment. Une chose est sûre : il y a des hommes qui, voici treize ans, sont soudain devenus beaucoup plus riches qu'ils n'avaient jamais rêvé de l'être, et ce en quelques mois.

– Je veux leurs noms.

– Vous les aurez. Accordez-moi encore quelque temps. J'ai besoin d'argent.

– Je vous envoie quarante mille dollars.

– Pas à mon nom, s'il vous plaît. Au compte dont je vous ai donné le numéro.

– D'accord. Le reste à la réception de votre envoi.

– Je n'ai pas votre adresse. »

Sans hésiter :

« Mon nom, aux bons soins de Miss Sarah Kyle, White Sands Hotel, Mombasa, Kenya. Tout à l'heure, vous avez dit que vous alliez m'expliquer pourquoi je n'aurais jamais de chance de prouver le détournement ; pourquoi ?

– Parce que je suis à peu près certain que c'est le même homme qui a dessiné le schéma de la société de votre père puis qui, avec quasiment du génie, a ensuite tout démantelé, tout effacé, tout reconstruit ailleurs, sans laisser la moindre trace ni la moindre preuve. Je n'ai pas peur du mot : le type qui a fait ça était un génie. Ça a été de la prestidigitation, de la magie. Je suis personnellement empli d'admiration et je ne plaisante pas.

– Vous savez qui il est ?

– Vous avez vu un vieux film d'Errol Flynn, *Robin des Bois* ? Il y avait là-dedans un acteur qui s'appelait

John Carradine et qui jouait le rôle de Scarlett, Will l'Écarlate. Parce qu'il s'appelait également John Carradine, on a donné ce surnom de Scarlett à un avocat américain sorti de Harvard, où il a eu comme condisciple un banquier suisse que, je crois, vous n'aimez guère. C'est Scarlett qui a opéré la manipulation. Le magicien, c'est lui. »

Lavater a refusé de me donner en clair le moindre nom jusqu'ici et pourtant il n'hésite pas à lancer celui-là dans l'espace.

Il a un petit rire :

« Je suis navré. C'est parce que Scarlett est mort. »

Coup de téléphone de Ching Quelque Chose :

« Seriez-vous libre demain soir, à partir de six heures ?

– Sûrement.

– Je me permettrai de passer vous prendre au Mandarin Hotel. Cinq heures et demie. »

Rien de plus mais j'ai compris : je vais rencontrer le très, très, très important M. Hak. J'ai essayé de me renseigner à son sujet. Hyatt m'a considéré avec surprise : « Ça m'étonnerait fort que tu arrives jamais à lui parler. – Qu'est-ce qu'il a de particulier ? Il vit au ciel assis sur un nuage ? – Il est très important. – Merde. Moi aussi, je suis important. Je suis le type le plus important que je connaisse. Il est si riche ? – Ce n'est pas une question d'argent. Pas seulement. On est à Hong Kong, ici. » Et Hyatt de me regarder comme s'il m'avait fourni un renseignement capital. Certains jours, je le tuerais.

La grosse Mercedes nous a pris au débarquement de la Star Ferry. Nous filons vers l'aéroport de Kaïtak, y prenons place à bord d'un petit avion de tourisme. Direction plein nord, autant dire vers la

Chine. A côté de moi, Ching Quelque Chose ne bronche pas. Le vol est en fait très court, une dizaine de minutes et j'aperçois bientôt sous nos ailes, dans le jour finissant, une île montagneuse, qui ne semble guère animée que par un minuscule village de pêcheurs établi dans une crique.

« Nous sommes en Chine ?

– Nous sommes toujours à Hong Kong, dans les Nouveaux Territoires. Mais la Chine est là. »

Une ligne à l'horizon, à quelques kilomètres à peine. L'avion se pose en cahotant sur une courte piste de ciment. Une Land-Rover avec chauffeur chinois garanti taciturne total, une piste au travers de deux ou trois collines et la végétation apparaît soudain, succédant à la rocaille et à la terre nue, jusque-là quelque peu sinistres. J'identifie des banians chinois, des camphriers et des pins, qui n'ont pas poussé seuls. Un peu plus loin, au terme d'une double rangée d'eucalyptus dessinant une allée, au cœur d'une mer blanche de camélias, de magnolias nains et d'azalées, un porche se dessine. Descendus de la Rover, nous défilons, Ching et moi, entre un double mur d'orchidées. Le sol est partout de ciment très fin, sans la moindre marche. C'est très beau et d'un calme extraordinaire, à la limite oppressant.

La maison de M. Hak est devant moi. Je vais y faire la rencontre, l'une des rencontres les plus surprenantes de ma vie.

6

J'AI d'abord l'œil attiré par ses mains : elles sont longues et fines, élégantes et même gracieuses ; à chacune, l'ongle de l'auriculaire est démesurément long, atteignant plus de dix centimètres.

Mais très vite, mon attention se porte ailleurs, tourne même à la fascination : sur ses jambes. M. Hak porte une robe de chambre de soie noire qui s'entrouvre à mi-cuisses et laisse apparaître deux étranges mécanismes de métal étincelant. Il s'agit de cylindres, auxquels on ne s'est même pas donné la peine de prêter la forme de membres humains véritables. Cette indifférence à l'esthétique, aux conventions, est impressionnante ; en tous les cas elle m'impressionne. Sur l'acier, à la hauteur de l'endroit où serait normalement le genou, je distingue des rainures qui se croisent à angle droit, délimitant huit petits carrés. Et de même sur l'autre jambe. M. Hak est assis.

« Voulez-vous boire quelque chose, monsieur Cimballi ? »

Je me retourne : Ching Quelque Chose s'est silencieusement éclipsé, m'abandonnant. La pièce où je me trouve est un salon, mais les pièces voisines, qui sont nombreuses, ne sont déterminées que par des cloisons légères, probablement mobiles. Le sol me semble de marbre, d'un marbre presque noir veiné de gris argent ; pas la moindre marche d'escalier en vue, tout est à niveau. Les meubles sont très rares et quand il y en a, ils me paraissent plus que luxueux, notamment d'étonnants paravents, laqués de noir et de rouge géranium.

« Voulez-vous du champagne ?

– Excusez-moi. Oui, merci. »

Je m'attends à voir paraître un domestique. Mais nous demeurons seuls et c'est la main de M. Hak qui bouge : elle vient se poser sur la cuisse gauche. L'ongle d'un auriculaire s'insère dans l'une des rainures, soulève une trappe minuscule : un microscopique cadran apparaît, garni de quatre boutons gros comme des têtes d'épingle. Le doigt de Hak effleure ces boutons, selon un code convenu. La trappe est refermée. M. Hak se lève et c'est avec effarement que je le regarde marcher : il avance en conservant son buste, et en réalité tout son corps vivant, parfaitement immobile ; je jurerais que la ligne de ses épaules dessine une trace parfaitement rectiligne. Et pourtant, il progresse, il se déplace, tels ces jouets électroniques merveilleusement réglés, dont le socle de métal seul est animé. Le mouvement est pareillement coulé, d'une même perfection technique.

Nous arrivons dans une pièce dont tout le mur du fond est semi-circulaire. Des fauteuils et des canapés en occupent le centre, tous faisant face à la cloison courbe.

« Mais asseyez-vous, je vous en prie... »

Un très léger mouvement derrière moi : progressant dans un silence total sur le marbre du sol, une sorte de table roulante aux roues caoutchoutées s'approche lentement de nous, sans qu'aucun domestique ne la guide. Elle vient s'immobiliser avec délicatesse tout près de M. Hak.

« Quelle marque de champagne préférez-vous ?

– Je n'en espérais pas tant. Choisissez vous-même. »

M. Hak s'assoit. C'est apparemment le seul geste qui lui soit difficile : il se laisse plutôt tomber en arrière. Sitôt qu'il est assis, sa main ouvre d'autres trappes microscopiques, cette fois sur le genou droit ; plusieurs choses se produisent alors : une seconde table roulante surgit, tout aussi silencieuse que la première, offrant sur plusieurs étages des douzaines de pâtés minuscules, des boulettes de poisson, de crevettes, de seiche, des beignets de toutes sortes, des petits pains fourrés, des gaufres ; dans le même temps, de la musique emplit l'air, une musique occidentale, classique, qui pourrait aussi bien être du Brahms. Enfin et surtout, simultanément encore, le panneau laqué de noir sur le mur semi-circulaire glisse lentement de gauche à droite et révèle que nous sommes sous le niveau de la mer, qui est éclairée par des projecteurs multicolores et changeants, et dont nous sommes séparés par un vitrage de deux mètres cinquante de haut sur environ douze mètres de long.

« Je suis impressionné.

– Merci, monsieur Cimballi. »

Il me sert le champagne lui-même. Et puis, sans transition, m'interroge sur le Kenya. J'ignore ce qu'il sait de moi et d'ailleurs je n'ai rien à cacher. Je lui raconte les circonstances de mon départ de Londres, mon affaire de change. Je parle même d'or. Son regard vif et intelligent ne me quitte pas.

« Pourquoi le Kenya ?

– Pourquoi pas le Kenya ? »

Il sourit :

« D'accord. Parlez-moi de ces gadgets.

– Il n'y a pas grand-chose à en dire : je crois fermement qu'il y a un marché, je suis prêt à l'ouvrir ou à le développer. C'est tout. »

Quelques minutes plus tôt, j'étais prêt à me lancer dans des explications véhémentes, bref à vendre mon idée du mieux possible. Depuis que je suis en face de cet homme semi-artificiel, j'ai soudain l'impression que ça ne servirait à rien. C'est peut-être cette discrétion même qui va le convaincre ; ou bien tout s'est-il joué en quelques secondes, comme souvent. Toujours est-il qu'il m'apprendra ce soir-là que l'usine dont Ching Quelque Chose est le directeur commercial lui appartient, à lui Hak, personnellement, que cette usine n'est pas la seule qu'il contrôle, qu'il y en a plusieurs autres, en divers domaines, et que by-the-way-soit-dit-en-passant il est d'accord pour couvrir mes investissements dans les gadgets jusqu'à concurrence de cent cinquante mille dollars, voire éventuellement au-delà.

Il ne me dira pas ce soir-là ce que j'apprendrai par la suite, à savoir que M. Hak est en fait l'un des principaux hommes d'affaires officieux de la Chine de Mao, et qu'à ce titre il contrôle et gère des biens et des capitaux considérables pas seulement à Hong Kong mais partout dans l'Asie du Sud-Est et même un peu plus loin. C'est un fait qui, pour moi, se révélera par la suite capital, décisif et, par certains aspects, à l'origine de l'une des plus belles peurs de ma vie.

Reste que lorsque je regagne Hong Kong, c'est-à-dire Victoria, rien ne s'oppose plus à ce que je me lance dans cette affaire dont Hyatt n'a pas voulu. En cette fin d'août tout de même, peut-être ébranlé par cet appui que j'ai miraculeusement trouvé auprès de M. Hak, il accepte de m'aider : ce réseau commercial dont il s'est vanté pour l'Europe existe bel et bien, et il est convenu qu'il m'accompagnera à Paris pour mettre en place les antennes dont j'ai besoin. Je lui propose – bêtement – une dernière fois de s'associer à moi ; il refuse (heureusement). Il préfère, dit-il, un salaire fixe.

Ce sera la plus mauvaise affaire de sa vie. En onze mois au jour près, la création, la distribution et la vente des gadgets vont déboucher sur un chiffre d'affaires de dix millions de dollars.

Ma part, déduite celle de M. Hak : un million et demi de dollars.

La danse, Franz, la danse continue.

Plus vite, plus vite...

Nous sommes à Londres depuis quelques jours, Hyatt et moi ; Londres où les contacts dont Hyatt se targuait se sont révélés en fin de compte utiles, moins que Hyatt ne le prétendait, plus que je ne l'espérais.

N'ayant évidemment pas l'intention d'aller moi-même présenter à chaque détaillant du Royaume-Uni les gadgets que je leur suggère de commander, j'ai embauché pour ce faire une fort jolie fille, qui se trouve être danoise, qui se prénomme Ute, qui mesure un mètre quatre-vingt-six ou sept, qui se met régulièrement toute nue quand on lui demande si elle tient à garder son manteau. Je l'ai dénichée dans une agence de mannequins et c'est un vrai mannequin, aucun doute à ce sujet : il suffit de la voir déambuler çà et là, deux volumes de l'*Encyclopaedia Britannica* sur la tête, tout en mâchant une de ces carottes qu'elle affectionne. Elle ne porte pas de soutien-gorge et quand elle se penche pour faire la démonstration du Décapsuleur au T.N.T. et du caïman Vide-Poches à Pédale, son interlocuteur pourrait distinguer jusqu'au fond de son slip, sous réserve qu'elle en eût un.

Hormis les carottes, dont elle fait une consommation proprement effrayante, elle coûte relativement peu cher. J'avais envisagé de la payer à l'heure, comme l'on fait des mannequins. Elle a refusé avec énergie.

« Je veux être payée à la commission. Vos saloperies de gadgets sont d'une extrême stupidité mais l'espèce humaine établit chaque jour de nouveaux records en ce domaine, et on devrait en vendre des tonnes. Youpi mon pote, c'est parti ! »

D'ailleurs, dit-elle, Papa Ute, à Kobenhvn, vend des aspirateurs au porte-à-porte. Autant dire qu'elle a le commerce dans le sang et puis, avec sa taille, c'est ça ou le basket-ball, le choix est mince.

Nous sommes au Ritz, à Londres donc et, dans le dos de la Danoise, Hyatt gesticule comme un naufragé de la Royal Navy à l'affût derrière une baleine échouée, pour signifier qu'il désapprouve. (C'est l'avantage avec Hyatt, j'ai fini par comprendre que quand il désapprouve, c'est que l'affaire sera bonne, il se trompe à tout coup.)

Ute découvre ses activités de sémaphore. Elle se retourne, le prend sous le bras et referme sur lui la porte du couloir.

« Voilà, dit-elle. Quoique ayant l'air d'une tour de contrôle, je ne suis pas complètement idiote. Avec cette affaire, on va mettre plein d'épinards dans mon beurre danois. Je veux l'exclusivité pour les îles Britanniques et le Danemark. »

Elle enlève diverses choses qu'elle a sur elle et c'est tout à fait vrai qu'elle n'a pas de culotte.

« Je n'ai jamais froid, explique-t-elle.

– Surtout aux yeux. Les îles Britanniques et le Danemark ! et puis quoi encore ? »

On s'allonge côte à côte sur le lit et ses pieds vont quinze centimètres plus loin que les miens, bien que nos têtes soient voisines.

« Je pourrais te demander la Suède et la Norvège, mais non, je suis raisonnable. Et je ne veux que dix pour cent. »

Je ricane.

« Un demi pour cent suffira. »

Première interruption.

« Cinq pour cent, dit-elle.

– Des clous. »

Interruption.

« J'ai plein d'idées, dit-elle un peu plus tard, essoufflée. Je pourrais former un bataillon de filles. Par exemple. Sans soutien-gorge. »

Interruption. Sa peau sent le jasmin et ce n'est pas la surface qui manque. Je finis par dire.

« D'accord pour un pour cent. »

Elle se lève, va ouvrir la fenêtre, pousse à fond le climatiseur et, vu que je gèle, elle entreprend de me réchauffer.

« Trois pour cent.

– Un et demi.

– Deux.

– Au viol ! »

A Paris.

Après le laborieux calcul habituel, je constate qu'à Hong Kong, il doit être trois heures du matin, heure à laquelle Li et Liu atteignent ordinairement le sommet de leur forme. Par un miracle à bouleverser n'importe quel Français, le téléphone marche sur-le-champ et j'ai Li ou Liu, l'un ou l'autre, au bout du fil. J'ai eu des idées nouvelles de gadgets à Londres et j'ai rapidement déposé les brevets, notamment un Sac à Rire (un sac qui, chaque fois que vous le soulevez, laisse entendre un rire de fantôme-vampire) et surtout la Fantomas' Bank, tirelire d'où jaillit une main qui vous arrache la pièce de monnaie entre vos doigts, qui deviendra l'un de mes grands chevaux de bataille. Li et Liu piquent un fou rire intercontinental.

« Au prix de l'unité, prenez votre temps, dit Hyatt qui s'aigrit de jour en jour, commençant à comprendre que cette affaire de gadgets est en train de prendre des proportions surprenantes. Il voit bien que le succès s'amorce. Il le voit au travers des réactions en France. Il le constate plus encore à l'occasion d'une rencontre d'Américains hommes d'affaires. Mes gadgets les intéressent et je détiens les brevets ; très vite nous signons des contrats ou convenons de le faire, soit qu'ils m'achètent directement pour revendre, soit qu'ils fabriquent eux-mêmes sous licence. Il est décidé que Hyatt partira avec eux pour les États-Unis afin de régler les derniers détails, tandis que je m'occuperai de l'Europe. Nous aurions normalement dû intervertir les rôles, Hyatt restant et moi traversant l'Atlantique, mais je veux rencontrer Marc Lavater. »

« Je n'ai rien encore de bien nouveau, me dit Lavater. Je vous ai parlé des Leoni ?

– Non.

– C'est un couple qui a été engagé voici dix ou douze ans pour s'occuper de *La Capilla*, à Saint-Tropez. Engagé par le notaire. Je les ai interrogés moi-même : ils ne savent rien, n'ont jamais rien vu, sinon une fois une voiture immatriculée en Suisse, une Mercedes croient-ils, qui est venue à la nuit tombée et est repartie avant le lever du jour. Le notaire les avait prévenus, leur demandant de ne pas s'interposer ni même de chercher à savoir qui était dans la voiture. Et c'est un fait qu'ils n'ont vu personne.

« Quand était-ce ?

– Un 28 août, il y a trois ans.

– Le dixième anniversaire de la mort de mon père. »

Lavater me sourit :

« Je me suis même demandé si ce n'était pas vous.

– Amusant ». Je hurle de rire.

« Du calme. Les Leoni ne savent rien d'autre. Les ordres qu'ils ont reçus sont de maintenir la maison en état, sans rien y changer. »

La rage monte en moi. Qui est le propriétaire de la maison de Saint-Tropez ? QUI EST-IL ? Ce mystère me rend à moitié fou. Je demande à Lavater :

« Et le notaire ? On ne peut pas l'acheter ?

– Amusant aussi », dit Lavater. À mon tour de hurler de rire.

Il me sourit, apaisant :

« Allons, ne prenez pas les choses aussi tragiquement. Tout cela finira bien par s'éclaircir. Pourquoi ne pas venir dîner à la maison, l'un de ces soirs ?

– Et pour le reste ? cette liste de noms que vous m'avez promise ?

– Je devais vous envoyer un premier rapport dans quelques jours et vous l'adresser au Kenya. Or vous voilà à Paris. Il vous faudra attendre encore. Voulez-vous que je vous rende vos cinquante mille dollars ? Je vous les rends sur-le-champ, si vous le souhaitez. »

Notre amitié est sans doute née avant, elle prend pourtant officiellement naissance à cette minute. Je réussis à lui sourire, malgré la rage qui continue à me nouer l'estomac.

« D'accord, j'attendrai le temps qu'il faudra. Et je viendrai dîner chez vous l'un de ces soirs. Avec joie. »

Deux jours passent, pendant lesquels je ne cesse de courir. Sur la base du réseau Hyatt, finalement fort utile, je mets en place une organisation véritablement européenne, avec des hommes qui survivront, pour ce qui est de leurs rapports avec moi, à l'aventure des gadgets et que je retrouverai plus tard ; ainsi de Letta à Rome. Mais le succès, le triomphe même de mon idée, ne suffisent pas à me débarrasser de cette angoisse rageuse, presque haineuse, que les informations de Lavater ont implantée en moi. Hyatt est parti pour les États-Unis et je suis seul, à deux jours de mon anniversaire ; je vais avoir vingt-deux ans. Dans ma chambre d'hôtel où je me suis réfugié recru de fatigue, après dix ou vingt entretiens et discussions, je décroche le téléphone, jouant nerveusement avec le briquet-magnétophone qui, à chaque fois que vous l'ouvrez, vous tonitrue à l'oreille : « Tu vas choper le cancer, pauvre bille ! » Subtil en diable, et de bon goût, en plus... Mais le pire est que ça va marcher, marcher, que ça marche déjà. Nous en avons vendu des dizaines de milliers en trois jours.

« Ute ? Prends le premier avion et viens me rejoindre.

– Seulement, si j'en ai envie, mon pote.

– Tu en as envie ?

– Ouais.

– Alors, à tout à l'heure. »

Elle arrive à dix heures et demie, débarquant tout droit d'un taxi, d'un avion, d'un autre taxi ; elle porte deux volumes de l'*Encyclopaedia Britannica* et, pendu à son cou, un plein sac de carottes, tel un cheval de la Garde républicaine apportant à un pique-nique son propre picotin. Je l'emmène dîner place de la Madeleine. Nous nous asseyons et je prends un air pitoyable :

« J'ai le cafard, Ute. »

Elle ouvre son chemisier et, tandis que divers maîtres d'hôtel s'étranglent, elle me montre l'un de ses seins : elle l'a fait peindre en marguerite, la pointe du sein figurant le bouton de la fleur. C'est très joli.

« Et la peinture est quasiment indélébile et quand tu lèches, ça a un goût de framboise. Tu veux lécher ? »

Je regarde les maîtres d'hôtel, le sommelier, les

serveurs, les vingt ou trente clients qui nous dévisagent. Je leur adresse un sourire idiot, et je réponds :

« De la framboise avec des queues d'écrevisse, ça ne va pas, non ? »

Elle me caresse la joue.

« Tu as encore le cafard ?

– Plus du tout. Rentre ton sein, à présent. »

Nous batifolons une partie de la nuit et je demande au petit matin le petit déjeuner que l'on nous apporte avec la célérité ordinaire, c'est-à-dire trois quarts d'heure plus tard, et je reconnais immédiatement la voix de la femme de chambre.

« Le plateau, demande la femme de chambre, vous le voulez où ? Sur la table ou sur la gueule ? »

J'ouvre les yeux.

« Salut Sarah, quelle surprise. Et tout et tout. »

Elle contemple Ute dont seuls dépassent des draps, aux deux extrémités du lit, la tête et les pieds.

« Nom d'une pipe ! s'écrie-t-elle. Tu en as mis deux bout à bout ou c'est toujours la même ? »

Le surlendemain qui est un vendredi, dans la soirée, nous atterrissons à Genève, Sarah et moi. À Cointrin, je loue une voiture et traversant Genève sans nous y arrêter, nous rentrons en France par Annemasse. La route ne tarde pas à s'élever. À Cluses, je prends à gauche la direction de Morzine ; le Parador allait fermer, on a accepté de nous y attendre et de nous y recevoir, nous prévenant que nous serions seuls et que le personnel serait réduit. Le regard sarcastique et vert de Sarah entre ses paupières :

« Et d'où vient cette subite passion pour la montagne ?

– J'en avais marre des Kikuyus, des Chinois, des tropiques, je voulais voir des vaches.

– Alors, il fallait aller en Normandie. C'est plein de vaches, la Normandie. »

Elle n'est pas dupe et, avec moi, ne l'a jamais été et ne le sera jamais. Elle me demande :

« Quand veux-tu que nous allions à Genève ?

– Qui a parlé de Genève ?

– Mon œil. Quand ? Aujourd'hui ? Cette nuit avec de grandes capes et des masques de velours noir sur le visage ?

– Demain. Non, après-demain.

– Parce que ce sera dimanche et qu'il n'y aura pas un chat dans les rues, tout s'éclaire. À propos, espèce de zouave, bon anniversaire. Pourquoi crois-tu que j'ai quitté mes douze amants africains ? Bon anniversaire, Franz. Il y a des moments où tu m'es presque sympathique, tu sais. »

Tout se passe comme elle l'avait prévu. Le dimanche matin vers neuf heures, Genève est presque aussi déserte que l'était notre hôtel. Par une ultime précaution qui fait ricaner Sarah, je me suis garé sur l'autre berge du Léman et c'est à pied que nous traversons le Rhône, par le petit pont des Bergues, avec une halte dans le jardinet de l'île Rousseau. De là, on découvre aisément la banque, sa façade, on y lit même le nom de Yahl. J'en tremble. Sarah prend ma main, appuie son épaule contre la mienne.

« Tu es cinglé, Franz. Tu vas passer ta vie à essayer de te venger de ce type ? Qui a jamais entendu parler d'une vengeance contre un banquier suisse ? »

... Sa hanche également contre la mienne. Sarah a un corps mince, constamment et intégralement bronzé, elle est naturellement brune, en fait le cheveu presque noir ; elle est fine mais musclée, nerveuse, ses seins sont petits et durs. Faire l'amour avec elle n'est pas forcément une douceur, mais le plus souvent un combat, que je ne remporte qu'à l'occasion.

« Franz, oublie tout et allons à Hong Kong ensemble. Tu as l'avenir devant toi, que veux-tu que je dise ? Il te faut un sermon ? Tu vas devenir riche. Oublie cet homme. Tu seras peut-être un jour plus riche que lui. Et alors tu lui feras, comment dire, un bras d'honneur. Hugh, j'ai parlé, Visage Pâle.

– Merde.

– J'ai envie d'un café.

– Passons au moins devant.

– Et faisons pipi contre sa porte. »

Nous achevons de traverser le Rhône, traversons de même la place à l'entrée du pont du Mont-Blanc ; le jet d'eau est à notre gauche, la façade de la banque sur la droite. Sarah chuchote :

« Il est peut-être là, tapi dans l'ombre, te guettant de ses yeux noirs de chacal.

– Bleus, ses yeux sont bleus.

– Et mon café ? »

En face du Touring Club, nous prenons à droite pour rejoindre la rue de Rive. C'est fini. Ça n'a strictement servi à rien, bien entendu. Mais j'en suis encore malade et blême. Sarah pour un peu, s'en effraierait. « Mon Dieu, Franz, c'est à ce point-là ? Tu es fou. Et je suis sérieuse. »

Nous rentrons à Morzine et là-haut, c'est elle qui me fait l'amour, avec une tendresse inhabituelle. Ensuite, elle va et vient dans la chambre avec cet air affairé que savent si bien prendre les femmes à l'intérieur de ce qu'elles considèrent comme leur maison, serait-ce une simple chambre d'hôtel. Je lui demande :

« Tu pensais vraiment ce que tu m'as dit, que j'allais faire fortune ? »

Elle éclate de rire et je reçois le regard vert coulant que je connais si bien.

« Oui. Et tu prendras du ventre, tu auras des costumes de laine peignée, un yacht, deux rasoirs électriques pour le cas où le premier tomberait en panne. À présent, remue-toi, nous allons rater notre avion. »

De Paris, j'appelle à nouveau Hong Kong. Tout y va bien, l'usine de Ching Quelque Chose tourne à plein rendement ; d'autres usines de M. Hak sont également entrées dans la danse, crachant du gadget à la tonne. Je voyage en Europe avec Sarah, nous allons en Allemagne, en Italie, en Espagne, en Scandinavie. Nous allons aussi au Maroc et en Égypte, en Grèce. Partout, des discussions et des contrats. Le tout très vite, je suis incapable de demeurer en place, c'en est presque de la fébrilité. Hyatt m'appelle et bientôt rentre de New York et de Californie, où les résultats passent nos espérances. Hyatt est fier et en même temps accablé de ce succès, dont il n'aura à peu près aucun bénéfice. Je le console mais sans ouvrir le tiroir-caisse : il ne l'a pas volé, tant pis pour lui, il a eu sa chance.

Je suis à ce point occupé que j'en ai oublié de rappeler comme convenu Marc Lavater. Je finis par le joindre, non pas à ses bureaux mais à un autre numéro qu'il m'a donné, celui d'une maison près de Chagny en Bourgogne.

« Je me demandais où vous étiez passé... »

J'ai soudain l'intuition qu'il y a du nouveau.

« D'autant plus que je ne savais pas où vous joindre. Bon, en peu de mots, j'ai votre liste. »

Silence. Ma main serre le téléphone à le briser. Il y a de la volupté dans la haine.

« Combien sont-ils ?
– Sept.
– Dont Martin Yahl ?
– Évidemment. Dans la mesure du possible, j'ai classé ces messieurs dans l'ordre de leur responsabilité, j'entends leur responsabilité dans ce qui est arrivé. Et Yahl vient en tête, avec le numéro un. »

J'ai appelé Lavater de Rome et je m'apprête à regagner Hong Kong où Ching Quelque Chose me réclame depuis des jours. Je réfléchis rapidement et je dis à Lavater :

« Miss Sarah Kyle sera au Ritz de Paris ce soir. Vous pouvez lui faire remettre cette liste ? Parfait. »

Sarah fronce les sourcils de me voir ainsi disposer d'elle.

« Merci, Marc. »

Je vais raccrocher. Lavater :

« Cimballi ? Franz ?
– Oui ?
– Mettez-les sur le gril autant que vous le pourrez. C'est bien la seule chose qu'ils n'aient pas volée. »

Je souris au récepteur. Montant en moi comme une irrésistible marée, je ressens l'ivresse féroce d'Old Brompton Road, plus puissante et plus féroce que jamais.

Oh ! oui, ils vont en baver !

II

OPÉRATION DRAGON D'ARGENT

7

PERSONNELLEMENT, j'aurais choisi d'aller habiter Kowloon, dans cette partie de la péninsule qui va du débarcadère de la Star Ferry à Jordan Road, c'est-à-dire Tsimshatsui. C'est sacrément animé, ça ne dort pratiquement jamais mais j'aime ça, et qui diable a besoin de tellement dormir ? Et puis c'est plein de boutiques et d'hôtels internationaux avec des bars feutrés.

« Justement, a dit Sarah. Moi, les hôtels, j'en vois assez. D'ailleurs, rien ne t'empêche d'aller habiter Kowloon tout seul. On se verra une fois par semaine, à l'occasion de mon jour de congé. Si je suis libre. »

Sale garce. En fin de compte nous avons, elle a choisi une villa dans le quartier de Stanley, sur l'île de Hong Kong proprement dite. Par les fenêtres, on découvre une plage, un port pas très grand avec des jonques et des sampans. On est au bout du monde mais mon bureau qui est situé dans Central, n'est guère qu'à une dizaine de kilomètres.

« Quant au loyer, a dit aussi Sarah, part à deux, bien entendu. Je tiendrai les comptes, si ça ne te fait rien. »

Elle a trouvé du travail au Repulse Bay Hotel, l'un des trois grands de Hong Kong avec le Peninsula et le Mandarin, et tient absolument à conserver sa liberté. Les premiers jours, je n'ai pas décoléré. « Et si je veux coucher avec toi, » Avec ce sourire angélique qu'elle doit adresser aux clients de son hôtel : « Demande rendez-vous, mon chéri. » Le soir même, sur son ventre nu, je dépose un billet de dix dollars de Hong Kong, environ dix francs français. J'explique : « Cadeau. » Le regard filtrant de ses yeux verts. Elle saisit le billet entre le pouce et l'index, va le ranger très soigneusement dans son sac à main, revient avec un autre billet exactement identique, dont elle fait une papillote qu'elle enroule autour de mon membre viril. « Cadeau », dit-elle. Et elle se recouche à mon côté.

Ces escarmouches mises à part, nous vivons conjugalement. Curieusement, ce n'est pas du tout une femme d'intérieur, elle qui vous gère un hôtel de mille chambres ; on pourrait lui repeindre son salon en violet sans qu'elle le remarque. Je le sais : je l'ai fait. Nous vivons bien, et même très bien. Mon capital frôle pour la première fois le million de dollars le 14 mars, on verra pourquoi j'ai conservé le souvenir de cette date. Je n'ai pas encore revu M. Hak depuis mon retour à Hong Kong, mais par Ching Quelque Chose, il m'a transmis ses compliments.

Et puis, il y a la liste. J'ai joué avec elle, consacrant des heures et des heures à la lire, à la relire, à apprendre par cœur « jusqu'à la nausée » les informations qu'elle contient. Elle se grave dans la rage froide qui m'envahit. À travers elle, je me fais une idée plus exacte de ce qu'était l'empire de mon père. J'ai donné à chacun, comme l'a fait Lavater, un numéro d'ordre. En Un, très largement en tête, Martin Yahl à Genève ; en Deux, l'oncle Giancarlo, l'Imbécile, frère aîné de mon père, professeur d'anglais à l'origine, aujourd'hui rentier, habitant

Lugano, qui ne vaut pas plus que Yahl ; en Trois, Alvin Bremer, dont le nom m'est vaguement familier, qui a dû autrefois venir en vacances à Saint-Tropez, et qui a pour adresse une luxueuse résidence sur les bords du lac Michigan, à Chicago, non loin du campus de la Loyola University, et annoncé comme président d'une société de ciment et matériaux de construction au capital de vingt millions de dollars ; en Quatre et Cinq (ils sont associés), un certain John Hovius, de nationalité argentine et un Écossais de Glasgow appelé James Donaldson ; les deux hommes ont de gros intérêts en Amérique latine, surtout au Chili, ils sont liés à la Banque Yahl par un réseau subtil de sociétés, subtil mais réel ; en Six, un Californien du nom de Sidney H. Lamm promoteur immobilier à San Francisco.

Le septième homme enfin est français ; il s'appelle Henri-Georges Landau, il habite Paris, appartement dans le XVIe arrondissement, biens immobiliers et propriétaire d'une grosse brasserie sur les Champs-Élysées.

« Nous nous employons à réunir sur chacun de ces hommes un maximum d'informations, conformément à vos souhaits », m'a écrit Marc Lavater avec le premier dossier qu'il m'a remis. Depuis, entre le conseiller fiscal et moi, les liens se sont renforcés, nous nous sommes souvent téléphoné, au point que je lui ai proposé de venir, avec son épouse, passer les fêtes de fin d'année à Hong Kong.

Le couple débarque le 23 décembre et passera cinq jours avec Sarah et moi. Sur ces cinq jours, nous en consacrerons l'essentiel à étudier les dossiers nouveaux que Lavater a apportés.

« Commençons tout d'abord par Landau, le Français. Nous étions sur place et c'était plus facile. Vous l'avez sûrement rencontré, à Saint-Tropez ou à l'appartement de vos parents rue de la Pompe. En tout cas, il vous a vu quand vous étiez enfant. »

La photographie que me tend Lavater représente un homme de cinquante ans, bon chic bon genre, Légion d'honneur et cheveux artificiellement neigeux. La bouche un peu molle. Lavater :

« En ce qui le concerne, nous avons tous les renseignements bancaires nécessaires. Nous savons même qu'il a placé un peu d'argent en Suisse, en 1968, et que cet argent s'y trouve encore ; la somme doit tourner autour de sept cent mille francs. Actif plus officiel : deux appartements à Paris, l'un avenue du Maréchal-Lyautey avec vue sur l'hippodrome d'Auteuil, l'autre plus ancien dans la Cité ; ce dernier sert à loger sa maîtresse. Il est également propriétaire d'une villa à Cannes... J'oubliais : l'appartement de la Cité est au nom de ladite maîtresse, Amanda Fernet, de son vrai prénom Marthe, mais il doit y avoir quelque part un papier annulant cet acte officiel. Voilà pour les biens non productifs. La source de ses revenus : une grande brasserie des Champs-Élysées, dont on estime la valeur entre huit et neuf millions. Il l'a achetée le quart de cette somme en avril 1957.

– Huit mois après la mort de mon père. D'où venait l'argent ?

– Il a alors présenté des créances qui lui ont été payées rubis sur l'ongle par la Banque Martin Yahl S.A. Trois millions de francs actuels. Jusque-là, c'était un homme qui gagnait très bien sa vie aux côtés de votre père, mais sans plus. »

Comme toujours quand je suis concentré sur quelque chose, je marche. Plutôt que de rester assis dans mon bureau, nous sommes sortis, Lavater et moi, dans DesVœux Road. Lavater parle tout en marchant, tout en s'amusant de l'extraordinaire spectacle de la rue. Je l'entraîne dans le Marché central, le passage des Tissus, la rue des Œufs.

« Les trois millions de deniers de Judas.

– Tout augmente de nos jours.

– Quel était son rôle auprès de mon père ?

– Son mérite est d'avoir été le premier à seconder votre père quand celui-ci s'est installé en France. Mais Landau n'a jamais été un aigle. Votre père lui avait confié la gestion de ses intérêts français. Quelqu'un nous a dit qu'en 1956, peu avant sa mort, votre père pensait à écarter Landau, qui n'était pas assez compétent. Mais ce n'est qu'un on-dit.

– Où en est son affaire de brasserie ?

– Elle a connu des hauts et des bas, il ne s'en occupait pas assez. C'est actuellement une affaire qui marche. Il y a quelques mois, il s'est lancé dans d'importants travaux.

– Financés par qui ? »

Lavater sourit. Nous venons de quitter Aberdeen Street et marchons vers le temple de Ma Mo. Un diseur de bonne aventure brandissant un oiseau bariolé dans sa cage s'est glissé entre nous. Lavater hoche la tête.

« Vous avez l'esprit vif. C'est vrai : le défaut de la cuirasse est là, ces travaux qu'il a entrepris, et l'emprunt fait pour les financer.

– Combien ? »

Marc Lavater s'est immobilisé devant un barbier de plein vent, travaillant à l'ancienne mode, qui veut que l'on arrache la barbe poil par poil, chacun de ces poils étant successivement enserré dans un microscopique nœud coulant de soie.

« Environ quatre millions de francs », dit enfin Lavater fasciné par le spectacle.

Nous repartons. Nous débouchons dans la célèbre

Cat Street, la haute rue des Voleurs, avec ses multiples ruelles en escalier. Lavater hume l'air, visiblement enchanté d'être là.

« Et vous n'aimez pas Hong Kong, Franz ?

– Non. »

Je pense à Landau. Lavater me dévisage.

« Voulez-vous que nous parlions maintenant d'Hovius et de Donaldson ? »

Je tremble littéralement de rage. Je secoue la tête.

« Plus tard. D'abord Landau. Je commence par lui. »

8

Paris, le 20 février, huit heures cinquante du matin. Je suis sur les Champs-Élysées depuis déjà plus d'une heure et je pèle de froid, malgré une gabardine fourrée. Le ciel est bas et gris, un temps à neige a dit le garçon du bistrot rue du Colisée où j'ai bu mon cinquième ou sixième café depuis que je me suis levé au terme d'une nuit à peu près sans sommeil. J'ai débarqué la veille de Hong Kong. J'attends.

Et il me faut attendre vingt-cinq minutes supplémentaires avant que la voiture apparaisse enfin. C'est une grosse BMW étincelante de propreté. Il est assis à l'arrière, lisant ce qui doit être *Le Figaro*. La voiture stoppe au mètre près là où l'on m'a prévenu qu'elle stopperait. Il descend, ayant attendu que son chauffeur lui ait ouvert la portière, il s'éloigne à pied. « *En principe, il ne se fait jamais arrêter devant la brasserie elle-même. C'est sa façon de faire de l'exercice. Il peut lui arriver de descendre jusqu'à la place de la Concorde, mais en général il ne va pas plus loin que le théâtre des Ambassadeurs. Là, il fait demi-tour et gagne son bureau.* »

Ce matin-là, il n'ira qu'aux Ambassadeurs, du moins à la hauteur de ce théâtre. Je le suis, à trente mètres en arrière. Il lit en marchant. Quelques minutes et il fait enfin demi-tour. La seconde suivante, nous sommes face à face.

« Excusez-moi, monsieur, sauriez-vous où se trouve l'avenue de Marigny ? »

Revenu au rond-point, il avait déjà l'œil sur les feux de circulation, attendant de traverser la chaussée. Il abaisse cet œil sur moi. Geste de la main :

« L'avenue qui est juste là. Vous ne pouvez pas vous tromper.

– Merci infiniment. »

Un signe de tête échangé, nos regards se quittent, du moins le sien s'écarte. Le feu passe au rouge. Henri-Georges Landau traverse d'un pas égal. Je le suis des yeux. S'il se retourne, c'est qu'il m'a reconnu, ou simplement que mon visage l'a frappé de quelque manière ; je ressemble assez à mon père, dont j'ai à peu près la taille et certainement la voix. Mais il ne se retourne pas. Il avance, remontant les Champs-Élysées, de nouveau plongé dans son journal, d'une allure régulière et tranquille, avec la sérénité des consciences en paix. Après un moment, je hèle un taxi.

À Heathrow aéroport de Londres, Ute. Elle me flanque l'un de ses seins dans l'œil en m'embrassant. Je ricane :

« Ah ! tout de même ! on a froid, hein ! toute Danoise qu'on est. »

Elle porte un manteau de fourrure. Elle l'ouvre. En dessous, elle est nue comme un ver. Deux Pakistanais qui passaient par là se cassent la figure sur leurs propres valises, étourdis par le spectacle. Ute me demande :

« Qu'est-ce que tu as fait de ton Irlandaise aux yeux verts ?

– Restée à Hong Kong.

– Tu vas l'épouser ?
– Mêle-toi de tes affaires. Qui vont comment ?
– À poil.
– Au, pas A. Au poil.
– Je t'ai envoyé les derniers chiffres. Pour les fêtes de fin d'année, on a fait un triomphe. »

J'ai reçu ce qu'elle appelle les derniers chiffres et ils sont effectivement spectaculaires. La Fantomas'Bank notamment connaît un extraordinaire succès. Le comptable dont j'ai flanqué Ute...

« Je suis une bonne vendeuse, hein ?
– Sors tes mains de là.

... Le comptable dont j'ai flanqué Ute m'a écrit pour souligner la nécessité, selon lui, d'une structure plus charpentée que celle constituée par une Danoise géante, un rien nymphomane traînant derrière elle un escadron d'autres filles. Je n'ai pas l'intention de retenir la suggestion du comptable. Les gadgets ne seront pas éternels et je ne veux pas d'une organisation qui entraverait par la suite ma liberté de manœuvre.

– Dis-moi que je suis une bonne vendeuse ou je te viole.
– Allez coucher. »

Elle s'est acheté une Jaguar. Nous y prenons place. Je demande :

« Mon rendez-vous est à quelle heure ?
– Il t'attend à midi précis.
– Parle-moi de lui.
– On pourrait passez chez moi. On a le temps.
– Parle-moi de lui. »

On l'appelle simplement le Turc. Il habite une luxueuse villa sur les hauteurs de Hampstead ; le jardin y est assez petit mais superbement entretenu, peut-être un peu surpeuplé de jeunes dames nues dans toutes les positions possibles. « Le Turc est un obsédé sexuel », m'explique Ute. Je la laisse dans la Jaguar et j'entre seul. La porte m'est ouverte par une brune authentique vêtue de sa pudeur et d'une paire de boucles d'oreilles.

« Monsieur Cimballi ? vous avez une minute d'avance. »

J'ai un peu le souffle coupé mais pas de doute, elle est vraiment nue. J'ôte ma gabardine.

« Je dois me déshabiller aussi ?

– Seulement si vous en avez envie », dit la brune authentique.

Courte halte dans un salon puis, quelques dizaines de secondes plus tard, elle me précède dans un escalier et le spectacle de ses hanches et de ses fesses rondes sous mon nez me rend un peu nerveux.

« Par ici, je vous prie. »

Je perçois le cliquettement des appareils avant de les voir, je suis au milieu d'eux avant d'avoir identifié leur bruit : des téléscripteurs, il y en a bien une vingtaine. Trois ou quatre filles surveillent les rubans de papier et elles sont aussi nues que, disons, le maître d'hôtel m'ouvrant le chemin.

« Par ici. »

Un double vitrage, une double porte. J'entre dans une pièce où l'on piétine des dizaines de tapis d'Orient posés les uns sur les autres au nom d'un fouillis artistique, dans les espaces libres laissés par d'innombrables et moelleux sofas. Je distingue tout d'abord un enchevêtrement de corps nus et je crois à quelque orgie fellinienne. Mais non, l'homme est habillé d'une chemise de soie rose très bouffante et d'un pantalon également de soie, mais verte, bouffant et achevé par de souples bottes de cuir noir, de type cosaque. Simplement il est vautré sur des corps nus de plusieurs autres filles qui s'épandent elles-mêmes sur quantité de coussins multicolores, écrasant ici une cuisse, là un sein. Hyatt m'a parlé du Turc, Lavater m'en a parlé, Ute m'a dressé de lui un portrait intéressant ; le Turc est maintenant devant moi et il vaut le voyage. Il est décidément très turc ; il est puissant, il est même gros sinon adipeux, il a des yeux légèrement bridés, assez langoureux, et arbore des moustaches de janissaire ; et enfin sur un cou de taureau il porte noblement une tête entièrement rasée. Il doit avoir dans les trente-cinq ans. Il me sourit et demande :

« Alors, je vous plais ?

– Pas au point de vous épouser, quand même.

– Comment va Hyatt ?

– À merveille.

– Que vous a-t-il dit de moi ?

– Il m'a parlé de vous comme de quelqu'un que l'on va voir quand on a momentanément de gros besoins d'argent, qui prête cet argent en prenant des risques qu'aucune banque ne prendrait, et qu'il vaut mieux rembourser si l'on ne veut pas avoir d'ennuis. »

Ses yeux noirs fendus, féminins par une espèce de langueur, me scrutent un long moment.

« Vous vous appelez comment, déjà ?

– Cimballi.

– Joli nom. Ça fait penser à des cymbales, à de la musique un peu sauvage, à la danse. J'ai entendu parler d'un Cimballi, autrefois, qui était dans la construction.

– Mon père. »

La double porte vitrée qui nous sépare des téléscripteurs s'ouvre sur une fille apportant un papier au Turc. Le Turc acquiesce, dit à la fille : « Vingt mille. » Je n'arrive que difficilement à détacher mes yeux de tous ces corps de femmes nus, tous absolument magnifiques.

« Hyatt m'a dit aussi que vous étiez un passionné des courses de chevaux, que vous suiviez d'heure en heure toutes les réunions hippiques du monde et que vous y engagiez des sommes énormes. »

La fille des téléscripteurs est repartie.

« Vous aviez paraît-il une affaire à me proposer », dit le Turc.

Étendue sur le dos, cuisses écartées avec une impudeur totale, une fille me sourit. Elle a seize ou dix-sept ans et elle est blonde, au teint lumineusement clair.

« Il y a cinq mois, vous avez prêté de l'argent à un Français du nom d'Henri-Georges Landau, pour qu'il finance les travaux de rénovation et d'agrandissement de sa brasserie des Champs-Élysées. Je voudrais vous racheter la créance.

– Vous en connaissez le montant ?

– Quatre millions et demi de francs. Je vous en offre cinq.

– Cash ?

– Cash. Tout moyen de paiement à votre goût.

– D'où vous vient cet argent ? Votre père ?

– J'en ai gagné chaque *cent.* »

Je prévois la question suivante. Je lève la main pour la prévenir :

« Et j'ai vingt-deux ans et demi. »

La main du Turc se pose sur le mont de Vénus de la blonde adolescente qui m'a souri. Les doigts crochent la toison claire. La fille pousse soudain un cri de douleur. Les grands yeux noirs fendus du Turc ont une impression rêveuse et lointaine.

« Cimballi... J'aime ce nom. C'est un joli nom dansant.

– Je suis fou de joie. »

Il va refuser, je le pressens.

« Mais ma réponse est non », dit le Turc, le regard toujours ailleurs. Et sa main caresse toujours le ventre de la fille qui m'a souri et qu'il a punie de m'avoir souri.

« Je ne vous vendrai pas cette créance, Cimballi, et ça n'est pas une question d'argent. Il se trouve que je me suis précisément engagé à la conserver. Quelqu'un s'est porté garant. »

L'intuition surgit en moi comme un éclair :

« La Banque Martin Yahl de Genève. »

Les yeux d'hétaïre se posent sur moi, vides de toute expression.

« Qui est la fille qui vous a amené ?

– Une amie.

– Une amie comment ?

– Une amie.

– On m'a dit qu'elle était très grande et très belle. »

Je hausse les épaules. Je me retourne et je contemple les téléscripteurs, l'idée se forme peu à peu en moi et je demande, comme à la cantonade :

« Il y a une réunion hippique, en ce moment ?

– À San Diego, Californie.

– Commencée ?

– La première course est déjà courue. »

Au seul son de sa voix, je devine qu'il a compris où je voulais en venir. D'ailleurs, il ajoute : « On pourrait faire ça dans la troisième course. » Un signe au travers de la double vitre, on nous apporte la liste des partants. Onze.

« Vous connaissez quelque chose aux chevaux ?

– Des tas de choses. Je sais qu'ils ont quatre jambes. »

Il me tend la liste.

« Choisissez votre favori. »

Je lis les noms, qui ne me disent strictement rien. Vraiment tout à fait au hasard :

« Silver Dragon. Le 5. »

Association d'idées avec les dragons dans les rues de Hong Kong, à l'occasion du Nouvel An chinois ?

« Vous auriez pu plus mal tomber. Il est à quatorze contre un. Vous voulez miser ? »

Je dis :

« Entendons-nous bien : si le cheval gagne, vous me vendez la créance ? »

Il sourit :

« D'accord. Et vous misez combien sur Dragon d'Argent ?

– Une livre.

– Gagnant uniquement. Placé, c'est-à-dire deuxième ou troisième, ça ne compte pas.

– D'accord. »

Avec solennité, il passe la consigne. Manipulé par une Noire aux cuisses fabuleuses, le téléscripteur transmet le pari à huit ou neuf mille kilomètres de là.

« Je vais vous suivre, dit le Turc. Pour moi, ce sera dix mille dollars. Ça ne vous tente vraiment pas ?

– Non. »

Il y a soudain, dans cette pièce où nous sommes, un silence particulier, dense. Pour le rompre, je demande :

« Et ça va prendre combien de temps ?

– Dix ou quinze minutes. »

La porte derrière moi s'ouvre, libérant quelques secondes le vacarme des téléscripteurs, se referme, son coupé net. La voix d'Ute :

« Tu m'as demandée ?

– Fous-moi le camp d'ici.

– Mais vous ne nous gênez pas du tout, dit le Turc à Ute. Bien au contraire. Je vous supplie de rester. »

Pour preuve de ses dires, il se lève, prenant appui sur des ventres et des seins. Il est de ma taille ou peu s'en faut mais infiniment plus massif que moi, et il avoisine sans doute les cent kilos. Il se met à tourner autour de ma Danoise. La Noire du téléscripteur réapparaît, apportant des nouvelles.

« Arrivée de la deuxième course, commente le Turc. Le favori a gagné, c'est décidément le jour des favoris. Votre Dragon d'Argent a du plomb dans l'aile, à quatorze contre un. D'ailleurs, la distance ne l'avantage pas. »

Il continue de tourner autour d'Ute et à présent la frôle. Il vient exactement en face d'elle, ses yeux noirs fixant la peau nue dans l'échancrure du manteau. Ute me sourit :

« Du calme Franzy, dit-elle. Je le culbute quand je veux, ce mec. »

Les mains du Turc s'élèvent, saisissent délicatement les pans du manteau.

« Suédoise ?

– Danoise, mon pote, dit Ute. Ça ne se voit pas ? »

Très lentement, centimètre par centimètre, le Turc écarte les pans du manteau. Il reste un moment interdit. Il hoche la tête :

« Ça vous ferait plaisir de me casser la gueule, Cimballi ?

– C'est une éventualité à envisager, je dis.

– Mais vous pensez y arriver ? »

Le Turc s'approche encore et embrasse la pointe de chacun des seins de Ute.

« Je pourrais essayer, évidemment.

– Mais vous n'essaierez pas. »

Je réponds :

« Non. D'abord parce que je n'ai aucune chance, ensuite et surtout parce que vous êtes tout simplement en train de tester mes nerfs. »

Le Turc s'écarte soudain d'Ute, qu'il n'a pas autrement touchée. Assis sur ses talons, il hoche la tête en souriant et puis il se relève d'un coup, avec une souplesse qui surprend chez un homme de son poids. Il va se vautrer sur ses esclaves nues. Ute referme son manteau et cligne de l'œil à mon intention.

« Tu l'as eu jusqu'à l'os », dit-elle.

Le Turc rigole. Il s'étire.

« J'aurais dû miser plus sur ce foutu Dragon d'Argent. Je commence à y croire. Une intuition, en quelque sorte. »

Puis s'installe un silence. Pas un silence pesant, un silence de connivence. Pour lui une attente paisible, pour moi une sorte d'inconscience. Et soudain je me mets à avoir peur. Les images défilent. Je me dis qu'à San Diego, il doit être quinze heures. Un soleil doux et tendre. Certainement un vaste hippodrome ; et une pelouse d'un vert innocent. Onze chevaux dans le box. Onze inconnus. Le starter. Tous s'élancent. Dragon d'Argent est noir ou brun. Je ne sais pas. Si ! il est noir, noir et brillant comme une lame. Tu parles ! un véritable tocard... Je cesse de rêver.

Le Turc me jette un regard indolent et lascif. Ça y est c'est fini. Je n'ai rien vu.

Le téléscripteur crépite. La fille arrache voluptueusement le papier et vient en ondulant le tendre au Turc.

Celui-ci reste impassible, attend quelques instants avant de jeter un coup d'œil indifférent à l'information et me dit :

« Tu parles français, hein ? Moi aussi. J'ai passé ma jeunesse à Beyrouth ; tu connais ?

– Non.

– On ira ensemble, un de ces jours. Qu'est-ce que tu as contre Landau ? C'est un minable.

– Affaire personnelle.

– Yahl ? Lui, c'est autre chose. Je ne m'y attaquerais pas si j'étais toi. »

Puis il me tend distraitement le papier : « Dragon d'Argent 1er. »

J'étouffe de joie, mais je ne bouge pas d'un cil.

Ute est déjà sortie, elle s'est mise au volant et s'affaire à un demi-tour de la Jaguar dans l'étroite allée de gravier. Le maître d'hôtel nu aux seins en pomme et à la croupe frémissante m'ouvre la porte. Le Turc m'a raccompagné.

« Écoute-moi Cimballi : si un jour tu as une affaire à me proposer, je suis dedans, je veux être dedans, d'accord ? »

Je passe devant la fille-maître d'hôtel aux cheveux châtains coupés court, à la nuque délicate et gracieuse, aux yeux bleus et aux lèvres rouges. Je l'attrape soudain par cette nuque, j'écrase ma bouche contre la sienne et l'étreins à lui couper le souffle. En montant en voiture, la dernière image que j'emporte est celle du Turc en rose et vert, plié en deux, pleurant littéralement de rire.

J'ai dans ma poche la créance Landau.

9

CETTE créance, il s'agit d'abord de la présenter. Cela revient à aller voir Henri-Georges Landau, à lui mettre quelques papiers sous le nez et à lui dire très poliment : « Soyez assez aimable pour rembourser sur-le-champ les quatre millions et demi de francs, augmentés de quelques intérêts, que vous devez. »

Sachant évidemment – nous n'ignorons rien de sa situation bancaire – qu'il n'a absolument aucune chance de trouver l'argent, dans les délais impartis du moins.

Mon émissaire (en fait, il ne connaît même pas mon nom) se présente le 26 février à neuf heures trente du matin chez Landau. Il est officiellement mandaté par la Banque Hung & Chang de Singapour, laquelle agit au nom d'une société anonyme dont elle ignore tout, la Sara S.A. établie au Liechtenstein et que j'ai créée pour la circonstance. Mon émissaire dépose son ultimatum légal et se retire.

En élaborant notre plan, Marc Lavater et moi, nous avons essayé de prévoir ce que Landau allait alors faire. Il le fait point par point. Il commence par appeler le Turc à Londres, voulant savoir pourquoi et comment une créance supposée demeurer à Londres pour plusieurs mois encore se trouve soudain présentée par une société bancaire de

Singapour. Comme convenu avec moi, trois jours durant, le Turc évite de répondre : il est en voyage, il vient de sortir, il ne va pas tarder à rentrer, il est souffrant, il est chez le dentiste. Il parle enfin à Landau : « Mon pauvre ami, lui dit-il, je sais bien que je vous avais fait une promesse, mais si vous saviez dans quelle situation je suis moi-même ! Ah ! ces Chinois ! – Il faut que vous m'aidiez, supplie Landau. – Et je vais le faire, comptez sur moi. Donnez-moi le temps de me rétablir. – Mais je dois payer dans dix jours ! – Promis, dit le Turc, vous aurez l'argent dans une semaine. Quatre millions, je ne peux pas faire plus, arrangez-vous pour le reste. »

Qu'on ne s'y trompe pas : en ces derniers jours de février, malgré la présentation précipitée de la créance, Landau n'est pas dans une situation désespérée. Il possède d'abord la brasserie, même si celle-ci est hypothéquée ; mais après tout, en novembre de l'année précédente, un groupe de brasseurs s'est porté acquéreur pour huit millions et aurait sans doute accepté d'aller jusqu'à huit et demi. En imaginant une vente normale de la brasserie, cela lui laisserait donc quatre millions, l'hypothèque étant réglée.

À ces quatre millions, il convient d'ajouter environ deux millions et demi de biens immobiliers officiels, l'appartement de l'avenue Lyautey et la villa de Cannes (elle représente davantage mais il a contracté un emprunt). Soit six millions et demi.

Et il faut encore ajouter le million trois de l'appartement de la Cité, officiellement au nom d'Amanda Fernet. Sept millions huit.

Plus les sept cent mille francs déposés à Genève sur un compte à numéros. Huit millions cinq. Bien plus de neuf si l'on compte les meubles, les tableaux, les bijoux de Madame, les voitures. Un bon milliard de centimes. Voilà sa fortune réelle, déduits les quatre millions et demi de l'hypothèque. Et, si on lui en laissait le temps, Landau pourrait sans trop de difficultés racheter lui-même sa créance, sur les seuls revenus de sa brasserie.

Le plan que j'ai conçu avec Lavater et deux autres conseillers prévoit qu'Henri-Georges Landau sera totalement ruiné en un temps fantastiquement court.

Et légalement.

L'émissaire de la Hung & Chang Bank de Singapour a accordé dix jours à Landau. La promesse que Landau a reçue du Turc, quatre millions dans une semaine, fait que le brasseur se croit à peu près en sécurité. D'autant qu'il a des ennuis qui lui arrivent – triste coïncidence mais Lavater a conservé des amis – du côté du fisc : voilà qu'un contrôleur se manifeste ; il voudrait des éclaircissements sur cet appartement de la Cité. Par exemple : comment Mlle Marthe dite Amanda Fernet a-t-elle trouvé les fonds nécessaires à l'achat ? Pourquoi les impôts locaux ont-ils été réglés régulièrement par des chèques signés Landau ? De même que les factures d'eau et d'électricité ? Et ce décorateur, cet antiquaire, ce traiteur, tous payés par Landau ?

Landau se débat. Le 5 mars, trois jours avant l'expiration du délai, il a réussi, raclant comme l'on dit les fonds de tiroir, à rassembler une soixantaine de millions anciens. Manquent quatre millions nouveaux. Le Turc les lui a promis. Landau rappelle Londres. Nouvelle et exaspérante séance de valse-hésitation du Turc qui finit quand même par répondre après avoir joué vingt heures durant les hommes invisibles : « Pas aujourd'hui, Landau. Impossible. Mais j'attends une grosse rentrée demain ou après-demain. – Je ne peux plus prendre de risques. – Disons qu'il y a quatre-vingt-dix-huit chances sur cent pour que je puisse vous remettre cet argent sous quarante-huit heures. » Une fois encore, Landau se rassure ; c'est dans son caractère, il est homme à aller à la solution la plus facile. Deux jours plus tard, à moins de vingt-quatre heures de l'expiration du délai, il pourchasse de nouveau le Turc, lequel, jouissant de la torture qu'il inflige (il va en cela au-delà même de ce que je lui ai demandé de faire, mais c'est décidément une ordure au naturel), lequel donc prolonge le suspense autant qu'il le peut pour enfin, à quinze heures du retour de l'émissaire prétendument mandaté par la banque de Singapour, lâcher la vérité, ou du moins notre vérité : « Landau, cet argent sur lequel je comptais n'est pas rentré. Je suis navré. » Le brasseur en tremble d'exaspération et de fureur : « Mais vous m'aviez dit que les chances étaient de quatre-vingt-dix-huit pour cent ! – Cela laissait deux pour cent de risque. Hélas !... Toutefois, j'ai quelques remords et je vous ai peut-être trouvé une solution... »

Solution qui consiste à faire appel à un Anglais du nom de Hyatt, lequel se trouve actuellement « quelque part entre Rome et Londres », porteur de gros capitaux vietnamiens en quête de placements fructueux. « Hyatt peut vous aider, Landau. À condition que vous le joigniez à temps. Mais faites vite. » Comme s'il était besoin de presser le brasseur désormais aux abois ! Landau s'accroche au téléphone. Où est Hyatt ? Il le cherche d'hôtel en hôtel, découvre que cet Anglais-là voyage décidément beaucoup, qu'il était à Londres, qu'il est allé à Rome, qu'il est passé par Genève, par Francfort, par Bruxelles...

Pour finalement revenir à Rome, pas à ce premier hôtel où Landau fou d'angoisse l'a d'abord cherché, mais à un autre, le Bernini Bristol, piazza Barberini. « Ma il signor il est sorti », annonce placidement la réception. Non, on ignore à quelle heure il signor Hyatt rentrera... « Pour l'amour du Ciel, qu'il me rappelle, à n'importe quelle heure de la nuit, je ne quitte pas mon bureau. » Et Hyatt, qui a attendu mon feu vert pour le faire, rappelle effectivement, à vingt-trois heures quarante, dans la nuit du 7 au 8 mars. « Mais oui, bien sûr, monsieur Landau, je suis tout à fait disposé à vous rencontrer... Oui, une affaire de ce genre intéresse les gens dont je représente les intérêts... Cette nuit ? Si vite ? Mais il n'y a même plus d'avion et... Un avion-taxi ? Oui, oui, je comprends bien que vous êtes prêt à payer cet avion-taxi, mais encore faut-il que j'en trouve un... »

Hyatt trouve un avion-taxi (nous l'avions loué en réalité depuis plusieurs jours). Il débarque au Bourget à quatre heures du matin, attendu à sa descente d'avion par un Landau ivre de fatigue et d'épuisement nerveux.

« Monsieur Landau, j'ai pu prendre contact avec mes clients. Ils ne souhaitent pas s'engager pour une somme trop élevée. Mais ils acceptent toutefois de couvrir le montant de votre créance. Vous courez à la vente aux enchères publiques, c'est entendu, mais rien ne vous empêche de racheter vous-même votre affaire. Ce n'est qu'à cette condition que mes clients acceptent d'entrer dans l'opération.

– Mais ma brasserie vaut huit ou neuf millions !

– Monsieur Landau, j'ai également pris le temps de me renseigner. Des brasseurs souhaitent acheter votre affaire, vous avez ce matin encore pris contact avec eux. Si mes renseignements sont exacts, et ils le sont, ils ont décliné votre proposition. Ils n'interviendront pas dans la vente, semble-t-il. Autant dire que vous avez une chance raisonnable de racheter votre brasserie pour, disons, six millions. Nous nous portons garants pour quatre millions et demi. A vous de trouver le reste.

– Mais je ne les ai pas ! »

D'autant qu'avec les intérêts, les frais, c'est beaucoup plus qu'un million et demi que Landau doit trouver en un délai cruellement court.

« C'est votre problème, mon vieux. Vous n'avez pas des biens immobiliers ? Si ? Alors, vendez-les. Si j'ai un conseil à vous donner, c'est celui-là : tranchez dans le vif. L'essentiel est de sauver votre brasserie. Avec elle, vous pourrez vous refaire. »

Landau ne sait pas à qui proposer son appartement du XVIe et sa villa de Cannes ? Qu'à cela ne tienne : Hyatt connaît quelqu'un susceptible d'être intéressé, en l'espèce une S.A.R.L. française présidée par un général en retraite, et dont le conseiller financier habilité à traiter est un certain Marc Lavater. Lavater qui déclare qu'il est prêt à racheter comptant, le temps de l'acte, appartement et villa... pour un million quatre cent mille francs.

« C'est du vol pur et simple ! hurle Landau.

– Mesurez vos paroles, je vous prie. C'est à prendre ou à laisser. »

Landau prend. Perdant un million de francs, il revend appartement et villa à la S.A.R.L. qui sera aussitôt dissoute. Par moi.

La vente aux enchères publiques a lieu et, confirmant le pronostic de Hyatt (et pour cause, on le verra), les brasseurs ne se présentent pas. De sorte qu'Henri-Georges Landau rachète pour six millions deux – un inconnu a poussé les enchères – sa propre affaire. Landau, épuisé, pense avoir mérité un peu de répit. Il est convaincu qu'il va l'obtenir.

Il se trompe. En réalité, la créance de quatre millions et demi est passée d'une banque de Singapour, la Hung & Chang Bank, agissant au nom de la Sara S.A. liechtensteinoise, à une société fiduciaire luxembourgeoise agissant prétendument au nom de clients vietnamiens de la Banque d'Indochine, en réalité pour mon compte. Autant dire que je la détiens toujours, moi, Cimballi ; je l'ai passée de ma main droite à ma main gauche et rien de plus.

Pour Landau, en revanche, s'il reste toujours débiteur de quatre millions et demi, beaucoup plus avec les frais et intérêts, sa situation a dramatiquement changé. Bloqué par l'enquête des finances, il n'a plus la disposition de l'appartement de la Cité, il est menacé d'un redressement fiscal, et il a vendu pour un million quatre des biens immobiliers en valant deux et demi.

Certes, il a encore sa brasserie. Et donc l'espoir de s'en sortir, blessé cruellement mais vivant.

A une condition : que la créance ne lui soit pas de nouveau présentée, à condition qu'on lui laisse le temps de souffler.

Et bien entendu, la créance lui est à nouveau présentée, le 9 avril.

L'homme d'affaires Hyatt débarque ce jour-là dans les bureaux au premier étage de la brasserie sur les Champs-Élysées.

« Vous n'êtes pas sans savoir, dit-il à Landau, quels événements graves ont actuellement lieu en Indochine. Mes clients vietnamiens s'en inquiètent, ils sont nerveux, ils feraient n'importe quoi et ils font effectivement n'importe quoi. Désolé de vous l'apprendre mais ils veulent leur argent, tout de suite, les quelque quatre millions et demi que vous leur devez. »

Le chiffre exact étant, je m'en souviendrai toujours, de quatre millions huit cent quatre-vingt-huit mille francs, tous frais inclus.

Dès cet instant, Henri-Georges Landau est financièrement mort. Rien ne peut empêcher une seconde mise aux enchères publiques. Pas plus qu'à la première, les brasseurs, pourtant acquéreurs naturels et logiques, ne s'y présenteront. Et ce silence de leur part, tout comme le fait de ces deux mises en vente successives, certains bruits qui courent, tout cela entraîne qu'on ne se bouscule guère à la vente. En fait, un seul acheteur se manifestera : une autre fiduciaire, allemande celle-là, qui se déclare prête à payer au comptant cinq millions deux cent mille francs pour solde de tout compte. Landau perçoit cette somme, diminuée des frais inévitables et, sur cet argent reçu de la fiduciaire allemande (moi), il paie à la fiduciaire luxembourgeoise (moi) les quatre millions huit ou neuf qu'il doit.

Il a encore sept cent mille francs en Suisse. Il commet l'erreur de vouloir les faire rentrer. Sa femme qui a effectué le voyage est surprise sur la route, lors du franchissement de la frontière, à son retour. Les sept cent mille francs sont saisis et l'on se met à parler d'amende.

Après quoi, à mon grand soulagement, il ne se suicide pas. Les bijoux et les meubles vendus, il lui reste quelque argent, quelques centaines de milliers de francs. Il va tenter de revenir dans la restauration, s'associe avec un semi-truand dans une affaire de restauration rapide où il perdra pas mal de ce qui lui reste encore. Alors, il deviendra fou, au sens propre du terme. Il sera appréhendé à la terrasse de son ancien établissement, quand il s'y mettra soudain à briser tables et chaises ; il sera définitivement interné quand, s'étant mis nu, vociférant, il combattra les serveurs et les trois agents tentant de le maîtriser.

Il n'aura rien compris, à aucun moment, n'ayant même pas su qui le frappait, victime de la danse de Cimballi.

Les brasseurs.

Dans la conception du plan je les avais, plus encore que le Turc, considérés comme l'obstacle principal qu'il me faudrait franchir.

J'ai pris contact avec eux le 21 février, au lendemain du jour où j'ai obtenu du Turc qu'il me cède sa créance ; non pas personnellement – je n'apparaîtrai jamais officiellement dans l'affaire Landau – mais par l'intermédiaire de Marc Lavater. Double avantage à cet intermédiaire : la discrétion d'abord (je ne veux pas que Martin Yahl m'identifie, je tiens à ce qu'il continue à me considérer comme un jeune chien fou vagabondant quelque part au Kenya), ensuite le fait que ces messieurs écouteront volontiers un Lavater à la solide réputation, plutôt qu'un gamin débarqué de Hong Kong. D'ailleurs, leur propre conseiller fiscal est un ami de Marc. Entre mafiosi du fisc...

Marc Lavater aux brasseurs :

« En novembre dernier, vous avez fait des offres d'achat à Henri-Georges Landau. Il a alors répondu qu'il n'envisageait pas de vendre. Êtes-vous toujours acheteurs ?

– En quoi cela vous regarde-t-il ? »

Marc de montrer la créance. Et d'ajouter :

« Vous avez offert huit millions à Landau. On peut supposer que vous étiez prêts à aller un peu plus haut. Disons par exemple huit et demi. »

Visages impassibles.

« A la suite d'un certain nombre d'événements susceptibles de se produire dans les prochains mois, la brasserie Landau sera vraisemblablement achetée par l'un de mes clients, dont je ne suis pas autorisé à révéler le nom. Une chose est claire : la brasserie en elle-même n'intéresse pas mon client. Sitôt qu'il en sera le propriétaire, mon client est prêt à s'engager à vous la revendre, pour une somme nettement inférieure à celle que vous étiez disposés à payer en novembre.

– Inférieure dans quelles proportions ?

– Sept millions et demi. Vous gagnez entre cinq cent mille et un million de francs, voire davantage. Nous ne sommes plus en novembre et les prix ont monté depuis.

– Les conditions à remplir ?

– Il y aura deux ventes aux enchères successives. Vous ne devrez pas y prendre part.

– En échange de quelle garantie ?

– Une promesse de vente en blanc établie à votre nom par mon client.

– C'est illégal. »

Grand sourire de Marc :

« Et oui ! Et alors ? »

Silence. « Je pouvais lire dans leur tête », me racontera plus tard Marc.

« Et supposons que nous nous présentions néanmoins à ces enchères ? »

Nouveau sourire, carrément angélique, de Marc Lavater :

« Si vous vous portez acquéreurs à quelque moment que ce soit, que vous ayez ou non pris des engagements avec mon client, mon client qui, je vous le rappelle, détient la créance de quatre millions et demi, suivra les enchères jusqu'à ce que vous lâchiez. Je ne vous apprendrai pas qu'en de telles circonstances, on peut toujours se porter en surenchère de dix pour cent. Votre intervention n'aurait donc aucun résultat, sinon de faire monter artificiellement le prix de la brasserie Landau. Que mon client revendrait de toute façon, à n'importe qui, sauf à vous. »

Le contact direct pris avec les brasseurs comportait un risque : qu'ils alertent Landau. Mais l'alerter à propos de quoi ? Ils ne savaient pas grand-chose. Et surtout nous avions tablé sur l'impitoyable sens des affaires des brasseurs, sur leur crapulerie somme toute. On ne fait jamais confiance en vain à la crapulerie des gens. « Franz, ces deux types, en affaires, feraient peur à des requins. Ils ont bel et bien vu la créance et d'un autre côté, en acceptant notre proposition, que risquaient-ils ? Landau avait déjà repoussé leurs offres d'achat, sans leur laisser le moindre espoir. Qu'après la deuxième vente aux enchères, une fois définitivement propriétaire de la brasserie, vous refusiez d'honorer votre promesse de vente, il leur restera la possibilité de surenchérir. Ils ne sont pas fous. Et ils économisent un million ou un million et demi, avec l'inflation. »

Les brasseurs acceptent et ils tiendront parole, n'intervenant à aucun moment, assistant à la mise à mort avec une implacable neutralité. Quatre jours après la seconde vente aux enchères, je leur cède la brasserie pour sept millions deux cent mille francs (ils ont obtenu un rabais en cours de route). Le jour même, je dissous toutes les structures qui m'ont servi dans l'affaire Landau : la Sara S.A., la fiduciaire liechtensteinoise, celle du Luxembourg, l'allemande, et j'efface les dernières traces de la S.A.R.L., qui a acheté ses biens immobiliers à Landau, et vient de les revendre à ma société de Hong Kong.

Il n'en restera rien. Et le nom de Cimballi n'aura jamais paru.

Financièrement parlant, j'ai tué Henri-Georges Landau. Ce faisant, j'ai gagné de l'argent, bien que ce ne fût pas le but visé. De l'appartement du XVIe et de la villa, revendus un peu plus tard, j'obtiendrai trois millions deux cent cinquante mille francs.

Ma transaction avec les brasseurs m'a rapporté presque deux millions.

Trois millions sept à peu près au total, qui ne me seront pas tout bénéfice : il faut en déduire la part de Marc, celle de Hyatt, celle du Turc, les frais, et, puisqu'on était en France, les impôts de trente pour cent. Que j'ai payés avec le sourire au fisc de mon pays.

Mais je lui devais bien ça.

10

JE l'ai rencontrée à Nassau, au cours d'un voyage que j'y ai fait alors que je préparais l'affaire Landau, les Bahamas se prêtant bien au jeu de création des sociétés anonymes.

Elle est plutôt petite, d'un blond tirant légèrement sur le roux et ce qui frappe d'abord en elle, ce sont ses yeux : elle a un regard doré, presque enfantin, qui se pose dès la première seconde sur moi avec une expression que l'on dirait interrogative, comme si elle se posait véritablement une question à mon sujet.

« Franz Cimballi, Catherine Varles. »

La jeune femme qui nous présente l'un à l'autre s'appelle Suzie Kendall ; nous nous connaissons Suzie et moi depuis plusieurs années, nous avons en commun le souvenir de folles soirées à Cannes, à Portofino ou à Saint-Moritz ou Dieu sait où ; elle était chez moi, à Londres dans la maison de Saint James Park, la nuit où la jeune fille est morte, deux jours avant mon départ pour le Kenya. Je n'arrive même pas à me souvenir si j'ai ou non couché avec elle ; il ne serait pas surprenant que je l'aie fait. Le lendemain de mon arrivée à l'Emerald Beach Plantation Hotel, nous sommes pratiquement tombés l'un sur l'autre. Elle m'a embrassé goulûment, elle était folle de joie de me revoir et elle me croyait mort ou, pis encore, engagé à la Légion étrangère et est-ce que je savais qu'elle était mariée et que Peggy et Werner, etc.

Je regarde les yeux dorés.

« Française ? »

Elle acquiesce. Elle peut avoir seize ou dix-huit ans, je ne sais pas au juste. Suzie prend mon bras, veut m'entraîner. « Franz je suis vraiment folle de joie de t'avoir retrouvé. Viens, je vais te présenter à mon mari. Et puis il y a aussi Peter Moses, qui a épousé Anita. Tu te souviens sûrement d'eux. Nous allons faire une fête à tout casser. » Je me dégage doucement mais fermement.

« Seule à Nassau ?

– Non, dit-elle. Avec des amis.

– Mariée ? »

Elle rit.

« Non.

– Vous voulez m'épouser ?

– Non. »

Je dis à Suzie : « Passe devant. Nous te rejoignons. » Et aux yeux dorés : « Faisons n'importe quoi ensemble, mais faisons-le tout de suite. » Une lueur amusée dans ses prunelles d'or.

« De la voile ?

– Va pour la voile. »

La plage privée de l'hôtel dispose de petits catamarans. Nous sommes tous deux en maillot de bain et nous embarquons. Je tente de hisser ces foutues voiles, je tire, je happe, je lâche, j'entortille tous les morceaux de ficelle passant à ma portée. Le résultat est catastrophique. Elle est saisie par le fou rire.

« Laissez-moi faire. Où avez-vous appris la voile ?

– Par correspondance. Mais mon facteur me haïssait. »

Elle agite gracieusement, calmement ses petites mains et en un temps miraculeusement court voilà notre transatlantique qui vogue en silence, un silence véritable qui n'est pas seulement dû à l'absence de tout moteur mais qui tient surtout au fait que je ne dis absolument rien, ça ne m'arrive pratiquement jamais, et que, forcément, elle ne me répond pas. Je la regarde, simplement, et, de temps à autre, son propre regard quitte la ligne d'horizon, la blancheur éclatante de la voile, le bleu cru de la mer Caraïbe pour finalement rencontrer le mien. Ça dure trente ou quarante minutes et puis elle remet le cap sur la plage. Pour ne pas avoir l'air tout à fait idiot, si c'est encore possible, tandis qu'après un sourire muet elle remonte la plage en direction de l'hôtel, je m'acharne à hisser le bateau sur le sable, comme on me l'a prescrit, hors de portée de la marée ; et pour ce qui est de le hisser, je le hisse, tout en la regardant s'éloigner ; on ne m'aurait pas arrêté, j'aurais probablement traversé le hall de réception avec. Je pars ensuite vers la piscine, qui est dans l'aile gauche de l'hôtel et là, je retombe sur Suzie.

« Eh bien ! eh bien ! dit Suzie, en agitant les mains comme un danseur de ballet devenu fou.

– Suzie...

– Remarque que vous faites un joli couple. Et elle est à ta taille, toi qui n'es pas gigantesque.

– Adorables. Elle est encore un peu jeune mais vous êtes adorables. Je le disais à...

– SUZIE !

– Oui, Franz chéri ?

– Ta gueule.

– Oui, Franz chéri. »

Elle m'embrasse, je l'embrasse et nous allons rejoindre son mari qui est une espèce de grande mâchoire pleine de dents avec un Anglais autour. Sympathique néanmoins quoique ayant vingt ans de plus que sa femme. Les Moses, Anita et Peter, sont déjà là, et d'autres couples, et tout le monde boit du champagne mélangé à du punch, ce qui est une excellente façon de se noircir en un temps record. Catherine Varles est avec un jeune couple d'Anglais qui se joignent à nous quand, à la nuit tombante, nous allons tous ensemble d'abord écouter le concert donné par la musique des Gardes de Nassau, au Beach Hotel puis finir la nuit, après six heures ininterrompues de calypso, par un fabuleux festin de crabes grillés, dans les premières lueurs d'une aube corallienne.

J'aurais dû normalement quitter les Bahamas le lendemain, Lavater m'attend à Paris, nous en sommes à mettre au point les derniers détails de l'exécution de Landau. Je câble à Marc que je suis retardé, sans préciser par quoi ; il se posera des questions, d'ailleurs ; et je prolonge mon séjour de deux journées puis, après celles-là, de vingt-quatre supplémentaires. Et ces heures que nous allons passer à peu près ensemble, Catherine et moi, vont prendre un relief extraordinaire, de sorte qu'après rien ne sera plus pareil.

Pour notre dernière nuit aux Bahamas, du moins ensemble, j'ai donné libre cours à mon imagination : j'ai loué l'un de ces bateaux à fond plat et de verre, à travers lequel on observe la splendeur des coraux et des bancs de poissons multicolores. J'ai demandé qu'on équipe ce bateau de projecteurs, qu'on escorte le tout de deux ou trois autres barques emplies à ras bord de musiciens fleuris chargé de jouer moderato et voluptuoso. Ça partait bien, c'était même bien parti et puis voilà-t-il pas qu'une de ces averses des tropiques a surgi, transformant les barques musicales et fleuries en radeaux pitoyables, mes orchestres jouant sarcastiquement, se payant manifestement ma fiole, *Plus près de toi Mon Dieu* à la façon de leurs confrères du *Titanic*, avec des couacs glougloutants à fendre l'âme des violons.

Je l'ai raccompagnée jusqu'à sa chambre. Nous avions tous les deux l'air de noyés. J'ai dit :

« Vous savez, il m'arrive de réussir des trucs dans la vie. Je ne rate pas systématiquement tout. »

Silence. Après quoi, je lui demande pour la deuxième fois si elle ne veut pas m'épouser. Elle me considère gravement :

« Pas encore », dit-elle.

Un « non », j'aurais compris. Ce « pas encore » m'a dépassé.

« Parce que vous êtes trop jeune ?

– Pas seulement. »

Elle m'a embrassé sur la joue.

« Vous avez l'air de quelqu'un qui court.

– Qui danse. Cimballi ne court pas, il danse. C'est moi, Cimballi.

– ...Qui court après quelque chose qu'il veut absolument. Revenez me voir quand la course sera finie.

– Nom d'un chien ! j'ai dit. Et si ça prend vingt ans ?

– Vous n'avez qu'à courir plus vite. Ou danser plus vite. »

Sur quoi elle m'embrasse à nouveau sur la joue (l'autre), très vaguement sur les lèvres et me ferme sa porte au nez. Et le lendemain, je regagne Paris, où Henri-Georges Landau, tel un mouton en route vers l'abattoir, ne sait pas encore ce qui va lui tomber sur la tête.

Et quand je me rends à cette adresse dans le XVIe arrondissement qu'elle m'a indiquée comme étant la sienne et celle de sa famille, je découvre que Catherine Varles y est complètement inconnue.

Tout s'est chevauché, Landau, les yeux dorés de Catherine, ma connivence avec le Turc, ce qui m'arrive alors à Hong Kong, tout s'est passé à peu près en même temps et c'est vrai que je devais avoir l'air de quelqu'un qui court. Précisément parce que je courais et ne cessais de courir.

Ainsi de ma connivence avec le Turc. Depuis notre première rencontre à Hampstead, il a de lui-même repris contact. « Franzy...

– Ne m'appelle pas Franzy. Franz ou Cimballi. – D'accord. Non, je voulais simplement te dire que dans cette affaire Landau, je suis déjà allé plus loin... – Je ne te l'avais pas demandé. – ...Plus loin que tu ne me l'avais demandé. J'irai plus loin encore. Parce que ça m'amuse, ton coup, il est pourri comme je les aime. Et aussi parce que je compte que tu m'embarques dans ta prochaine affaire. Je crois en toi, Allah est avec toi mon frère. – Et ta sœur. »

Allah ou pas, allez donc savoir, cet animal de Turc a eu le nez fin. Ce qui m'arrive à Hong Kong advient très peu de temps après, alors que l'affaire des gadgets fait affluer l'argent sur mon compte de la Hong Kong and Shangai Bank. Un vendredi après-midi, regagnant mon bureau de DesVœux Road, je trouve une note m'invitant à rappeler un certain numéro dans les Nouveaux Territoires. Je forme ce numéro et j'ai d'abord un répondeur automatique qui m'invite à prendre patience, avant une voix que, sur le moment, je n'identifie pas.

« Hak. »

En un éclair, l'atmosphère se recrée : l'étrange maison en partie sous la mer, silencieuse comme une pensée, et le Chinois aux yeux intelligents, aux jambes d'acier glissant sur le sol noir dans un léger cliquetis.

« Monsieur Cimballi, je me demandais s'il vous serait agréable de venir passer un week-end chez moi. »

Je n'ai pas rencontré M. Hak depuis notre première et unique rencontre, sous l'égide de Ching Quelque Chose.

« Rien ne saurait me faire plus plaisir.

– Choisissez vous-même la date.

– Tout de même pas dès demain ?

– Pourquoi pas ? Je suis infiniment heureux à la pensée de vous revoir. Et je le serais plus encore si Miss Kyle acceptait de vous accompagner. »

Ainsi, il connaît Sarah. Pour celle-ci, la curiosité l'emporte sur le sens du devoir qui lui commanderait de demeurer à son poste dans sa saloperie d'hôtel. Et puis il y a autre chose qui la pousse à m'accompagner, qui est un changement qu'elle a remarqué en moi, dit-elle. Quel changement ? Elle ne sait pas au juste ; un changement. Je ne suis plus tout à fait le même, paraît-il, depuis mon dernier voyage qui m'a conduit en Europe et au passage aux Bahamas. Les Bahamas. Elle me coule l'un de ses regards filtrants, perspicace comme personne ne l'a jamais été et ne le sera jamais plus avec moi. « Bon, on verra bien », dit-elle.

A notre arrivée dans la maison de l'île, cette fois, deux domestiques nous attendent, homme et femme. « M. Hak venir bientôt. » En attendant, nous visitons la maison. Sarah est impressionnée : « C'est dingue. »

M. Hak surgit dans notre dos et j'ai eu beau prévenir Sarah, pour un peu elle aurait sauté au plafond. Elle me chuchote : « Nom d'un chien, il ne touche même pas terre quand il marche ! – Il avance sur coussin d'air, je te l'ai dit. »

« Aimez-vous la cuisine chinoise ? » demande M. Hak.

Personnellement, je n'en raffole pas, au contraire de sarah qui a ce soir-là de quoi combler ses goûts les plus extravagants. Nous sommes quatre à table, une jeune Chinoise, nièce de M. Hak, fait fonction d'hôtesse ; elle parle anglais à merveille et connaît jusqu'à l'Irlande à propos de laquelle elle entretient Sarah dont il n'est jamais besoin de réveiller le sentiment patriotique. Le repas est pantagruélique, pour autant que le mot existe en chinois : crevettes farcies au manioc, cuisses de grenouille au gingembre, oie au miel, seiches aux foies de volaille, pigeons aux feuilles de perle, cervelles et estomacs de n'importe quoi, poulets aux algues, ailerons de requin et nids d'hirondelles ; le tout arrosé de mao t'ai, vin chinois à l'évidence exceptionnel, qui a en tous les cas du bouquet et du corps. Et ce n'est rien à côté de ce que l'on nous servira le lendemain au déjeuner, quand nous sera notamment offert un repas de serpents : python, cobra, dhaman et diverses couleuvres, conclu par ce que les Chinois nomment le Trio Magnifique : Dragon (python), Tigre (chat) et Phœnix (poulet), le tout mêlé. C'est curieux.

Nous avons dîné, nous déjeunerons face au gigantesque spectacle des fonds sous-marins éclairés. Pour que nous puissions tout en mangeant contempler des requins en liberté, on a suspendu à des crocs de boucher immergés des quartiers de viande. Mais le seul requin consentant à venir se faire admirer est un énorme pèlerin qui doit bien faire sept ou huit mètres. Le vin aidant, je finirai par en distinguer toute une congrégation.

Quand je descends de ma chambre au matin, M. Hak est déjà levé. Je le trouve jouant aux échecs en tête-à-tête avec lui-même.

« Encore du café ?

– Oui, merci. »

Il se met à parler de ce qu'il appelle ma promptitude et mon efficacité s'agissant des gadgets. Il enchaîne :

« J'avais plusieurs autres choses à vous proposer. Ce réseau que vous avez su constituer en un temps remarquablement court, je pourrais vous proposer de l'utiliser à d'autres fins commerciales, il y a d'autres productions que les gadgets. Mais je sais que le commerce en lui-même ne vous intéresse pas. Vrai ?

– Vrai. »

Les yeux intelligents me fixent et me jaugent. Il a quelque chose de spécial à me proposer et hésite encore à le faire, c'est évident. J'attends.

« Miss Kyle ?

– Telle que je la connais, elle n'ouvrira pas les yeux avant midi. »

Il déplace une dernière pièce sur l'échiquier, se décide enfin, manipule l'un des tableaux de bord de ses jambes. Une table surgit presque aussitôt et sur son velours noir est posé un coffre d'acier.

« Monsieur Cimballi, que pensez-vous qu'il vous arriverait si je devais un jour être mécontent de vous ? »

Je déglutis.

« Ne me dites rien. Laissez-moi la surprise.

– Je vous ferais tuer.

– Excellent. »

J'ai réellement peur. Nous échangeons un sourire. L'atmosphère est à ce point pesante que je crois ressentir des bourdonnements d'oreilles.

« Question suivante, dit M. Hak. Que savez-vous de la spéculation en matière d'or et de devises ?

– A peu près rien. Rien, rien du tout.

– Je suis sûr que vous comprendrez très vite.

– Je ferai de mon mieux.

– J'ai besoin de vous pour une opération déterminée, ponctuelle, extrêmement confidentielle. Deux personnes sauront, non pas que cette opération a lieu mais que j'en suis l'instigateur. Vous et moi. »

Et si donc le secret transpire, comme ce ne sera pas lui, ce sera forcément moi qui aurai parlé. J'ai de plus en plus de mal à déglutir. Dans quel guêpier me suis-je fourré ?

« Cimballi, dit Hak, il se trouve que je détiens une information d'une importance capitale. J'ai l'intention de l'utiliser à des fins personnelles. Je ne peux pas agir moi-même, je ne peux même pas opérer à partir d'une banque de Hong Kong. Ce que je compte faire est parfaitement légal ; ce que vous ferez en mon nom ne vous mettra à aucun moment dans une situation illégale. Si vous le faites.

– Je ne sais même pas de quoi il s'agit.

– Je vous donnerai toutes les informations techniques indispensables.

– Mais sans me révéler cette information capitale dont vous me parlez ?

– Exactement. Et il va de soi que vous retirerez de gros bénéfices de votre intervention. »

M. Hak a les yeux noirs plus grands que ne les ont ordinairement les Chinois ; je croiserai rarement regard aussi intelligent que le sien. D'ailleurs, il ne faudrait pas grand-chose pour que j'éprouve de la sympathie, voire de l'amitié pour cet homme ; il suffirait simplement que je cesse d'avoir peur de lui.

« Je peux encore refuser ?

– Vous le pouvez. »

Il a quand même un peu hésité. Je dis :

« J'accepte. »

Il hoche la tête. Ses jambes de métal se déploient, se mettent en marche, dans un mouvement de poupée mécanique, et le portent vers un canapé tendu de soie brochée superbe. Il s'y assoit. Il touche l'un des tableaux de commande qu'il a dans la cuisse.

« J'ai oublié le café que vous m'aviez demandé.

– Cela pouvait attendre. »

Le grand requin pèlerin a disparu. A sa place un autre squale glisse et virevolte, celui-là tournoyant autour des sanguinolents quartiers de viande suspendus aux crocs de boucher.

Une deuxième table apparaît, transportant un service délicat. Mais mon regard ne parvient pas à se détacher de l'autre table, la première, celle tendue de velour noir, avec son coffre d'acier. Voilà soudain qu'elle se met en marche ; jusque-là elle était demeurée à l'écart, tout à l'extrémité de l'immense pièce à la paroi de verre, comme si elle ne devait pas interférer dans notre discussion. Maintenant, elle est en route ; elle s'approche de moi dans son silence presque total, presque angoissante en ce qu'elle a d'animal. Elle vient directement sur moi et s'immobilise à portée de main.

« Veuillez ouvrir le coffre, je vous prie. »

J'obéis. Les liasses apparaissent.

« Cent millions de dollars, monsieur Cimballi. Je vous les confie. Il vaudrait mieux évidemment qu'ils ne s'égarent pas. »

11

CHAQUE pays a sa monnaie et ces monnaies s'échangent entre elles. Dans le lointain passé, ces échanges étaient la raison d'être des banquiers, qui les pratiquaient sur un banc, dans la rue.

Vous détenez par exemple des florins néerlandais et vous avez besoin de pesetas espagnoles. Vous allez donc acheter les secondes avec les premiers, en fonction de la valeur qu'ont ces deux monnaies l'une par rapport à l'autre. Vous donnez vos florins et on vous donne des pesetas. Vous avez effectué une opération au comptant. Rien de plus simple.

Là où ça devient intéressant, c'est lorsque, au lieu d'acheter de la monnaie – ou de l'or –au comptant, vous l'achetez ou la vendez à terme. C'est parfois nécessaire à vos affaires, mais ça peut être aussi un jeu passionnant, dangereux, où l'on peut gagner et perdre beaucoup.

Vous habitez Bourg-en-Bresse en France et vous élevez des poulets, de beaux poulets dodus et tendres avec de grands yeux câlins. Ces poulets, vous les vendez par exemple à un ami américain qui habite New York. Il va vous les payer en dollars, forcément. Et comme Bourg-en-Bresse n'est pas à côté de New York, ainsi que pour des tas d'autres raisons, il ne vous paiera pas vos poulets le jour où vous les expédierez mais, au mieux, quand il les recevra, voire plus tard s'il a réussi à vous faire accepter les traites. Bref, le paiement pourra prendre trois mois. Vous avez vendu mille poulets à dix dollars pièce (ce sont vraiment des poulets à l'œil TRÈS câlin) et vous devez donc recevoir dix mille dollars dans trois mois. Ça ne vous arrange pas du tout, d'abord parce qu'il vous faut attendre trois mois, ensuite parce que, entre-temps, le dollar peut parfaitement baisser de valeur. Et si le dollar baisse, cela signifie que dans trois mois, en supposant un dollar à cinq francs au moment de la signature du contrat, vous ne toucherez pas cinquante mille francs mais peut-être quarante-huit mille, ou quarante-cinq ou même quarante mille. C'est un risque à courir – après tout il se peut aussi qu'il monte. Mais si vous ne tenez pas à courir ce risque, vous allez voir votre banque et vous lui expliquez votre situation. Votre banque comprendra très vite ; les banques sont très intelligentes dans ces cas-là. Elle vous proposera de vous acheter PAR AVANCE ces dix mille dollars que vous devez recevoir, après s'être tout naturellement asurée de la solvabilité de votre copain américain, tout de même. Elle vous paiera ces dollars à cinq francs, comptant, moyennant un intérêt de un pour cent par mois, douze pour cent par an, et une prime d'assurance. Autrement dit, votre banque courra dès lors à votre place le risque de voir le dollar baisser. Elle se sera un peu assurée pour cela. Et si par hasard il monte, elle va gagner beaucoup d'argent.

Et si, au lieu d'être un banquier avec la Légion d'honneur et un caleçon long, si au lieu de prendre ce genre de risque – jouer à terme plus ou moins long sur la montée ou la baisse d'une monnaie en l'achetant à l'avance –au nom d'un amour totalement désintéressé pour la libre entreprise, si au lieu de cela vous n'êtes qu'un individu ordinaire, comme moi, avant tout désireux de gagner de l'argent, idée qui ne viendrait jamais à un banquier, alors vous n'êtes qu'un infâme spéculateur.

C.Q.F.D.

•

En juin, le 11, je prends l'avion. Pas seul : à la dernière minute, par un revirement qui m'a laissé positivement pantois, Sarah a décidé de m'accompagner.

« Et ton hôtel ?

– Qu'il aille au diable.

– Sarah, qu'est-ce qui se passe ?

– Mais rien, rien du tout. »

Et cette satanée façon de me considérer, son visage légèrement renversé en arrière, ses yeux mi-clos brillant d'une lueur sarcastique, comme si j'étais le type le plus hilarant du monde, voire le plus grotesque.

« Tu veux vraiment dire que tu laisserais tomber ton travail, si précieux jusque-là, uniquement pour le plaisir d'être avec moi ?

– Si tu ne tiens pas à ma compagnie, dis-le. »

Une image surgit, entre toutes les autres : le visage de Sarah dans la foule noire de Kilindini Road à Mombasa, m'adressant un sourire à la fois moqueur et amical, à moi enfermé dans une cage comme une bête, un sourire d'autant plus réconfortant précisément qu'il était moqueur et amical, l'air de dire : « Allons, tout ça n'est pas grave, c'est même plutôt drôle. »

« Je tiens à ta compagnie. J'y tiens depuis la seconde où je t'ai vue.

– Ravie de te l'entendre dire, mon chéri. Bien entendu, je paierai mon billet moi-même. »

Elle a quand même accepté que nous prenions le

même avion. Et même, sitôt à bord, que je lui offre le champagne, tandis que nous regardions ensemble le jour tomber sur les îles de Hong Kong égrenées dans la mer de Chine.

Notre destination *via* Rome : Zurich.

•

Je l'ai dit : tout s'est chevauché. J'ai quitté Londres, raccompagné à la porte par Alfred Morf, le 23 novembre 1969 ; je suis arrivé à Mombasa le lendemain 24 ; j'ai visité de nuit la maison de Saint-Tropez au cours du voyage effectué dans la deuxième semaine du mois de juillet suivant ; de cette époque date mon premier contact avec Marc Lavater ; j'ai quitté définitivement le Kenya quelques jours plus tard ; ensuite Hong Kong où, après ma première rencontre avec M. Hak, j'ai lancé en septembre l'opération Gadget ; séjours à Londres, à Paris, à Genève, je rencontre Ute, Letta à Rome, Sarah me rejoint à Hong Kong ; pour Noël de cette même année, Marc Lavater vient avec sa femme au pied de Victoria Peak, ensemble nous préparons l'attaque contre Landau ; attaque lancée en février, au moment où je rencontre Catherine Varles à Nassau, Bahamas, attaque appuyée sur ma rencontre avec le Turc, prolongée les mois suivants et venant en parallèle avec le week-end passé dans l'île de M. Hak et l'étrange proposition que celui-ci me fait.

Proposition qui me fait, le 12 juin, débarquer de voiture devant le porche de l'hôtel Baur au Lac, arrivant tout droit de l'aéroport de Zurich. Je débarque seul. Sarah Kyle m'a de nouveau administré la preuve de ce qu'elle est décidément imprévisible : à notre escale de Rome, elle m'a soudain annoncé, avec le plus grand calme et même un sourire ironique, qu'elle ne m'accompagnait plus en Suisse, qu'au contraire elle venait de décider de poursuivre seule sa route jusqu'à Dublin. « Que diable vas-tu faire en Irlande ? – Voir ma famille. – Mais tu ne l'as pas vue depuis des années et tu ne lui écris jamais ! – Raison de plus. » Impossible d'en tirer davantage. Un mur, même si elle ne se départit pas d'une souriante nonchalance. Elle m'embrasse :

« Je t'appellerai à ton hôtel de Zurich.

– Je ne sais même pas combien de temps je vais rester là-bas.

– Dans ce cas, je prendrai contact avec Marc Lavater. Lui saura où te trouver, non ?

– Va au diable.

– Oui, mon amour. »

Le 12 juin quand je débarque à Zurich, compte tenu du problème que me pose Sarah et de l'exaspération qu'elle a le don de provoquer en moi, ma situation est la suivante : l'affaire des gadgets tourne superbement ; elle m'a permis de régler au Turc les cinq millions de francs de la créance, elle me permet de disposer d'encore un million de dollars et des poussières ; c'est encore une excellente affaire mais je sens les signes avant-coureurs d'un tarissement, qui ne tardera pas à se produire ; d'autres plus attentifs, plus persévérants, plus puissamment armés que moi, au Japon notamment, sont en train de prendre mon relais.

Je dispose d'un million de dollars et des poussières. J'ai décidé de miser ce million de dollars en même temps que les cent millions que Hak m'a confiés. Ce qui est bon pour M. Hak doit être bon pour moi et tout Hong Kong vante les talents financiers de M. Hak. Miser cet argent constitue pour moi un risque énorme, d'abord parce qu'il représente tout ce qui me reste en caisse, ensuite je n'aurai plus pour vivre quotidiennement que les revenus de l'affaire des gadgets, revenus en train de baisser. Et il y a pis : en engageant mon petit million aux côtés de ceux de M. Hak, je me lance dans une aventure dont je ne connaîtrai la conclusion qu'au mois d'août, dans trois mois, puisqu'il s'agit d'une opération à court terme. Soit à peine deux ou trois semaines avant la seconde vente de la brasserie où je devrais aligner cinq ou six millions de francs pour racheter définitivement l'ancienne propriété de Landau.

C'est de la haute voltige et j'en suis parfaitement conscient.

Le 12 juin en début d'après-midi, je me présente, comme convenu avec M. Hak, à la succursale de la Schweizerischer Bankverein, la Société de Banque suisse sur la Paradeplatz, dont le siège est à Bâle. Je verse ou plutôt je vire chez eux les cent et un millions de dollars provenant de divers dépôts à mon nom sur diverses banques un peu partout à travers le monde.

L'opération que je vais entamer, suivant scrupuleusement les consignes de M. Hak (à la seule exception de mon petit million personnel glissé dans la liasse), est une spéculation sur le dollar et l'or. Il s'agit d'acheter à terme, trois mois dans ce cas, de l'or payable en dollars. C'est-à-dire que je vais demander à la S.B.S. de passer – à son nom mais à mes risques – un contrat avec une banque américaine, par exemple la First National City Corporation, pour un montant de cinq cent cinq millions de dollars. Par ce contrat la S.B.S. s'engagera à livrer dans trois mois cinq cent cinq millions de dollars à la First National, qui, en échange, promettra de livrer de l'or contre ces dollars *au prix actuel de l'or exprimé en dollars*. Si le dollar, entre-temps, baisse par rapport à l'or, juste avant de les fournir à la First National, la S.B.S. achètera elle-même ces dollars qu'elle a promis de livrer. Tandis que la First National devra, quant à elle, fournir bon gré mal gré de l'or au prix pratiqué trois mois plus tôt, avant la dévaluation de la monnaie américaine, si par hasard celle-ci dévaluait.

Dans les deux cas, les banques ne risquent rien : elles font certes les opérations à leur nom, mais non pas à leur compte. Les risques réels sont pour ceux qui, l'un à Zurich (Hak et moi), l'autre à New York ou à l'un quelconque des guichets de la First National, jouent en opposition à la baisse et à la hausse du dollar (ou de toute autre monnaie ou de l'or ou du maïs, du blé, du cuivre ou de n'importe quel produit coté dans n'importe quelle bourse).

Si le client se livrant à ce genre de spéculation est réputé solvable, il pourra même arriver que la banque ne lui demande aucun dépôt de garantie, de sorte que le spéculateur sera alors dans cette situation extraordinaire, s'il a misé juste, d'avoir gagné à vendre des millions qu'il n'a jamais eus, encaissant simplement les bénéfices ! Mais en général la banque exige évidemment un dépôt de garantie.

D'autre part, la belle prudence des banquiers a inventé le joli mot anglais de *margin call*, qui signifie que si, durant le déroulement de l'opération à terme, les fluctuations du marché sont telles que les risques dépassent soit le dépôt de garantie, soit le degré de la solvabilité réputée du client, la banque peut demander une relance, un rehaussement de la marge de sécurité : « Rajoutez telle somme pour nous couvrir ou bien vous sautez et vous perdez votre mise. »

Tout cela, M. Hak le savait, qui me l'a expliqué. Avec ses cent millions de dollars, il aurait peut-être pu obtenir de la banque, de n'importe quelle banque, que le montant réel de la transaction soit d'un milliard de dollars, cent millions représentant un dépôt de garantie de dix pour cent. Il a choisi la sagesse, et un dépôt de vingt pour cent, diminuant certes les bénéfices potentiels de moitié mais annulant presque complètement les risques d'un margin call. « Et s'il s'en produit un néanmoins, je vous appelle ? – Joignez Li ou Liu. » J'ai regardé M. Hak avec surprise : qu'est-ce que ces deux clowns spécialisés dans les gadgets et les effets spéciaux de cinéma pouvaient venir faire dans une telle opération ? « Ce sont tout simplement mes neveux, vous ne le saviez donc pas, Cimballi ? » Et qui me l'a dit, nom d'un chien ?

L'attaché de direction de la Société de Banque suisse ne m'a jamais vu. « Cinq cents millions de dollars ? – Cinq cent cinq. » Sous son impassibilité professionnelle, presque du désarroi : la somme n'est pas banale et ma jeunesse le trouble.

« Dois-je vous montrer mon passeport ?

– S'il vous plait. »

J'ai bien vingt et un ans révolus, il s'en assure. Et j'ai bien dit cinq cent cinq millions de dollars, avec un dépôt de garantie de cent un.

Il examine les divers virements qui m'ont permis de constituer le dépôt.

« En raison de l'importance de la somme, je dois consulter mon supérieur avant d'accepter le principe de l'opération. »

Je lui dis que je comprends très bien. Bien entendu, cet homme en face de moi et son supérieur chargé des comptes à numéros, seront les seuls avec moi à savoir que le compte numéro 18.790, au nom de qui la banque va opérer pour cinq cent cinq millions de dollars, recouvrira en réalité l'identité de Cimballi Franz. Moi.

« Je repasserai dans une heure, ça va ? »

Il dit que ça ira très bien. Je sors dans Zurich ; j'y suis venu étant enfant avec ma mère, nous y avons effectué une promenade en bateau sur le lac et j'ai encore en mémoire les Alpes bleues de Glaris dans le soleil couchant, les berges pentues du lac croulant sous des villas superbes. Zurich est la ville où ma mère fuyant l'Autriche nazie a passé son enfance, la ville où mes parents se sont connus. Et me voilà.

Un peu plus d'une heure plus tard, ayant remonté et descendu la Bahnofstrasse, ayant aperçu de loin, sur le même quai Général-Guisan qu'à Genève, la façade de la Banque privée Martin Yahl, je retrouve mon attaché de direction. C'est oui, ils veulent bien prendre le risque.

Mais quel risque ?

Je regagne mon hôtel et j'appelle le Turc.

Il réagit plus vite que je ne m'y attendais. Je n'ai eu qu'à lui expliquer la chose en trois mots, il a immédiatement compris :

« Où es-tu, Franzy ?

– Franz.

– Où es-tu ?

– Zurich.

– Où à Zurich ?

– Le Baur au Lac.

– C'est une erreur. Tous les financiers y sont. Tu vas te faire repérer. Moi, je ne tiens pas à ce qu'on m'y voie en ta compagnie, Yahl est un peu trop costaud à mon goût. Je serai au Dolder. Il y a un avion vers cinq heures. Rendez-vous au Dolder pour dîner. C'est toi qui m'invites. »

La rapidité de sa réaction m'a surpris, mais il s'en explique sitôt que nous nous retrouvons en tête-à-tête. Tête-à-tête étant d'ailleurs façon d'écrire : le Turc a amené avec lui quatre de ses filles et les visages écarlates des serveurs du Dolder opérant entre ces corps à demi nus auraient à eux seuls valu le voyage.

« Elles étaient déjà à poil dans l'avion ?

– Avec un parachute, je ne suis pas un monstre. Parlons sérieusement, raconte-moi. »

Cela ne prend pas longtemps et je m'étonne moi-même du peu de poids apparent de mes informations. L'œil velouté du Turc me scrute.

« Bref, tu m'engages à te suivre, à y aller d'un peu de mon fric, parce que ce type de Hong Kong prétend avoir un renseignement confidentiel comme quoi le dollar va plonger ?

– Je ne t'y engage pas, je te le propose. A toi de décider.

– Tu as tellement confiance en ce Chinetoque ?

– La preuve.

– Et ce cinglé sur coussin d'air, vivant sous la mer, aurait des informations que personne d'autre n'a ? »

J'ai mon idée à ce sujet : M. Hak n'est pas un homme d'affaires indépendant ; il est en relation directe avec Pékin et ça, c'est déjà une source possible. Plus tard, j'apprendrai le voyage secret de Kissinger à Pékin, tous ces contacts mystérieux de l'époque. Je les apprendrai par les journaux, comme tout le monde, et je n'aurai plus qu'à établir la relation de cause à effet.

Le Turc me dévisage toujours :

« Et tu engages combien dans cette affaire ?

– Un million.

– Dollars U.S. ou de Hong Kong ? »
Je hausse les épaules :
« Américains. »
Il siffle :
« Et il y a quelques mois, tu m'as payé cinq millions de francs français pour une créance. Mes compliments. Tu as quel âge, déjà ?
– Soixante-huit ans. Turc, quand nous nous sommes quittés en février à Londres, tu m'as demandé de te faire entrer dans ma prochaine affaire. Tu me l'as répété la fois suivante. Je renvoie l'ascenseur, on est quitte à présent.
– Si ça marche.
– Si ça marche, d'accord. »
Le Turc suce un homard. Il secoue la tête :
« Je pleure de joie, la reconnaissance me submerge, Franzy.
– Tu m'énerves. Et cesse de m'appeler Franzy. »
Il continue de hocher la tête, s'essuie les lèvres pour engloutir une flûte de champagne.
« Dragon d'Argent à quatorze contre un, merde, je m'en souviendrai toujours ! C'était quoi, ce cheval ? Un espion de Mao ? Je marche Cimballi. Je marche exactement comme toi, pour un million de dollars. J'ai suivi tout ce que tu as fait et que tu fais encore à Landau. Je ne sais pas ce que tu as contre ce type mais tu es en train de l'assassiner. Tu as de grandes dents, mon petit. »
Il me regarde en souriant, avec ses yeux de femme. Il me prend vraiment par surprise : sa patte d'ours me croche par la nuque et avant que j'aie pu réagir, il m'a embrassé à pleine bouche. Je me débats et je frappe avec ce qui me tombe sous la main : un couteau. La lame lui fend légèrement la joue et lui ouvre profondément la lèvre. Il prend du recul et hurle de rire, malgré le sang qui gicle.

« Je voulais simplement te prouver mon amitié, dit-il entre deux hoquets de fou rire.

– Recommence et je te tue. »

Son fou rire cesse d'un coup. Non qu'il soit effrayé, ce n'est pas son genre. Mais la violence même de ma réaction le surprend et l'intrigue. Il ferme à demi les yeux :

« Tu t'excites trop, Franzy. Tu en as après qui ? Pas Landau. Je te l'ai dit : un minable. Alors qui ? Yahl ? Il est trop gros pour toi. Il serait vingt fois trop gros pour nous deux réunis. »

Nous venions à peine de commencer de dîner. Méprisant, je jette des billets sur la table et je m'en vais.

Je m'étais attendu à trouver trace d'un appel de Sarah, mais rien. Je découvre soudain que je sais très peu de chose d'elle ; elle n'est peut-être même pas à Dublin. Et son silence va durer, à l'exception de la lettre, de la note en fait qu'elle déposera à Paris chez Lavater : « Dites à Franz de ne pas s'inquiéter. J'ai simplement besoin d'être seule. » Plus tard, ayant l'explication de ce silence, je comprendrai. Sur le moment, rien d'autre qu'une hargne rageuse. Me laisser tomber en un moment pareil !

De sorte que je n'hésite pas le moins du monde à former ce numéro de Kensington à Londres, que j'ai à peine besoin de rechercher dans ma mémoire tant je l'ai fait souvent autrefois. Une voix ensommeillée me répond enfin :

« Suzie ? C'est Franz.

– Au nom du Ciel, tu sais quelle heure il est ? »

Trois heures du matin à Londres.

« Il fut un temps où c'était ta meilleure heure. »

Elle chuchote :
« Je suis mariée maintenant, crétin.
– Je voudrais l'adresse de Catherine Varles. »
Silence. Je sais aussitôt que j'ai deviné juste : elles sont de mèche.
« Elle te l'a donnée à Nassau devant moi.
– Elle m'a donné une adresse à Paris, j'y suis allé et j'ai trouvé en face de moi une espèce de notaire breton au sale caractère qui m'a pris pour un fou et m'a flanqué dehors. Suzie, arrête de faire l'imbécile ou je viens à Londres et je dis tout à ton mari.
– Tout quoi ?
– Cherche. »
Si elle a aussi peu de souvenirs que moi, c'est gagné.
« Sombre salaud, je ne sais même pas de quoi tu parles.
– Je veux cette adresse, Suzie. »
Elle reste si longtemps silencieuse que je pourrais croire que nous avons été coupés. Mais elle dit enfin :
« Oh ! et puis merde ! Après tout, elle m'a demandé de tes nouvelles, de son côté. Débrouillez-vous tous les deux. Ça s'appelle Fournac, c'est en France, en Haute-Loire, près d'un autre bled qui s'appelle Chomélix.
– Suzie, si tu me racontes encore des his... »
Elle a raccroché.

Fournac, ce n'est rien, ou du moins pas grand-chose. Il faut contourner le tronc des arbres et soulever une ou deux mottes de terre pour apercevoir le village, si on peut appeler ça un village. Je suis scrupuleusement les indications du secrétaire de mairie que j'ai appelé au téléphone à mon passage à Lyon, où je me suis arrêté pour également appeler Marc Lavater à Paris afin de lui demander s'il avait des nouvelles de Sarah. Il n'avait aucune nouvelle car c'était avant que nous recevions son court message dans lequel elle disait avoir besoin d'être seule.

La maison est grande, pas loin d'une vingtaine de pièces. Je klaxonne un long moment sans la moindre réponse. Je finis par entrer dans une vaste cuisine sombre et il y a là deux femmes en train de peler des pommes de terre. La plus jeune a soixante ans. Elles ont des moustaches comme des Bulgares.

« Je cherche Mlle Varles. Catherine Varles. »

Elles fixent leurs pommes de terre dans les yeux et m'ignorent absolument.

« Vous me répondez ou bien je me mets tout nu en hurlant. »

On se décide enfin à découvrir mon existence. Un geste du pouce de la main droite appuyé à la lame du couteau. « Par là. » Je ressors dans le jardin et débouche sur un terre-plein herbu et planté d'arbres centenaires, d'où l'on a une vue magnifique sur la vallée. A droite, un petit chemin qui descend, nous descendons ensemble. Un verger à traverser, une courte prairie et puis me parvient le bruit cristallin d'une rivière. Le sentier s'engage sous le couvert des arbres, aboutit à une clairière.

Elle est là.

Elle est sagement assise sur une souche, de profil par rapport à moi, bronzée, mince, jolie à en pleurer. Couché à côté d'elle, il y a un chien énorme qui est peut-être un terre-neuve et doit bien peser dans les quatre-vingts kilos ; il dort.

Elle perçoit mon approche, tourne la tête gracieusement et me regarde arriver, une lueur de gaieté un peu moqueuse au fond de ses prunelles d'or.

« Vous avez trouvé facilement ?

– Sans aucun problème, passé les premières semaines. »

Le chien dort toujours. Je le tapote de la pointe de ma chaussure :

« Aux armes, chien de garde.

– Il s'appelle Théobald. »

Le chien ouvre un œil, me considère, se rendort.

« Vous n'avez jamais pensé à lui mettre une selle ?

– Ça le chatouille. »

Je regarde autour de moi ; c'est vraiment un joli coin, avec tout plein d'arbres, des fleurs, une rivière clapotante décorée de libellules, des papillons partout, du soleil.

« Je peux m'asseoir ? »

Ses prunelles dorées me sourient.

« Mmmmm. »

Je m'assois sur l'herbe, à ses pieds, face à la rivière. J'appuie ma nuque sur sa cuisse. Après un moment, sa main se déplace lentement et se pose sur mon épaule, ses doigts près de ma joue à la toucher. Il fait un temps superbe. Je suis tout à fait bien.

12

JUILLET arrive et passe et je n'ai toujours pas de nouvelles de Sarah, hormis le mot très bref dont j'ai parlé. Je me suis souvenu qu'un jour elle m'avait cité un nom de ville en Irlande et à force de fouiller un atlas, j'ai fini par retrouver ce nom : Ennis, dans le comté de Clare, pas loin de l'aéroport international de Shannon. A Ennis, je découvre en effet plusieurs Kyle mais aucun n'a de sœur, de cousine proche ou lointaine baptisée Sarah et travaillant dans l'hôtellerie. J'essaie vraiment tout, allant jusqu'à prendre contact avec le White Sands Hotel de Mombasa ; j'interroge ceux qui l'ont employée, ou qui ont travaillé avec elle ; je m'adresse même au Parador de Morzine, où nous avons passé quelques jours ensemble. Rien. Le silence total. Elle a disparu sans la moindre trace.

D'être privé de l'une ne m'autorise pas davantage à bénéficier de la présence de l'autre. Catherine avait pour les vacances des projets indépendants de moi : croisière dans les îles grecques pour juillet, séjour chez des amis américains, dont elle s'est refusée à me dire le nom, durant tout le mois d'août. Ensuite ? Ensuite des études universitaires ; après tout, elle vient de réussir son baccalauréat, je l'ignorais. A Fournac, je ne suis resté que peu de temps avec elle ; la maison appartient à l'un de ses oncles et, curieusement, cet oncle-là, sans me regarder tout à fait de travers, a paru gêné de m'avoir chez lui si bien que je n'ai pas insisté.

Les Lavater m'invitent à passer l'été dans leur maison de campagne de Chagny. Pas tout l'été, eux-mêmes ont des projets : ils vont partir cinq semaines pour le Yucatan ou quelque autre endroit aussi ridicule, du 10 août au 15 septembre. Ils me proposent de les accompagner mais j'ai autant envie d'aller au Yucatan que de me pendre. « Franz, la maison de Chagny est à toi, quand tu voudras, aussi longtemps que tu voudras. » Marc et Françoise ont pour le moins vingt ans de plus que moi, je pourrais être leur fils ; mais j'ai passé l'âge d'être en nourrice.

Coup de téléphone au Turc : il est tout excité, il vient d'apprendre que les grandes multinationales américaines bradent à leur tour du dollar à terme. « Les informations de ton Chinetoque semblent se vérifier, Franzy. Ça risque d'être un coup fumant. » Il m'énerve avec son « Franzy » !

Je regagne Hong Kong où apparaissent les premières difficultés dans l'affaire des gadgets. La concurrence japonaise notamment devient de plus en plus dure et je suis débordé, faute peut-être de ne pas m'être assez préoccupé du problème. A Hong Kong, j'étouffe. A aucun moment, je n'ai subi sa prétendue fascination et l'idée de la quitter recommence à me hanter. Mais pour aller où ? Mes revenus baissent, mon compte aussi, je commence à devoir peser mes dépenses. Également revenu à Hong Kong, Hyatt me fait vaguement la gueule : sans doute aurait-il fallu que je le force à entrer dans l'affaire des gadgets revolver au poing ! Somme toute, les seules personnes dans la Colonie avec qui j'entretiens des contacts réguliers sont Li et Liu, ou *vice versa*. Ils sont complètement fous, leur parodie des films karaté ou kung-fu est totalement délirante. On pourrait les croire irresponsables et j'ai cru un moment qu'ils l'étaient. C'était avant d'apprendre leur parenté avec Hak, dont ils sont les neveux. En tous les cas, je ne découvrirai que plus tard dans quelle mesure leur folie burlesque était le plus souvent une façade.

A l'époque, je me contente de l'amitié que j'ai pour eux, et qu'au reste, ils me rendent avec prodigalité. Une amitié qui me rendra longtemps plus incompréhensible encore ce qui va se passer.

En juillet, le 7 ou le 8 je crois, je pars pour le Japon. Li et Liu m'y ont littéralement expédié, après m'avoir presque convaincu que j'avais un avenir éblouissant dans la commercialisation des bidules électroniques. Un voyage pour rien ; j'échoue lamentablement à essayer de convaincre mes interlocuteurs japonais que je peux les aider à vendre de par le vaste monde leurs petites merveilles.

« Tu n'y croyais pas assez, me disent Li et Liu. Voilà pourquoi. Dommage, tu tournes en rond en ce moment. »

Ils n'ont pas tort, je tourne effectivement à vide, même si je tourne. La danse de Cimballi est pour l'heure comme un vieux gramophone qui perd de sa vigueur. Je vais de moins en moins à la maison de Stanley que Sarah avait voulue et dont le salon est toujours peint en mauve. Je m'y trouve pourtant cette nuit-là, et le hasard n'y est pour rien puisque j'apprendrai qu'elle a d'abord contacté Li et Liu pour savoir où j'étais.

« Franz ? »

J'ai décroché machinalement, encore endormi. Coup d'œil sur ma montre : trois heures du matin. En Europe il est neuf ou dix heures et il fait grand jour.

« Franz ? »

J'ai reconnu sa voix.

« Où es-tu ?

– A Londres, mais je n'y reste pas. Franz, laisse-moi parler, s'il te plaît. »

De mon lit, de notre lit nous pouvions contempler les sampans et les jonques dans le petit port de Stanley et les centaines de petits feux que les Chinois allumaient parfois, certaines nuits, aux alentours du temple de Tin Hau. Je contemple les sampans et les jonques à l'ancre.

« Je ne dirai rien, Sarah.

– Écoute-moi, je ne peux pas rester des heures au téléphone. J'aurais dû te contacter plus tôt. Je ne l'ai pas fait... Je ne l'ai pas fait, un point c'est tout. J'étais enceinte. De toi, évidemment. Je ne le suis plus, j'ai fait ce qu'il fallait pour ça. Il y a encore quelques minutes, j'étais fermement décidée à ne rien te dire mais c'est fait, on dirait. Bon, cela dit, ne me demande pas comment je vais : je vais très bien. C'est vrai que j'ai eu un sale moment mais c'est terminé, tout à fait terminé, je suis plate comme une affiche. J'ai compris que nous n'en avions plus pour longtemps dès le mois de février, tout le reste a été du supplément. D'ailleurs, j'ai toujours su que nous n'en aurions jamais pour longtemps, et j'avais raison. Je ne rentre pas à Hong Kong, naturellement. On m'a offert du travail ailleurs, je ne te dis pas où, ça serait plutôt amusant de tomber un jour l'un sur l'autre, un de ces jours ou dans vingt ans, quand tu seras tout à fait milliardaire. A ce sujet, je voudrais te demander quelque chose : n'achète jamais l'hôtel où je serai, je n'aimerais pas ça. Promis ? Je t'embrasse. »

Elle se tait, mais ne raccroche pas. Je l'entends respirer. Les secondes coulent.

« Franz... Je t'embrasse. »

Elle raccroche. Je regarde toujours les sampans et les jonques. Nous avons passé je ne sais combien d'heures ainsi, couchés dans les bras l'un de l'autre. Elle avait choisi cette maison en raison de la vue, le petit port et le temple et plus à droite la grande plage presque toujours déserte. Pour un peu je sentirais à nouveau le parfum de son corps mince et nerveux, férocement tendu dans l'amour, ne s'apaisant qu'après un très long moment, comme une vague qui retombe enfin. Ses yeux ne se refermaient qu'à la toute dernière seconde et il lui arrivait de demeurer immobile, sa joue sur le drap, refusant de me regarder en face jusqu'à ce qu'elle se sentît suffisamment sûre d'elle-même pour me couler son regard sarcastique. « Pas trop mal, pour un gamin », disait-elle.

Bon, eh bien, voilà maintenant le gamin qui pleure.

Je suis dans la maison des Lavater à Chagny depuis déjà quelques jours. Je lis. A Chalon-sur-Saône où je me suis rendu dans la vieille Renault 4 des Lavater, j'ai raflé tout ce que j'ai pu trouver sur la technique bancaire, sur la finance, sur l'argent en un mot. J'y ai même trouvé un livre de l'un des Rockefeller : *L'Imagination créatrice dans les affaires*. Tout à fait ce qu'il me faut. Et puisqu'il faut bien imiter quelqu'un, j'ai également acheté *Le Comte de Monte Cristo* qu'en fin de compte je n'avais jamais lu ou jamais vraiment. Passionnant, le père Dumas finirait par venir à bout du cafard qui continue à me troubler. J'en suis au chapitre intitulé « L'Auberge du Pont du Gard », où l'on voit Caderousse, l'un de ceux qui ont trahi Dantès, recevoir la visite d'un « prêtre vêtu de noir et coiffé d'un chapeau à trois cornes » quand, pour la première fois depuis le départ de Marc et Françoise Lavater partis errer dans les yuccas du Yucatan, le téléphone sonne. J'hésite à décrocher mais je décroche pour finir : c'est un nommé Cannat, adjoint de Lavater :

« Je ne devais pas vous déranger sauf événement important. Il y a un événement que je crois important : Alvin Bremer vient de mourir à Chicago d'une crise cardiaque. Marc m'a dit que vous vous intéressiez à lui.

– Merci. »

J'étais en train de prendre mon petit déjeuner, servi par la femme de charge à qui Françoise Lavater m'a confié. Et qui parle avec un tel accent bourguignon que je l'ai longtemps crue polonaise. Je me lève et je pars vers ma chambre.

« Votre café va refroidir ! »

Avec au moins vingt-deux R.

« Je reviens. »

Dans ma chambre, sur l'un des murs, j'ai agrafé toutes les notes, les tableaux, les listes accumulés depuis huit mois, depuis le jour où Marc est venu à Hong Kong m'apporter le premier dossier réel. Je contemple ma liste. Pour Bremer, j'avais imaginé une procédure particulière, plus complexe, ô combien, que celle utilisée contre Landau.

Et cet enfant de salaud est mort. J'éprouve un sentiment de frustration rageuse.

« Je vous le fais réchauffer, ce café ? »

Je m'approche de ma liste et je barre le nom. Je contemple la photographie jointe au dossier, celle d'un homme corpulent, sanguin, aux yeux d'acier. Je lui ai toujours trouvé quelque chose de Teuton et ce n'est pas un compliment que je lui faisais.

« Si c'est pas malheureux, regardez-moi ça : il est glacé, ce café... »

Un ôté de sept, reste six. Même pas : cinq et demi. En cette mi-août, Landau n'en a plus pour longtemps. A condition qu'en suivant M. Hak dans ses spéculations, je n'aie pas commis d'erreur...

« Ça pour être froid, il est froid... »

Je n'en ai pas commis. La nouvelle éclate le lendemain du jour où j'apprends la mort de Bremer : abandon de la convertibilité du dollar. C'est un événement considérable, presque inouï. Depuis vingt-cinq ans, le dollar est dans le monde la monnaie-étalon, la seule devise officiellement liée à l'or, la seule à valoir, au sens propre du terme, de l'or.

La convertibilité n'existe plus. Le premier résultat est forcément une baisse du dollar. C'était donc cela l'information capitale que détenait M. Hak qui, connaissant par avance la date exacte à laquelle le gouvernement américain annoncerait cet abandon, a donc pu calculer au jour près le terme de son opération.

Le bénéfice est fabuleux, même si la baisse de la monnaie américaine demeure, somme toute, presque faible. Au moment où j'ai déposé les cinq cent cinq millions de dollars à Zurich, une once d'or valait officiellement trente-huit dollars quatre-vingt-dix. Trois mois après, jour pour jour, elle équivaut à quarante-deux dollars soixante. Marge infime ? Voire. Tout compte fait, le bénéfice réalisé par M. Hak (je m'amuserai à vérifier les comptes de la banque mais ils seront évidemment exacts) sera de quarante-sept millions de dollars, desquels je défalque, comme convenu, les deux millions et demi de dollars qui me reviennent, en ma qualité de courtier discret, indépendamment du pourcentage prélevé par la banque. S'ajoutant au million de dollars que j'ai moi-même misé et que je récupère, avec les quatre cent soixante-quinze mille cinq cent soixante-dix-huit dollars qu'il m'a rapportés, je me trouve à la tête, au 12 septembre, de légèrement plus de quatre millions de dollars.

Je m'attendais à une explosion en moi. Mais rien. Je reste calme et presque indifférent. Je suis toujours seul dans la maison de Chagny et je sais que le moment est venu d'agir.

En finir d'abord avec Landau, ce qui n'est plus qu'une question de jours, puis passer aux autres.

Je rappelle le Turc :

« Content de moi ?

– Franz, je t'aime.

– Sale pédé, allez coucher.

– Un moment, j'ai une surprise pour toi... »

Un silence. Puis la voix d'Ute.

« Bonjour Franzy adoré.

– Qu'est-ce que tu fiches à Hampstead chez ce rastaquouère ?

– Le grand amour, mon pote.

– Avec le Turc ?

– Avec le rastaquouère. Tu es jaloux ? »

J'éclate de rire. De les imaginer ensemble me fait pouffer.

« Sûrement pas. Et il a toujours son escadron de danseuses nues ?

– Plus on est de folles, plus on rit, dit Ute. L'essentiel, c'est que je commande la manœuvre. Et je la commande.

– Repasse-moi le maître du harem. Je t'embrasse. »

Le Turc revient en ligne. Il s'esclaffe. Je n'arriverai jamais à le détester vraiment.

« Surpris, hein ?

– Sur les fesses. Mais parlons sérieusement. Je peux ?

– Tu peux.

– J'ai besoin d'une introduction. Nassau, Bahamas.

– Une autre affaire ?

– Personnelle. »

Il réfléchit. Il dit :

« Pas de noms au téléphone, je n'aime pas ça. Quand seras-tu là-bas ?

Un rapide calcul :

« Fin septembre, ce mois-ci. »

J'entends Ute parler mais je ne comprends pas ce qu'elle dit. En tout cas, si elle a obtenu de demeurer en ligne pendant que le Turc et moi parlions, c'est que, comme elle me l'a affirmé, « elle commande réellement la manœuvre ». Le Turc :

« Franz, nous serons là-bas à partir du 25 septembre, la Danoise et moi. Ça ne t'ennuie pas ?

– Au contraire.

– Tu es sûr que tu n'es pas fâché pour Ute ?

– Non. Embrasse-la pour moi. Ciao. »

J'enregistre une cassette à l'intention de Marc qui ne devrait pas tarder à rentrer de son foutu Yucatan. J'appelle une fois de plus le 2 à Chomélix mais l'oncle de Catherine est absent et personne ne décroche.

Je prends l'avion pour Hong Kong.

Je finis par récupérer Hyatt au Bull and Bear, un pub anglais dont chaque élément a été apporté par bateau, pièce par pièce, depuis l'Angleterre. Hyatt n'est pas tout à fait ivre. Il lève son verre :

« Petit Chef est de retour. »

Le surnom qu'on m'avait donné à Mombasa.

« Je t'offre une bière, dit aussi Hyatt. Une Guinness bien crémeuse, made in Dublin. Et pour combien ce retour ?

– Je ne reste pas. J'ai même une affaire à te proposer : je te cède tout sur les gadgets.

– Tout ?

– Tout. Tu prends la suite. Ça t'intéresse ? »

Ce n'est pas, pour lui, une mauvaise affaire. Même si l'entreprise n'a plus aucune chance de fournir les fabuleux bénéfices des premiers mois, elle reste néanmoins, grâce à mes brevets, intéressante et d'un bon revenu, pour quelqu'un préférant les rentrées relativement modestes mais régulières au gros coup où l'on peut tout perdre. Comme Hyatt. Et puis il a encore en travers de la gorge son refus initial. Nous discutons pendant une demi-heure, nous parlons argent. Il me demande vingt-quatre heures pour réfléchir et je sais qu'il acceptera, le lendemain, moyennant quatre-vingt mille dollars.

« Un dernier verre ? propose Hyatt.

– Non. Tu as vu Ching ces temps-ci ? »

Il m'avait bien paru jusque-là discerner chez mon Anglais une certaine gêne. Cette fois, plus de doute. D'autant qu'il fait l'imbécile :

« Quel Ching ?

– Tu le sais très bien. Qu'est-ce qu'il se passe ?

– Comprends pas. »

Il met le nez dans sa Guinness noire. Je n'insiste pas, avec au fond de moi la désagréable sensation que quelque chose est arrivé ou va arriver, qui me touche plus ou moins directement. Je change un billet contre de la menue monnaie et je commence à téléphoner. Aucun Ching Quelque Chose nulle part, que ce soit à son bureau, à l'usine ou chez lui. Le pis, c'est ce silence qui suit ma question, qu'on finit toujours par rompre pour me répondre, mais quand même. Non, on ne sait pas où est Ching. Absent de Hong Kong ? Pas du tout. Alors où ? On ne sait pas.

J'appelle Li et Liu à leur atelier de Kennedy Road. Sonnerie dans le vide. C'est ce qui m'inquiète le plus : on est en pleine semaine, mes deux clowns ne travaillent pas seuls, ils ont quantité de sous-fifres et personne ne décroche. J'essaie leur appartement, au-dessus de Bowen Street, dans une rue dont je n'ai jamais su le nom. Rien. Rien tout d'abord car après plusieurs sonneries dans le vide, au moment où je vais reposer le récepteur, quelqu'un décroche enfin...

« Li ? Liu ? »

Silence. Mais il y a pourtant quelqu'un à l'autre bout du fil.

« Li ou Liu ? »

Et ce quelqu'un me raccroche très doucement au nez. Je ressors de la cabine. Hyatt a filé. Je sors dans la rue, la foule est là, oppressante, énorme, comme une mer. Et ça vient d'un coup, inexplicable mais comme toujours d'autant plus forte : une bouffée de peur.

Hyatt m'a demandé une journée de réflexion, nous avons rendez-vous le lendemain à l'entrée même du bureau d'enregistrement de Caxton House, dans Duddel Street, à onze heures. Ça me laisse en gros vingt heures à passer encore à Hong Kong. Et par avance, ces vingt heures me semblent interminables, j'ai une envie folle de sauter dans le premier avion pour n'importe où, bref de foutre le camp.

Je vais à Stanley, y ramasse le peu de chose qui reste. Il y a encore quelques effets et quelques livres appartenant à Sarah ; je mets tout ça dans une valise et ça n'arrange pas mon moral. Retour à Central, d'où je traverse pour gagner Kowloon. Je prends une chambre au Peninsula, au milieu des vieilles ladies qui ont fait les Indes, des colonels en retraite anciens de Birmanie. Et c'est là que l'idée me vient, irrésistible, pas raisonnable. En taxi à l'aéroport ; j'y loue un petit avion, un Cessna, je crois, piloté par un jeune Australien aux avant-bras musculeux et tatoués. Qui me dévisage avec flegme :

« Si vous ne savez même pas son nom, à c'te putain d'île, comment je vais la trouver ?

– Je la reconnaîtrai. »

Et si qu'on survole la Chine par hasard, mister ? Et si que les Citrons nous tirent dessus ? Et si je l'ai tout simplement rêvée cette île où je me suis pourtant déjà posé deux fois ? L'Australien discute mais n'en prépare pas moins son appareil. Je lui ai montré une direction et il la suit. Un premier groupe d'îles.

« Là ?

– Plus loin. Après l'espèce de grande digue. »

Le Réservoir de Plover Cove, affirme l'Australien. Nous volons très bas, à trois ou quatre cents mètres de tout ce qui dépasse. On imagine toujours Hong Kong surpeuplé ; or ces terres au-dessous de nous appartiennent bien à la Colonie mais elles sont désertes ou peu s'en faut ; pas de routes mais des pistes, arpentées comme en ce moment par des paysannes hakkas aux grands chapeaux fermés entièrement par un voile noir.

La mer apparaît soudain sous nos ailes.

« Alors, mister ?

– Celle-là. »

Selon la carte, nous survolons Mirs Bay, à l'extrémité des Nouveaux Territoires.

« Où c'est que vous voyez une piste ? Une mouche y poserait pas ses miches, sur ce rocher. »

Mais il découvre le terrain d'atterrissage avant même que j'aie eu le temps de répondre. Il se jette littéralement au sol, s'y pose avec une brutale nonchalance, coupe très vite son moteur, cale son épaule gauche, rallume son cigare philippin dont la seule fumée tuerait un bœuf.

« Je vous préviens : dans une heure, je décarre.

– Je ne suis pas sûr d'être revenu dans une heure.

– Soixante minutes mister. Z'avez qu'à vous magner le train. La nuit arrive et je vole à vue, moi. »

Je saute à terre et c'est la colère qui me fait parcourir les premières dizaines de mètres. Et puis je réalise soudain ce que je suis en train de faire. Cinglé, je suis cinglé ! Coup d'œil sur le petit avion ; l'Australien a lui aussi mis pied à terre et il fume en contemplant le ciel chinois avec une sarcastique satisfaction. Je reprends en vitesse ma route : ce salopard serait capable de repartir sans moi.

Par deux fois déjà, je suis venu dans l'île, chaque fois en voiture. Je m'attends à quelque course folle, presque un marathon. J'ai la surprise de découvrir qu'en coupant au travers des rochers, en franchissant une seule crête, je débouche sur le jardin lui-même, et donc sur la maison.

Le silence.

Il se développe comme un brouillard, en nappes de plus en plus épaisses, à mesure que j'approche. Il est écrasant quand je m'engage au cœur de l'allée de banians chinois et de camphriers. Je lance un premier appel, qui reste sans écho. J'achève de traverser le jardin, qui embaume avec entêtement ; mon pied atteint le marbre noir du sol, à l'entrée.

La porte coulissante est ouverte.

« Monsieur Hak ? Cimballi. »

L'écho de ma voix me semble rouler interminablement. J'ai peur.

« Monsieur Hak ! »

Il m'a dit : « L'opération terminée, fin août-début septembre, revenez à Hong Kong. J'aurai peut-être autre chose à vous proposer. Puisque votre retour signifiera que tout s'est bien passé. » J'ai franchi le seuil du premier salon et là où, à ma dernière visite, il y avait des tapis, des tables, des paravents somptueux et hors de prix, il n'y a plus rien. Tout a été enlevé. Le premier salon est vide.

Vide la pièce suivante, et les autres, ainsi la chambre où j'ai dormi avec Sarah. J'entre, saisi par la trouille mais poussé par la curiosité, dans cette partie de la maison où je ne suis jamais allé. Rien. Là aussi, on a tout enlevé. Dans les cuisines qui ont dû être extraordinairement automatisées, on n'a laissé que des fours muraux, parce que encastrés dans le béton. Plus loin, un réduit, où sont garées comme des monstres au repos les étranges tables roulantes télécommandées dont se servait M. Hak. Quelques pas encore et je suis dans l'immense pièce dont toute une paroi est concave et vitrée, du moins ordinairement vitrée, car pour l'instant le panneau laqué peint de dragons écarlates est fermé.

Cette pièce-là aussi est entièrement vide. A une exception près : il y a là sur le sol une de ces boîtes rectangulaires dont se servent les aéromodélistes. Les manettes y sont nombreuses. J'en actionne une puis deux puis trois. D'abord rien. Mais voilà que trois tables surgissent, comme des ombres, faites de velours noir et d'acier étincelant. Elles viennent vers moi, s'immobilisent à ma portée, fascinantes et effrayantes de docilité, tels des fauves subjugués.

Pour un peu, elles me feraient peur. J'actionne d'autres manettes et des cloisons coulissent, montent, se retirent, redessinent des pièces nouvelles, de la musique emplit l'air, des tables virevoltent, la maison tout entière se met à vivre et m'obéit comme un être vivant.

Je ne l'ai pas entendu bouger, il s'est déplacé dans mon dos, à mon insu, mis en marche sans volonté délibérée. Mais quand, saisi par l'étrange impression d'une présence, quand je me retourne, le spectacle m'éclate en pleine figure. Le panneau semi-circulaire obstruant le mur de verre a coulissé, il s'est replié sur lui-même. Et les requins sont à deux mètres de moi, même pas, à hauteur de mon visage, trois bêtes d'à peu près deux mètres cinquante chacune, dégageant une identique impression d'impitoyable férocité. Le halo des projecteurs que j'ai dû allumer sans même m'en rendre compte les teinte de stupéfiants reflets rouges.

C'est du moins ce que je crois dans la première seconde.

Mais je comprends aussitôt après. Je comprends lorsque mes yeux se portent sur les quartiers de viande que M. Hak avait pour habitude de leur offrir au bout de crocs de boucher. Je comprends lorsque, secoué d'horreur, j'examine mieux ces quartiers de viande.

Qui ont indubitablement la forme d'un torse humain. Avec sa tête et ses membres supérieurs. Et une main coupée, exsangue, flotte entre deux eaux.

Le regard de Hyatt m'évite. Je dis encore :

« Je ne sais pas ce qui me retient de te casser la gueule.

– Franz, je ne savais rien. Je ne sais toujours rien. Simplement ce que je viens de te dire. »

A savoir que le bruit a couru dans Hong Kong que M. Hak a disposé pour son compte personnel de sommes ne lui appartenant pas, qui étaient en réalité la propriété de l'État chinois ou, pis encore, de grands notables de Pékin œuvrant pour leur compte. Hyatt n'en sait pas plus. Pour moi, je peux assez aisément reconstituer une partie de ce qui s'est passé : usant d'une information qu'il a obtenue à Pékin, M. Hak a effectivement utilisé des fonds autres que les siens à des fins personnelles ; sans doute a-t-il toujours envisagé de restituer les cent millions de dollars dont il s'est servi ; il semble qu'on ne lui en ait pas laissé le temps. Et je ne saurai sans doute jamais qui était l'homme offert en pâture aux requins.

Hyatt est arrivé à notre rendez-vous devant le Bureau d'enregistrement avec quarante minutes de retard. J'ai eu effectivement envie de lui casser quelques dents. Cela m'a passé ; après tout Hyatt est chez lui à Hong, où je ne suis que de passage ; il y sera encore après moi. Et puis il a bel et bien racheté mon affaire de gadgets, au prix que je souhaitais obtenir. Je lui demande :

« Et Ching ? »

Il secoue la tête.

« Et Li et Liu ? »

Il ne sait pas non plus. Juré. Nous buvons un dernier verre ensemble, l'imminence de notre départ nous faisant retrouver des bribes d'une amitié esquissée, jamais poussée à fond, mais qui aurait pu l'être ; il s'en est fallu de peu.

« Et tu ne reviendras jamais à Hong Kong ?

– Pas si je peux l'éviter. »

Les girlies aux seins nus du Club Kosukaï nous sourient.

« Tu te souviens de ces Éthiopiennes à Nairobi ? dit Hyatt. Et celle que tu avais à Mombasa... »

Je me souviens. Tout comme je me souviens de Joachim, de Chandra, du flic pourri et du juge véreux, de la maison de Jomo Kenyatta, de mes amis de Kilindini Road, de Ching Quelque Chose, de Li et Liu, de M. Hak, de Landau. Et de Sarah. Un passé passé.

J'ai quatre millions deux cent mille dollars.

Et Cimballi relance le rythme de sa danse.

III

CES HOMMES AUX BAHAMAS

13

J'ARRIVE à Nassau, Bahamas, le 26 septembre, vingt-deux mois après mon départ de Londres sous la conduite d'Alfred Morf. C'est mon deuxième séjour, en comptant celui de février, quand j'ai rencontré Catherine.

A Nassau, je trouve le Turc, Ute Jenssen et sept ou huit donzelles nues, enchanteresses et tout et tout. Le Turc m'embrasse (sur la joue), Ute m'embrasse (sur la bouche). On s'embrasse. Le gros câlin.

« Tu arrives à temps, me dit le Turc. Il y a cinq ou six jours qu'on est là, nous autres de Hampstead et on commence à avoir les glandes. Tu vas rire mais tous ces palmiers et ce soleil, ça nous gonfle. On préfère Hampstead et puis, pour avoir Longchamp ou Epsom, dans ce bled, t'as intérêt à t'acheter ton satellite personnel. »

Le Turc flotte comme un cachalot faisant la sieste au milieu de la piscine qu'il a louée pour son séjour – il y a aussi une maison de quarante pièces adjacente à la piscine.

« J'ai vu ce que tu as fait à Landau, dit-il. Méchant. Pour un peu, j'aurais pitié. »

Je dis simplement : « HA ! HA ! » Le Turc éclate de rire. Je lui dis :

« Tu as autant de pitié qu'un caïman.

– Qu'est-ce que tu as contre les caïmans ? Bon, foutez-moi le camp les filles, on va parler sérieusement. On parle, Franzy ?

– Ne m'appelle pas Franzy.

– Ute t'appelle comme ça.

– Tu n'es pas Ute.

– Ça saute aux yeux, concède le Turc. On parle ?

– On parle. Tu as vu Marc Lavater ? »

Le doux regard velouté et noir du Turc se pose sur moi.

« Je l'ai vu. Intelligent, ce type. Futé même. On dirait moi, c'est tout dire. Il m'a tout expliqué, tout ce que je dois savoir, selon lui. Tu veux mon avis ?

– Non.

– Vous êtes sonnés, tous les deux. C'est un plan à rendre fou n'importe qui. Tu n'as pas une chance.

– Tu marches ?

– Je suis là, non ?

– Où est Zarra ?

– Ici même, pas loin d'ici. Des gardes armés partout. Et habillés, eux. Avec de gros yeux méchants.

– Tu lui as parlé ?

– D'abord au téléphone puis je suis allé chez lui, en serrant les fesses. Il accepte de te rencontrer. »

Je contemple l'immense et splendide corps nu d'Ute allongée sur le dos à deux mètres de nous, au bord de la piscine. Petit rire du Turc :

« Si ça te chante ? »

Je secoue la tête. Ute (son visage m'apparaît entre la double bosse de ses seins) m'adresse un clin d'œil : « Ça va, mon pote ? – Ça va, Ute. »

« Franz, dit le Turc. Laisse tomber. Tu es fou. Ce Zarra est déjà dangereux par lui-même. Mais les types derrière lui le sont encore plus. Ne joue pas avec ça. »

A droite, Robert Zarra.

A l'origine, un financier ayant déjà les reins solides. A l'arrivée, l'un des plus grands voleurs de tous les temps. Ils ne sont pas légion à avoir empoché ouvertement deux cents millions de dollars.

Ouvertement et dans l'impunité totale.

Tout commence à Genève en 1958. Un Européen de New York s'installe sur les bords du Léman avec une idée : se faire confier par les G.I.'s américains stationnés en Europe, et donc surpayés pour l'heure, une partie de leur pécule à des fins d'investissements aux Etats-Unis : « Vous serez riches en rentrant au lieu de faire faire fortune aux frauleins. » Ça tient debout et ça marche. En 1966, l'Européen de New York gère déjà six cents millions de francs suisses. Et les fonds continuent d'affluer. Tout va parfaitement aussi longtemps qu'à la bourse de New York la tendance est à la hausse, faisant du même coup monter l'action de la société d'investissements, celle-ci n'étant que la moyenne de toutes les actions américaines détenues, au nom de ses adhérents G.I.'s par la société. Cela va beaucoup moins bien quand la bourse baisse, cela ne va même plus du tout quand les délirants frais généraux dépassent le montant des commissions perçues sur les nouveaux adhérents. L'Européen de New York, que les banquiers suisses ne goûtent guère, ne tarde pas à avoir des ennuis. Il passe la main, « le bébé », dit-on en pareil cas, à quelqu'un d'autre.

Ce quelqu'un d'autre est Robert Zarra.

Au moment où Zarra recueille la succession, la société d'investissements peut encore être sauvée. Zarra y pense peut-être, mais pas longtemps. Il trouve mieux : figurativement parlant, il met dans une valise les quelque deux cents millions de dollars qui restent en caisse et fiche tout bonnement le camp avec. Aux États-Unis, on est désagréablement surpris, on trouve ça pas bien du tout, on condamne par contumace Robert Zarra à vingt ans de prison.

Il s'en fout complètement. Il a une idée pour ce qui est de prendre sa retraite : les Bahamas ou plus exactement Nassau, plus exactement encore Paradise Island, une petite île qui n'en est plus une depuis qu'elle a été reliée à Nassau même par un pont à péage. Paradise Island est plantée de casinos et certains de ces casinos sont bien entendu entre les mains avisées de la Mafia nord-américaine. Zarra le sait (comme tout le monde) et son idée est simple : il injecte une partie de ses deux cents millions de dollars dans l'économie mafiosa, et en revanche, obtient aide et protection contre la grippe, les polices de tout poil, les douanes, les gardes-côtes, les agents du trésor U.S. voire l'Armée du salut, tous à sa recherche et rêvant de le capturer et qui, compte tenu de la faible distance séparant Nassau de la côte de Floride, sont en quelque sorte de l'autre côté de la rue à le regarder dans leurs jumelles courroucées.

A droite donc, Robert Zarra.

A gauche, John Hovius, officiellement de Buenos Aires et ayant la théorique nationalité argentine, et James Donaldson, officiellement et réellement sujet britannique, natif de Glasgow ou des environs.

Sur ma liste, ils portent les numéros Cinq et Six. C'est une erreur, j'aurais dû les classer *ex æquo*.

A leur propos, une chose est sûre : s'agissant de Landau, j'aurais pu à la rigueur concevoir quelques regrets de ce que je lui ai fait. Mais je m'endormirais la conscience en paix à la double nouvelle du suicide d'Hovius et Donaldson.

Ils ont été l'un et l'autre des collaborateurs de première main de mon père. J'ai leur dossier sous les yeux et si je le lis encore, c'est plus par habitude que par besoin, j'en sais par cœur chaque ligne et je pourrais les réciter comme une fable : Hovius a vingt et un ans en 1946 quand il rencontre mon père. Mon père l'a remarqué alors qu'il n'était que réceptionniste dans un hôtel parisien. Hovius parlait déjà huit langues et vous savait sur le bout de la langue les cours de la bourse depuis la fin de la guerre. Mon père le convainc d'abandonner l'industrie hôtelière, l'expédie d'abord en Suisse puis ensuite aux États-Unis, subvenant à ses besoins pendant deux ans avec pour toute condition d'apprendre les affaires et de revenir au terme de cet apprentissage prendre rang d'adjoint direct. Ce qui est fait. Six ans plus tard, en 1951, Hovius se voit confier la responsabilité des intérêts puissants du groupe Cimballi en Amérique latine, il gagne cinq fois ce qu'il eût gagné comme directeur du Georges-V. A la mort de mon père, par un surprenant tour de passe-pase, il n'a semble-t-il jamais rencontré Andrea Cimballi dont il ignore désormais jusqu'au nom... et il est porteur de quarante pour cent des parts de tout le groupe sud-américain.

Quarante pour cent à Hovius, vingt pour cent à la Banque privée Martin Yahl, la troisième part du gâteau d'Amérique latine va à James Donaldson. C'est un avoué de formation, un Écossais. Et il a tellement l'air d'un avoué écossais que cela confine au déguisement. J'ai plusieurs photos de lui : ici en train de serrer la main d'Ugo Banzer, dictateur de Bolivie, là bras dessus, bras dessous avec le général Strœssner, dictateur du Paraguay, ou bien avec son grand ami le général Godoy, démocrate péruvien bien connu. Physiquement, c'est Abraham Lincoln en moins rieur, qui vous inspire le respect et la confiance à défaut de l'hilarité, qui a inspiré confiance à mon père au point que mon père a fait de lui son bras droit et lui a remis une copie de l'acte de trust, afin qu'il pût prouver, en cas de malheur, que le seul véritable propriétaire de Curaçao était Andrea Cimballi. Et le loyal Écossais a brûlé les papiers qui lui étaient confiés, en encaissant sa part, non seulement en acceptant les propositions de Martin Yahl l'incitant à trahir mais les provoquant peut-être et, cette trahison apparemment consentie sans l'ombre d'un remords, il a acquis fortune et puissance au point, dit Lavater, qu'il devrait être tôt ou tard anobli par la Reine. Honni Soit Qui Mal Y Pense.

A gauche donc, Hovius et Donaldson.

Et entre Zarra et eux, moi.

Après avoir lu et relu des nuits entières les rapports des enquêteurs diligentés par Marc, quand j'ai commencé à dégager face à ce dernier l'idée qui m'était venue, il a haussé les épaules : « Ça ne tient pas debout. – OK., trouve autre chose. » Nous nous sommes presque disputés. Mais j'avais alors en moi, plus que jamais, l'ivresse féroce et gaie d'Old Brompton Road, et, plus encore que le besoin d'assouvir ma vengeance et ma haine, autre chose qui était, je le vois maintenant, tout simplement la nécessité de m'affirmer. J'ai demandé à Marc :

« Tu es sûr des informations que nous avons ?

– Je parierais cher là-dessus. Mais de là à faire se combattre un Zarra d'une part, un Hovius et un Donaldson d'autre part ! Ils ne se connaissent même pas, sauf peut-être Donaldson et Zarra qui ont pu se rencontrer.

– Ils se battront, Marc. Je te garantis qu'ils se battront.

– Encore faut-il que les événements politiques dont nous avons besoin se produisent.

– C'est le point d'interrogation qui nous reste, en fin de compte : la date. Mais ça va marcher. »

Et de caresser mon bouddha d'obsidienne.

14

Les jours de septembre qui ont précédé mon départ pour Nassau ont été fiévreux, enthousiasmants et parfois délicieux. Ils ont été fiévreux au moment de la seconde mise aux enchères de la brasserie Landau, de l'achat que j'en ai fait, de la vente que j'en ai conclu avec les brasseurs. Ils ont été enthousiasmants dans la mesure où ces diverses opérations représentaient la conclusion mathématique, venue exactement en son temps, d'un plan imaginé presque un an plus tôt.

Ils ont été délicieux pour cette simple raison appelée Catherine.

Elle est tout de même rentrée de sa croisière en Grèce, de son séjour aux États-Unis, de ses vagabondages et, prévenu du jour de son arrivée à Roissy par les deux chouettes noires peleuses de pommes de terre à Fournac, je suis allé directement l'attendre à l'aéroport, accompagné du seul orchestre caraïbe se trouvant alors à Paris et portant moi-même, aidé de quelques figurants, une pancarte de huit mètres clamant : CATHERINE, JE SUIS LA !

J'ai eu un certain succès, notamment auprès de la famille, que j'ai découverte pour la première fois, en l'occurrence une mère et un beau-père, ce dernier me dévisageant d'un œil particulièrement torve.

« Je trouve, a dit Futur Beau-Papa, ces manifestations puériles, grotesques, injurieuses et pour tout dire déplacées.

– Ça ne fait rien, j'ai dit, vous êtes bien gentil quand même. »

Je lui ai donné sans qu'il puisse résister, par surprise, une accolade filiale. Et au passage j'ai fleuré le parfum de sherry. Je lui souris :

« Et un peu alcoolique, hein ? »

Ça jette un froid. Catherine me fait les gros yeux mais elle a probablement envie de pouffer. Sa mère a exactement les mêmes yeux qu'elle et me dévisage avec une curiosité amusée. Catherine lui a déjà parlé de moi, dit-elle et est-ce que j'habite toujours Hong Kong ?

« Je suis en plein déménagement. Puis-je vous inviter tous trois à déjeuner ? »

Non, futur Beau-Papa ne veut pas, il ne veut pas en entendre parler. Et dîner ? Pas davantage. Ni demain. Ni les jours suivants. Je dis :

« Et dans quinze ans, vous êtes libres ? »

Il va répondre non, je le pressens, mais la mère de Catherine intervient. Pourquoi ne viendrais-je pas moi-même déjeuner chez eux jeudi prochain ? Je découvre alors qu'on habite dans le VIIe arrondissement, qu'on s'appelle Jeffries du nom de Futur Beau-Papa qui a épousé Future Belle-Maman en secondes noces, qu'on a un appartement derrière les Invalides, qu'on a plutôt pas mal d'argent dans la famille, des deux côtés, et même de quelque côté que l'on se tourne. De cela, je me doutais un peu : on ne va pas en vacances aux Bahamas avec des amis de Suzie Kendall si l'on n'a pas soi-même quelque menue monnaie.

Au déjeuner, Futur Beau-Papa me fait encore un peu la gueule, c'est un Anglais un peu porté sur le porto mais au demeurant moins désagréable qu'on aurait pu le penser à première vue. Il a même du tact et lorsque Catherine, sous prétexte d'un coup de peigne à se donner avant de me raccompagner, disparaît dans les profondeurs du douze-pièces, il s'esquive de même avec adresse.

« Puis-je vous appeler Franz ? »

Entre Catherine et sa mère, la ressemblance ne s'arrête pas aux yeux. Il ne faudrait que peu de chose pour que ce fût la même femme à vingt ans de distance.

« Franz, je vous l'ai dit, Catherine nous a parlé de vous. Elle est encore jeune.

– Je sais.

– Et vous aussi.

– Je sais.

– Elle nous a dit que vous couriez après quelque chose. Est-ce de l'argent ? »

Bon, j'avais le papier sur moi et tout à fait par hasard. Mais c'est précisément ce jour-là que j'ai ordonné le virement de mon argent, de la banque suisse à une autre banque, celle-là établie à Nassau. Je sors le papier de ma poche et je le tends à Mme Jeffries anciennement Varles. « Quatre millions cent mille dollars. »

« Je ne cours pas après l'argent, madame. »

Elle considère le papier et n'en croit pas ses yeux.

« Vous avez hérité de cet argent ?

– Non.

– Vous l'avez gagné ? Il est bien à vous ?

– Il est à moi et j'en ai gagné chaque centime. Et personne au monde n'a de raison de vouloir m'envoyer en prison. »

Un silence.

« Mon Dieu ! » dit-elle enfin. Elle se lève et marche devant moi, m'obligeant par une douce pression de sa main sur mon épaule, à demeurer assis alors que je m'apprêtais à me lever à mon tour. Elle va quelques instants se poster devant l'une des fenêtres donnant sur l'avenue de Ségur, et moi je la regarde surpris. Mais elle revient s'asseoir.

« Vous... C'est que vous êtes encore si jeune, malgré tout cet argent. Est-ce que je peux vous aider de quelque façon ? »

La forme même de sa question me trouble, je ne suis pas sûr de comprendre.

« Catherine a raison, dit-elle. Vous courez bien après quelque chose, et qui n'est pas aisé à atteindre. Soyez prudent, je vous prie. »

Je la regarde un peu interloqué. Catherine entre là-dessus et nous partons ensemble. Nous ne nous quitterons pratiquement pas les jours suivants, et elle m'accompagnera, sans banderole, jusqu'à mon avion pour Nassau.

Je quitte Nassau vers dix heures, je paie les deux dollars de péage et j'aborde Paradise Island.

Le Turc n'a pas exagéré : Robert Zarra est bel et bien au centre d'un extraordinaire réseau de défense. Sur le chemin me conduisant à lui, franchie l'enceinte extérieure, on m'interceptera deux fois encore, à chaque fois me fouillant et s'assurant de mon identité. Qui diable craint-il ? Une division de Marines ?

C'est un homme d'aspect agréable, courtois, qui me dévisage avec une certaine curiosité.

« Le Turc m'a dit beaucoup de bien de vous.

– Et encore il ne sait pas tout. »

Il hésite, légèrement déconcerté par mon humour, ou ce qui en tient lieu.

« C'est votre vrai nom, Cimballi ?

– Aucun doute à ce sujet.

– Italien ?
– Français.
– Mais d'origine italienne. »

Si ça doit lui faire plaisir... Je réponds : « Tout juste. Mon père, la famille de mon père était de Florence. » Je regarde autour de moi. Ils sont quatre gardes armés – énormes pistolets dans des holsters de poitrine et talkie-walkies – rien qu'aux abords immédiats de la piscine. J'en ai vu au moins six autres dans le jardin, sans parler des hommes apostés à l'entrée, et ils doivent être au moins deux au premier étage de la maison, munis de fusils à lunette.

« Vous n'avez rien à craindre, me dit Zarra en souriant.

– C'est pour eux que je crains. Imaginez que je m'énerve. C'est un peu tôt pour un daïkiri, dis-je, mais je prendrais bien un jus d'orange. »

On m'apporte un verre, de la glace, du jus d'orange pressée dans une énorme thermos d'argent massif.

« Je vous écoute », dit Zarra.

Il va me laisser parler pendant dix bonnes minutes sans jamais m'interrompre, ne posant aucune question, ne manifestant aucun intérêt particulier mais ne me quittant pratiquement pas des yeux, même pas pour allumer un cigare. Quelque chose m'intrigue alors dans la façon dont ses mains se meuvent, jusqu'au moment où je réalise qu'il accomplit chacun de ses gestes sans jamais regarder ses doigts, lesquels agissent en quelque sorte indépendamment de lui.

Je me tais. Silence. Il tire sur son cigare, en contemple la fumée, me demande enfin :

« Et qui dirige cette société à qui vous voulez tant de mal ?

– John Hovius et James Donaldson.

– Je connais un peu Donaldson.

– Je sais. Nous avons vérifié ; vous l'avez rencontré il y a trois ans à Londres. Nous avons vérifié pour le cas où il y aurait eu entre vous des intérêts communs, avec lui ou avec Hovius. Ce n'est pas le cas. Et si vous avez un intérêt à les prévenir de ce que je prépare contre eux, il m'échappe totalement. »

Il sourit :

« Vous êtes bien renseigné.

– Je ne suis pas venu les mains vides. »

Du coin de l'œil, j'aperçois soudain les gardes qui se dressent aux aguets, leur main enserrant déjà la crosse de leurs armes, le regard en alerte. Quelques secondes passent où je m'attends presque à un carnage. Mais rien n'arrive, les sentinelles se replacent et se rencognent dans leur immobilité première, comme des chiens dressés reprenant l'affût.

« Bien entendu, dit Zarra qui n'a même pas tourné la tête, je ne peux pas vous répondre d'emblée. Il me faut réfléchir, parler à des amis. Combien de temps serez-vous ici ?

– Le temps nécessaire. Je suis au Britannia Beach Hotel.

– Donnez-moi trois jours. Je vous ferai contacter. »

J'acquiesce. Les gardes m'escortent et je repasse d'une ligne de défense à l'autre, tel un parlementaire venu porter une sommation.

Je me demande si ça en vaut tellement la peine, de voler deux cents millions de dollars.

L'archipel des Bahamas comporte quelques centaines d'îles et d'îlots. Le groupe de Bimini qui en fait partie est le plus proche de la côte américaine de Floride, qui n'est distante que de quatre-vingts kilomètres. Le découvreur espagnol de la Floride, Ponce de Leon, y situait la légendaire Fontaine de Jouvence. Plus réellement, c'est le paradis du pêcheur au tout-gros, en raison de la tiédeur des eaux du Gulf Stream qui y passe. Hemingway y a vidé quelques bouteilles, et rêvé *Le Vieil Homme et la Mer*.

« Vous avez déjà pêché l'espadon ?

– Je n'ai seulement jamais pêché une sardine. »

– Je suis assis à l'arrière d'un yacht, dans une espèce de fauteuil de dentiste et Robert Zarra est assis à mes côtés, dans un fauteuil semblable. On nous a munis de cannes ou quelque chose dans ce genre, bref de quoi pêcher.

« Vous avez une chance de prendre un espadon, dit Zarra. Qui sait ? Ou un simple barracuda, ou un white marlin, un sail, un wahoo, un kingfish, un thon, voire le giant bluefish tuena.

– Ne me récitez pas la carte, je me contenterai du menu. Et je veux surtout prendre un Écossais nommé Donaldson ainsi qu'un Argentin du nom d'Hovius.

– Affaire personnelle ?

– Comme vous dites. »

Zarra alluma un cigare, reposant sa canne d'un air d'ennui.

« J'ai votre réponse, dit-il. Elle est positive, on a décidé d'accepter votre proposition. A condition toutefois que votre participation financière soit doublée.

– Je n'ai pas autant d'argent.

– C'est votre problème.

– Où voulez-vous que je prenne deux millions de dollars ? »

Il me tend des gants :

« Mettez-les, cela vaut mieux, au moins la main gauche. »

Discuter affaire avec lui revient à tenter de convaincre un tapis-brosse de devenir un ordinateur. J'enfile les gants et c'est à ce moment-là que le cri éclate. Je n'ai même pas à me retourner pour découvrir ce qui se passe : les deux vedettes lancées sur nous à une vitesse incroyable ont surgi de leur cachette quelque part dans le chapelet d'îlots de Cat Cay. Leurs étraves fendent l'eau violette et s'empanachent formidablement, elles sont à environ un demi-mille nautique, neuf cents mètres de nous. A bord du yacht où je suis, cette double apparition a suscité sinon de l'affolement, du moins une agitation presque fébrile. Je n'ai même pas le temps de m'exclamer bêtement : « Qu'est-ce qui se passe ? » ou toute autre remarque humoristique en diable : on me détache du fauteuil de dentiste, on me prend en poids, on me transporte dans un salon tout en cuir fauve et marqueterie, et Robert Zarra a subi le même sort que moi, avec flegme. Il a aspiré la première bouffée de son cigare sur le pont installé dans son fauteuil et voilà qu'il tire maintenant la deuxième sur le canapé. Et des coups sourds retentissent, scaphandriers donnant un bal sur le pont au-dessus de nos têtes. Les moteurs de notre yacht se sont mis à tourner à plein régime et pour autant que je puisse m'en rendre compte, nous sommes en train de foutre le camp à une allure météorique.

« Amusant, hein ? me dit Zarra.

– Je me régale. On nous tire vraiment dessus ?

– J'en ai peur. Champagne ? »

Un serveur noir débouche du dom-pérignon.

« C'est la police américaine, explique Zarra. Ou les gardes-côtes, ou le F.B.I., ou la C.I.A., les Texas Rangers, la Horde Sauvage ou les Adventistes du Septième Jour, allez donc savoir. Ça arrive une fois sur deux. Mais les distractions sont si rares. »

Il boit son champagne.

« Où en étions-nous, Cimballi ? Oui, nous acceptons votre participation de deux millions de dollars. Dont un payable d'avance. Je résume, votre théorie est la suivante : une société à qui vous voulez du mal a de puissants intérêts dans un pays d'Amérique latine ; elle y est liée aux gouvernants actuels et grâce à cette alliance a réussi à prendre le pas sur diverses sociétés américaines concurrentes. Cela, ce sont les faits. Venons-en à votre hypothèse : vous estimez que tôt ou tard, ce gouvernement actuellement en place sera renversé, que d'ores et déjà aux États-Unis bien des gens s'y emploient, tant dans certains milieux officiels que dans d'autres sphères, à qui je serais lié. Exact ?

– Exact.

– Parfait. Vous souhaiteriez donc qu'à la faveur de ce renversement, s'il a lieu, non seulement le groupe à qui vous voulez du mal soit évincé de ce pays d'Amérique latine que je n'ai pas cité, mais encore que cette éviction s'accompagne de pertes financières aussi étendues que possible. Exact ?

– Exact.

– Vous souhaiteriez par exemple que si ces gens de divers milieux américains dont nous parlions décidaient d'employer, notamment, une grève des camionneurs pour mettre en déroute l'économie du pays visé, que cette grève affecte tout particulièrement le groupe à qui vous voulez du mal. Exact ? »

Le silence est revenu sur la mer. Le yacht ralentit et prend une allure de croisière.

« Exact.

– Et à cette seule fin, vous êtes prêt à contribuer pour deux millions de dollars à cette croisade, disons anticommuniste ? »

Jamais mon idée ne m'a paru plus folle qu'à ce moment-là. Mais je dis :

« Si j'arrive à trouver un autre million de dollars... »

Robert Zarra sourit.

« Vous le trouverez, j'en suis sûr. Vous venez de vous associer avec des gens qui ont le plus grand respect des engagements pris, surtout des engagements que l'on a pris avec eux. Cela dit, et puisque nous sommes d'accord, un dernier mot : bien entendu, nous ne pouvons garantir la date de l'opération.

– J'attendrai le temps qu'il faudra. »

Il m'examine avec curiosité.

« Vous connaissez Santiago du Chili ? »

Je secoue la tête :

« Non. »

*

* *

Mon premier soin à mon arrivée à Nassau a été de me rendre à cette banque où ont été virés les cent millions de dollars de M. Hak, et les quarante-deux autres millions représentant le bénéfice dans la spéculation sur l'or. Comme M. Hak lui-même l'a voulu, j'ai donné ordre que les cent millions soient immédiatement transférés à une certaine banque des Philippines, ce qui a été fait. Mais les quarante-deux millions sont encore là et je n'ai, pour l'instant, pas la moindre idée de ce que je dois en faire.

Les consignes de M. Hak étaient précises : je devais dans les plus brefs délais ramener les cent millions initiaux aux Philippines où, probablement, il envisageait de les récupérer afin de les remettre tout bonnement à leur place. De ce point de vue, je ne saurai jamais plus rien et les cent millions sont peut-être encore, à ce jour, sur ce compte de Manille où je les ai fait virer. Dans un premier temps, M. Hak avait souhaité que je me rende, avec ce qu'il appelait les Bénéfices, dans un quelconque pays d'Amérique du Sud. Lui pensait à l'Argentine ; c'est moi qui ai insisté pour que le rendez-vous ait lieu à Nassau. Il m'a donc dit : « Allez à Nassau, descendez au Britannia Beach Hotel et attendez. On vous contactera. » Qui ça « on » ? Je suis maintenant à Nassau depuis plus d'une semaine et rien ne s'est passé.

Sinon les jours, qui s'écoulent lentement. Le 3 octobre, je reçois bien un coup de téléphone mais il est de Marc Lavater :

« Bon sang, Marc, il est quatre heures du matin !

– Désolé. Je venais simplement aux nouvelles.

– J'ai rencontré ce type et ils sont d'accord. »

Silence.

« Eh bien, c'est parti, dit enfin Lavater. Et ça se passera quand ?

– Ils ne savent pas.

– Je serai à New York et j'y verrai des gens intéressants. Ça ne te dirait rien de faire un saut à Manhattan ?

– Peut-être.

– Je serai au Saint Régis à partir du 8, pour au moins trois jours. Essaie de venir. »

Encore faudrait-il pour cela que « on » m'ait contacté ! Je ne peux tout de même pas passer des mois ou des années à attendre un émissaire de M. Hak qui, aussi bien, ne viendra pas. Je me souviens de ce cadavre que quelqu'un a donné à manger aux requins. Et si toute communication était définitivement rompue entre M. Hak – ou ses successeurs, ceux à qui il destinait les Bénéfices – et moi ? Et si même, en supposant qu'on les ait exécutés, on décidait de s'en prendre à moi ? Une sueur froide dégouline soudain le long de mon dos.

« Franz ?

– Je réfléchissais. D'accord, je serai là le 10 au soir.

– On dînera ensemble. Je t'attendrai. »

Et quatre jours passent encore, tandis que ma tension monte. Je suis à présent bien décidé à quitter Nassau, qu'on me contacte ou pas. J'ai pensé à flécher ma piste à l'intention de la banque qui saurait ainsi toujours où me trouver mais outre que cela supposerait un complexe système de communication entre ladite banque et le Britannia Beach, lieu du rendez-vous, cela mettrait quasiment fin à l'espèce de semi-clandestinité où je vis depuis deux ans. Je ne sais pas quoi faire.

Il y a longtemps que le Turc, Ute et leur escorte de bayadères nues ont quitté les Bahamas pour regagner Londres. Le 8, le Turc m'appelle pour, dit-il avoir de mes nouvelles. Je lui affirme que je suis en pleine forme, déclaration pour le moins optimiste : tout se mélange dans ma tête, de Catherine qui décline avec insouciance toutes mes invitations, à l'espèce d'angoisse que fait monter en moi cette attente, en passant par ma totale solitude et l'irritation que je ressens vis-à-vis de moi-même pour m'être embarqué dans cette folle aventure avec Zarra, ses amis de la Mafia et Dieu sait qui encore.

Le 9, je retiens ma place d'avion pour New York. C'est décidé : je pars. J'ai laissé des instructions à la fois à la banque où sont les quarante-deux et plus millions de dollars, et au Britannia Beach Hotel. Ils devront accepter tous les appels faits à mon nom, et je les rappellerai moi-même tous les jours à huit heures du soir, d'où que je sois. Pratique en diable mais le moyen de faire autrement ?

Deux Américaines en attente de mari, me voyant tristement solitaire, entreprennent mon siège ; je leur oppose une résistance acharnée et nous sommes, la nuit du 9, en train de dîner tous les trois quand on vient me prévenir qu'un certain docteur fou me demande.

« Qui ça ?

– Le docteur Fou. »

On serait intrigué à moins.

« Je prends l'appel dans ma chambre. »

En haut, porte refermée, immédiatement après les manipulations ordinaires du standard, un hurlement à glacer le sang éclate dans le récepteur que je viens tout juste de décrocher. Ensuite, des appels au secours, puis le crépitement d'une arme automatique tirant en rafale et enfin le râle d'un agonisant.

Et une voix ricanante :

« Ici le Diabolique Docteur Fu Manchu et son ignoble complice et cousin. Comment va Flantz honolable et bien-aimé ami ? »

Je ferme les yeux d'exaspération. Je les aurais eus sous la main, je les étranglais illico.

« Bande de salopards, vous ne pouviez pas appeler plus tôt ?

– Nous sommes à San Francisco et nous cherchions un appartement. Il paraît que tu as un peu d'argent pour nous. »

Le 10, je suis à New York, en face de Marc Lavater.

« Tu as bronzé.

– Je n'avais que ça à faire. »

Nous nous sommes réfugiés dans un petit restaurant italien où les pizzas sont absolument dégueulasses. « Il y a quinze ans, c'était terrible, dit Marc pour s'excuser. Tu devrais venir plus souvent à New York.

– Et ces gens intéressants que tu as vus ?

– Motus et bouche cousue. C'est ultra-confidentiel, top secret. Il n'y a que *Time Magazine, le Washington Post* et deux ou trois cents journalistes qui sont au courant, en dehors du directeur de la C.I.A., c'est te dire si c'est secret. Ils donnent un an à vivre à Allende, au grand maximum. Et ils utiliseront la grève des camionneurs comme on me l'avait annoncé. Ton idée de fou est en train de prendre forme.

– Qui ça « ils » ?

– Lis donc les journaux : C.I.A., I.T.T., la Mafia tout le monde, un vrai raout. J'en pase et des meilleures.

– Arrête de faire le pitre, Marc.

– Je n'ai pas envie de faire le pitre, je n'en ai aucune envie. J'ai plutôt envie de vomir, mais ce n'est peut-être pas la pizza. J'ai envie de vomir parce que ce qui va paraît-il se passer au Chili me donne envie de vomir, voilà pourquoi. Si on allait bouffer ailleurs ?

– Je me suis engagé avec Zarra et il n'est plus question de reculer. Pas avec ces types.

– Pourquoi te retirerais-tu ? En admettant effectivement que tu le puisses ? Il n'y a pas de raison. Tu utilises une situation, tu ne la crées pas. Sans toi, ça se passerait exactement de la même façon. Viens, foutons le camp d'ici, j'ai vraiment la nausée. »

Son « sacrément bon petit restaurant italien » se trouvait pas très loin du Statler Hilton. Nous traversons le hall de ce dernier, ressortant devant Madison Square où un policier à cheval contrôle la sortie des spectateurs d'un match de je ne sais trop quoi. Nous partons à pied, Marc et moi, en direction de Times Square, sur des trottoirs qui se vident dangereusement. Marc me demande soudain, me prenant par surprise :

« Pourquoi ne l'épouses-tu pas ? »

Je dois avoir l'air ahuri :

« Qui ?

– Catherine Varles.

– J'ignorais que tu la connaissais.

– Je vous ai vus ensemble chez Régine. Et il se trouve que je connais sa mère. »

Les rues de Manhattan sont maintenant toutes vides, sauf quelques groupes isolés de hippies et de Noirs. Sentiment d'insécurité. Nous aurions dû prendre un taxi.

« Marc, je ne l'épouse pas tout simplement parce qu'elle ne veut pas. Pas pour l'instant, dit-elle. Elle dit que nous nous marierons quand j'aurai fini de courir après... ce après quoi je cours. »

Nous avons atteint Times Square où l'animation est très relative et, sans nous concerter, comme si nous jouions l'un l'autre à qui cédera le premier, nous poursuivons jusqu'au Saint Regis. Etrange ville où aller à pied dans les rues après huit heures du soir devient une aventure.

Le lendemain, je prends l'avion de San Francisco.

A l'aéroport de San Francisco, il y a un policier d'environ deux mètres cinquante de haut et juste à côté de lui, deux espèces de petits boudins gris, monstrueusement ballonnés dans des tuniques à la Mao, portant des coiffes coniques rouge écrevisse et des nattes longues à traîner par terre. Les deux boudins qu'on dirait gonflés à l'hélium se précipitent à mes genoux, qu'ils embrassent, ils se prosternent, baisent mes pieds et mes mains, poussant des cris suraigus, avec une dévotion fébrile qui confine au délire. Ils ont l'air d'espions de Pékin et portent d'épaisses lunettes noires. Le policier de deux mètres cinquante de haut me regarde d'un drôle d'œil :

« Des amis à vous ?

– Je les ai élevés. C'est moi qui leur ai donné leur premier sucre. Ici, au pied ! »

Nous sortons tous les trois, les boudins et moi, et nous montons dans une Rolls Royce Silver Shadow. Je demande :

« C'était vraiment nécessaire, ce cirque ?

– Misélables Li et Liu saluent affectueusement honolable Flantz et lui souhaitent la bienvenue à San Flancisco, dit Li (ou Liu).

– On aurait bien voulu voir la bobine que tu faisais à Nassau, l'autre jour, quand on t'a appelé », ajoute Liu (ou Li).

Ils ont une jolie maison de bois, construite au lendemain du tremblement de terre du début du siècle, sur les hauteurs de Telegraph Hill. Deux ateliers de peintre les avoisinent ; juste après eux, c'est un sculpteur dont la spécialité est de faire uniquement des auriculaires de la main gauche, il a commencé par un auriculaire de taille normale, le sien, qu'il a vendu cent dollars à un Texan (pas son vrai doigt, le moulage) ; il a vendu le suivant cinq mille dollars et il est vrai que le suivant mesurait déjà trois mètres, et il en prépare un de neuf mètres à propos duquel plusieurs musées d'art moderne s'entrebattent, la dernière offre étant de cent mille dollars. Un peu avant la maison de Li et Liu, vit une femme écrivain entourée de chiens ; en face habitent trois acteurs et surtout un corps de ballet qui est en train de répéter au moment de notre arrivée. Li et Liu me présentent à tout le monde et me font entrer dans leur maison. Elle comporte trois étages et est somptueusement meublée ; au troisième et dernier étage une immense baie vitrée découpe le panorama de San Francisco Bay, de Golden Gate à Bay Bridge, la vue portant jusqu'à Sausalito.

« Et de l'autre côté, on peut voir Chinatown.

– Superbe. Loué ou acheté ?

– D'abord loué, puis acheté il y a trois jours, quand nous avons reçu l'argent. »

Je regarde Golden Gate et le temps de quelques secondes, la brume tout à l'heure absente monte rapidement à l'assaut de ses structures. Je me retourne : Li et Liu se sont débarrassés de leurs tuniques assorties à la Rolls et des multiples coussins dont ils s'étaient arrondis ; ils sont à nouveau sveltes et vifs et me sourient.

« Je suis content de vous revoir, espèces de clowns. Je vous croyais morts.

– On est contents, aussi.

– Pourquoi ne pas m'avoir dit plus tôt que cet argent était pour vous ? Il était bien pour vous ?

– Il est pour nous. »

Ce sera l'une des très rares fois où je les verrai graves. Ils m'expliquent ce que j'avais plus ou moins deviné : Hak est – ou était, ils ignorent son sort –leur oncle et ils avaient tous trois convenu de quitter Hong Kong, Li et Liu pensant simplement à aller faire du cinéma autrement qu'à grand renfort d'hémoglobine et de préférence aux États-Unis. Li et Liu, avisant M. Hak de leur départ éventuel, s'étaient à leur grande surprise entendu répondre que M. Hak, lui aussi, souhaitait quitter la Colonie. Oncle Hak leur avait même paru mystérieux et leur avait fait mille et une recommandations, dont ils n'avaient pas compris le sens, simplement que l'affaire était sérieuse. Certes, ils s'étaient doutés que quelque chose n'était pas normal mais sans savoir de quoi il s'agissait. Oncle Hak leur avait demandé de ne pas gagner la Californie directement, de passer au contraire par l'Europe, par exemple Paris ou Londres, pour le cas où quelqu'un aurait suivi leur trace. « Nous n'avons rien compris mais Oncle Hak n'aimait pas qu'on discute. » Ils avaient scrupuleusement obéi, avaient même pris un plaisir extrême à cette obéissance, jouant les espions traqués à travers la moitié du globe avec un bel enthousiasme. Ils avaient débarqué à New York et là, avaient trouvé un message, leur demandant de ne pas se rendre pour l'instant à Los Angeles, leur destination finale, mais plutôt à San Francisco, où Oncle Hak devait les rejoindre.

« Mais il n'est pas venu. »

Je leur raconte ma visite à la maison déserte, dans les Nouveaux Territoires, sans toutefois leur parler de ce repas partagé par les requins. Li et Liu sont bien moins fous qu'ils n'en ont l'air. « Et Ching aussi a disparu ? – Aucune trace. –Alors, c'est grave. » Sur leur demande, je leur explique toute l'affaire de la spéculation sur l'or.

« Ça veut dire quoi, la convertibilité ? »

Ils me regardent avec des yeux ronds ce qui, pour des Chinois, n'est pas si simple : ainsi Oncle Hak aurait « emprunté » cent millions de dollars, s'en serait servi pour spéculer, avec l'intention de restituer les cent millions en fin d'opération ?

« Donc, il n'a rien volé, puisqu'il voulait rendre l'argent, ou puisqu'il l'a rendu.

– Ce qu'il a fait n'est pas précisément légal. Et j'ignore si l'argent a été restitué ou non.

– Et même toi, tu ne pourrais pas récupérer cet argent, ces cent millions qui sont aux Philippines ?

– Je les ai versés à un compte qui n'est pas le mien, je n'ai plus aucun droit dessus. Et je ne veux surtout pas en avoir. Cet argent brûle. »

Ils en conviennent. Ils hésitent.

« Tu crois que nous pouvons aller à Los Angeles, maintenant ? »

Comment le saurais-je ? Je n'ai pas la moindre idée de ce qui est arrivé à Hak, des raisons qui ont amené quelqu'un à expédier Li et Liu en Californie du Nord plutôt que dans celle du Sud.

« On va rester ici quelque temps, disent Li et Liu. On nous a parlé de quelqu'un qui pense à un grand film de science-fiction, quelque chose comme une bataille dans les étoiles, et ce quelqu'un habite dans la région. Nous pourrions peut-être travailler avec lui. »

Ils pourraient, avec quarante-deux et quelque millions de dollars, non seulement vivre sans travailler mais encore produire leurs propres films. De cela, apparemment, ils ne sont pas encore conscients, ou alors ils pensent que cet argent est plus à l'Oncle Hak qu'à eux-mêmes. C'est leur problème. Le mien de problème n'est pas là. Quand Li et Liu m'ont appris au téléphone qu'ils nous attendaient, moi et leurs quarante-deux et quelque millions de dollars, précisément à San Francisco, je n'ai pu que m'étonner et ils se sont étonnés de mon étonnement. Je leur ai répondu par un lieu commun, d'ailleurs pas éloigné de la vérité, j'ai dit que j'aimais San Francisco entre toutes les villes américaines, New York excepté.

Mais la vraie raison est que Sidney H. Lamm, numéro six de ma liste, se trouve ici. Par la baie vitrée du troisième étage de la maison de mes amis, en fait, j'ai découvert que Lamm était maintenant à portée de fusil.

Au propre et au figuré !

15

Il a ses bureaux dans California, non loin du Transamerica Building, et il habite un très bel appartement avec terrasse panoramique donnant sur l'amusante Lombard Street, une rue de brique rouge qui fait de son mieux, en serpentant comme un crotale ivre mort, pour dévaler une pente à quarante pour cent.

Je l'ai déjà rencontré, mais le risque qu'il me reconnaisse est à ce point infime qu'il est négligeable : j'avais huit ans et c'était le 27 août 1956. Il est venu à Saint-Tropez afin d'y voir mon père et il l'a vu, lui a longuement parlé, la veille même de sa mort. Dans ma mémoire, cette visite est restée gravée en raison d'une scène qui m'a particulièrement frappé. J'ai déjà dit que *La Capilla*, la maison que mon père possédait à Saint-Tropez, la maison où je suis né et où il est mort, a la forme d'un U ouvert sur la plage de Pampelonne. Le bureau de mon père se trouvait à l'extrémité de la branche gauche du U, quand on regarde la mer. Lamm était dans ce bureau avec mon père, ce 27 août, en début d'après-midi et moi j'étais dans le jardin, revenant de la piscine ou de la plage, en avance de plusieurs dizaines de mètres sur ma mère elle-même parlant avec une amie. A ce moment, le ton dans le bureau est monté et mon père s'est mis à crier, ce qui ne lui arrivait à peu près jamais. Les mots sont encore dans ma mémoire : « Je n'appelle pas ça une négligence ! j'appelle ça du vol ! Et je m'occuperai de vous à la première occasion ! »

Mon père est mort le lendemain et il ne s'est pas « occupé » de Sidney Lamm. J'ai demandé aux enquêteurs recrutés par Marc Lavater de découvrir ce qui, dans le passé de Lamm voici quinze ans, avait justifié les accusations de mon père. Ils n'ont rien trouvé, rien de notable, probablement parce que toute trace a été effacée par Lamm lui-même, avec le plein accord des exécuteurs testamentaires qu'étaient Yahl et mon crétin d'oncle. Et ceux-ci ont accepté de blanchir Lamm, l'ont même payé en échange de son silence. A la limite, c'était même une façon de s'assurer qu'il ne parlerait jamais et n'irait jamais évoquer Andrea Cimballi.

A la limite aussi, peu m'importe. Je suis convaincu que Lamm a trahi mon père et plutôt deux fois qu'une, dans la mesure où il a même tenté de le voler de son vivant. Le reste est sans importance, je ne suis pas un juge qui a besoin de preuves.

Pour attaquer et si possible détruire Sidney Harrisson Lamm j'avais conçu un plan qui tenait évidemment compte des informations recueillies sur lui par l'équipe de Lavater. Il ne m'avait pas fallu faire preuve d'une imagination délirante : l'homme est un bluffeur, un joueur, capable de prendre les risques les plus insensés. Il a cette naïveté suprême des flambeurs et des faisans, convaincus que la chance leur doit quelque chose, qu'elle se manifestera tôt ou tard, jamais assez et tellement préoccupés d'entourlouper leur victime qu'ils n'imaginent pas pouvoir être eux-mêmes cette victime.

J'avais donc conçu un plan, je pensais le mettre en œuvre plus tard. La façon dont mes projets concernant Hovius et Donaldson se développent, le retard qu'ils semblent devoir prendre, la présence enfin à San Francisco de Li et Liu, cette fortune dont ils disposent et l'amitié qu'ils me portent, leur goût du spectacle, tout cela m'entraîne à modifier ma stratégie initiale. Une exécution rapide, mathématique en quelque sorte, à l'image de celle de Landau, était prévue.

De par l'intervention de mes deux zozos aux yeux bridés, elle revêtira presque les allures d'une comédie.

Il me faut un peu plus de six semaines pour tout mettre en place.

Et c'est à peu près au terme de ce laps de temps, au début de décembre, que le téléphone sonne en effet dans les superbes bureaux que j'ai loués dans l'un des gratte-ciel d'Embarcadero Center. Li et Liu m'ont fait une tête à aller avec le bureau (qu'ils ont décoré eux-mêmes et c'est à défaillir) : ils m'ont fait faire quelques costumes sur mesure, ayant choisi le tissu et ce tissu-là vaut le voyage, et m'ont affublé d'une cravate à hurler et d'un gros diamant à l'index de la main gauche. Je ressemble à un marchand de tapis reconverti dans le prêt-à-porter. Le téléphone sonne donc, ma secrétaire décroche et après le délayage habituel, mon interlocuteur me précise son identité :

« Mon nom ne vous dira évidemment rien : je m'appelle Sidney Harrisson Lamm.

– En effet, je suis tout à fait désolé.

– Monsieur Joseph Benharoun... Vous êtes français ?

– C'est ça. »

Je fais de mon mieux pour laisser percer ce que je crois être un fort accent pied-noir.

« Vous n'avez absolument aucun accent, me dit la voix de Lamm. Je crois, monsieur Benharoun, que nous aurions intérêt à nous rencontrer. Je m'occupe d'affaires immobilières, je m'en occupe en dilettante, d'assez loin, tout de même... »

Je réponds que si mon emploi du temps le permet, je serais heureux de faire sa connaissance, que ça me ferait un plaisir fou et que c'est carrément de l'extase que j'éprouve en apprenant qu'il a ses bureaux – quelle extraordinaire coïncidence ! – à deux pas des miens. « Je pourrais faire un saut », dit-il. Il saute et nous voilà face à face.

Malgré les quinze années écoulées, je l'aurais peut-être reconnu. Peut-être. Il est très bel homme, il est mince et élégant, bronzé, parfaitement habillé, avec quinze centimètres de plus que moi et ne manque pas de charme. Mais je sais que c'est un faisan et je l'aurais, j'en suis sûr, identifié en tant que tel sans même le connaître, à quelque chose dans ses yeux.

« Si jeune et déjà dans les affaires, dit-il. Je suis impressionné. »

Je prends un air faussement modeste, grave, sûr de moi. Je me lance dans un grand discours sur ce que je veux faire, sur ma conception de la vie, je donne de nombreux exemples de ma rouerie infernale, de ma subtilité diabolique, de ma phénoménale puissance de travail ; j'appelle par trois fois ma pauvre secrétaire pour lui assener des ordres inutiles. Bref, je fais vraiment tout mon possible pour lui donner l'impression que je ne suis en réalité qu'un jeune imbécile prétentieux, naïf et surtout bon à prendre, qui ne vaut que par l'argent que lui a laissé son « tonton », lequel a fait fortune sur le dos des « bicots », en Algérie.

Il m'a écouté avec une complaisante et bienveillante patience, au plus avec une fugitive lueur d'ironie dans la prunelle quand son regard tombe sur ma bague. Il a réussi à paraître impressionné par ce qu'il appelle mon punch. Et le voilà qui, pour n'être pas en reste, entonne un couplet sur « Amérique, Terre de la Libre Entreprise », quoique du coin de l'œil il me surveille, se demandant à l'évidence si je suis aussi bête que j'en ai l'air. Il en vient enfin à l'objet de sa visite :

« Mon cher Joe, je peux bien vous appeler Joe, n'est-ce pas ? Mon cher Joe, il se trouve que j'ai, pas plus tard qu'avant-hier, fait un tour sur la route de Tamalpais Mount. C'est un endroit que j'ai toujours beaucoup aimé. »

Je le fixe sans broncher, l'air professionnel.

Il faut savoir que la ville de San Francisco est bâtie sur une presqu'île, pointant à peu près au nord. Face à elle une autre presqu'île, la Marin Peninsula, les deux langues de terre n'étant séparées que par un kilomètre et demi et la Golden Gate. Le mont Tamalpais se trouve sur Marin Peninsula, au-delà de Sausalito qui est la première agglomération que l'on trouve quand, venant de San Francisco, on franchit la Golden Gate.

« Savez-vous Joe, dit Lamm, je considère un peu Sausalito et toute la région jusqu'au mont Tamalpais comme le pays de mon enfance. J'y suis attaché pour des raisons sentimentales. Quand j'étais enfant, mon pauvre père avait une grande maison au pied des séquoias, et j'allais jouer dans le sable blanc de Stinson Beach. Ou bien nous nous rendions sur les pentes du Tamalpais pour contempler le Pacifique et la Sierra Nevada. »

J'acquiesce gravement. Bien entendu, j'ai parfaitement en tête tous les éléments du dossier Lamm. Son vrai nom est Sygmunt Lammerski, il est né à

Chicago et, au sortir de la maison de redressement où il a passé sa jeunesse, il a successivement vendu des aspirateurs, des polices d'assurances, sa virilité à des dames mûres avant que de prospérer dans l'immobilier et d'y tricher, puisque mon père l'a pris la main dans le sac. Et la base de sa fortune présente est faite des deux cent cinquante mille dollars que Martin Yahl sans doute lui a remis à l'automne 1956.

Mais je continue à jouer les imbéciles. Lamm :

« Et c'est donc ainsi qu'avant-hier, au hasard de l'un de ces pèlerinages sur les lieux de mon enfance, j'ai appris par les Lopez, de vieux amis, ce qui s'était passé. »

Il se frappe le front.

« Je n'en ai pas cru mes oreilles ! Je ne pouvais simplement pas le croire ! J'ai appelé Art Becknall, l'avoué qui gère les affaires de la famille Elbert et j'ai bien dû me rendre à l'évidence : c'était vrai !

– Qu'est-ce qui était vrai ? »

Lamm lève les mains au ciel :

« Nom de Dieu ! il y a des mois que je suis acheteur de ce terrain ! que dis-je des mois, des années ! Et voilà que vous débarquez à San Francisco où vous ne connaissez personne et, que, à la première offre que vous faites, on vous accorde ce que l'on m'a toujours refusé ! Avouez qu'il y a de quoi rager ! »

Je prends un air digne et froid :

« C'est sans doute que j'ai offert plus que vous. »

Il me dévisage, se lève, va marcher, joue la colère rentrée, tumultueuse, qu'on ne maîtrise qu'à peine et la joue parfaitement, je pourrais presque y croire. Il revient s'asseoir :

« Joe, quel âge avez-vous ? vingt-deux, vingt-trois ans ? Ne vous vexez surtout pas de ce que je vais vous dire. Je ne suis pas moi-même un promoteur immobilier véritable, ce n'est pour moi qu'un passe-temps, la fortune que j'ai héritée de mes parents me permettrait aisément de vivre sans travailler. Mais enfin, laissez-moi vous dire certaines choses. Vous avez payé six cent mille dollars un terrain de cinquante-cinq hectares. C'est une somme relativement importante, même pour moi. »

Je prends cette fois l'air blessé :

« Je dispose de moyens importants. »

Il sourit avec bienveillance.

« Allons, Joe, San Francisco est ma ville. Il se trouve que le directeur de cette banque où vous avez déposé votre argent est précisément l'un de mes meilleurs amis, vous voyez comme le monde est petit. Je sais donc que ces six cent mille dollars que vous avez versés représentent à peu près tout votre capital. Oh ! je me doute de ce que vous avez voulu faire en achetant ce terrain : vous vous êtes dit qu'à trente et quelque kilomètres de San Francisco, avec cette vue merveilleuse qu'on y a sur le Pacifique, la Sierra Nevada, sur Santa Cruz et sur Francisco Bay, avec ces merveilleux séquoias de quatre-vingts mètres de haut, avec tous ces atouts, vous alliez pouvoir réaliser une mirobolante affaire et qu'il vous suffisait pour cela de lotir, de revendre votre acquisition par petits morceaux...

– N'empêche que j'ai obtenu la vente. Pas vous. »

Avec le plus charmant sourire :

« Je reconnais volontiers que j'aurais dû suivre l'affaire de plus près. C'est l'inconvénient de n'être qu'un dilettante. Mais sachez que vous avez bénéficié d'une chance incroyable, Becknall a mis le terrain en vente douze heures avant votre arrivée. Et ce n'est pas le plus important, Joe. Il y a deux faits essentiels que vous ignorez...

– Qui est cette famille Elbert dont vous me parlez ? Ce n'est pas avec eux que j'ai traité. »

Il triomphe :

« Mais justement ! Justement, Joe ! C'est le premier fait dont je vous parlais : vous vous êtes fait rouler, mon vieux. Vous avez acheté un terrain à une société qui a son siège aux Bahamas, un de ces trucs anonymes dont on ne sait jamais ce qu'il y a derrière, et ces types vons ont eu : vous leur avez payé six cent mille dollars un terrain qu'ils avaient eux-mêmes acquis quatre cent cinquante mille dollars à peine trois semaines plus tôt, en l'achetant eux-mêmes à la famille Elbert. Autrement dit, ils ont gagné cent cinquante mille dollars sur votre dos ! »

La situation exige que je paraisse d'abord sonné puis, l'orgueil de ma jeunesse l'emportant, que je devienne hargneux. Je dis hargneusement :

« Et en quoi ça vous regarde ?

– Du calme, Joe, dit Lamm avec bonhomie. Si vous ne me croyez pas, interrogez Art Becknall, c'est le plus honnête homme du monde. Mais il y a pire, Joe, il y a un second fait essentiel : le terrain que vous avez acheté est inconstructible ! ou à peu près. Je l'ai toujours su, n'oubliez pas que j'y jouais étant enfant. Cette société des Bahamas... Comment s'appelait votre vendeur ?

– Ils étaient deux : Koski et Sasplan.

– Je ne les connais pas... »

(Je pense *in petto* : je n'en suis pas autrement surpris, le contraire – qu'il les connût – m'eût stupéfié !)

« ... Je ne les connais pas mais ces deux types étaient sûrement des escrocs. Impossible de lotir Tamalpais. C'est un terrain tout juste bon à chasser le lapin ou réservé à des amoureux de la nature dans mon genre... »

Et ta sœur ! Mais je reste dans mon personnage,

je suis tour à tour incrédule, méfiant, dubitatif, inquiet et pour finir accablé.

« Je suis navré, terriblement navré », dit Lamm avec une sincérité qui mériterait un oscar à Hollywood.

Je joue le malheureux se raccrochant au moindre fétu de paille :

« Vous avez dit qu'il était inconstructible ou à peu près, ça voulait dire quoi ? »

Il hoche la tête, comme un père bienveillant au récit des frasques de son fils :

« Joe, vous avez été très imprudent dans cette affaire. Si vous aviez mieux lu le contrat que ces deux sombres crapules... comment les appelez-vous ?

– Sasplan et Koski.

– ... Que ces deux sombres crapules vous ont fait signer, vous auriez remarqué qu'en vertu d'une disposition testamentaire de Dwight Elbert, le terrain ne pourra recevoir aucune construction avant le 31 décembre 1975. C'est une disposition légale, contre laquelle on ne peut aller. D'ailleurs, en achetant le terrain, vous vous êtes *ipso facto* engagé à la respecter. Pourquoi croyez-vous que le terrain Elbert n'a pas été vendu jusqu'ici ? Qui investirait des centaines de milliers de dollars dans un terrain constructible peut-être, dans des années ? »

Silence. Je fais de mon mieux pour devenir blême. Pas facile. D'autant que je commence à avoir le fou rire.

« Eh oui, eh oui ! » soupire Lamm.

Il se lève, me tapote l'épaule.

« Nous avons tous fait des erreurs, Joe. Dès que j'ai appris ce qui s'était passé, j'ai voulu vous prévenir. Ce métier de promoteur immobilier connaît quelques tristes exemples de personnages sans scrupule, d'où mon dilettantisme, je préfère me tenir à l'écart. Mais tous n'ont pas les mêmes scrupules. Vous savez où est mon bureau, voici mon adresse personnelle. Prenez quelques jours pour vous remettre de cette terrible déception que vous ressentez en ce moment et appelez-moi. Peut-être d'ici là aurai-je trouvé une solution pour vous venir en aide. Je connais tant de monde dans cette ville qui est la mienne, la ville de mon enfance. Allez, promis ? vous m'appelez ? Dans trois jours. Et je vous aiderai à vous faire une place au soleil, l'Amérique, c'est ça, mon garçon, c'est grand et c'est généreux... »

Nous nous serrons la main. Il s'en va. Je renvoie ma secrétaire : « Je veux être seul », dis-je la gorge serrée, la mine terreuse et le ton sépulcral.

Et sitôt qu'ils sont l'un et l'autre partis, je commence à rire, je vais ouvrir la porte jusque-là fermée à clef donnant sur les bureaux voisins et je fais entrer Li et Liu, et Koski le sculpteur d'auriculaires et le peintre Sasplan et quelques autres amis parmi lesquels un corps de ballet au grand complet.

Et nous faisons une bamboula à tout casser.

Sidney Harrisson Lamm est un vilain gros menteur.

Il a exagéré par exemple la remarquable honnêteté d'Arthur Becknall. Arthur Becknall, en échange de la clientèle de Li et Liu – quarante-deux et quelque millions de dollars à gérer, et verts pâturages sous la table, a bel et bien accepté de raconter de gros mensonges au susdit Lamm.

Sidney Lamm a évidemment menti quant à ses souvenirs de jeunesse, quant à la fortune de ses parents, quant à son dilettantisme en matière de promotion immobilière : c'est un professionnel qui, à l'époque, n'est pas à vraiment parler dans une situation difficile, mais qui est tout de même engagé sur deux autres fronts, dans des affaires d'ailleurs saines pour lesquelles il a obtenu d'importants appuis bancaires. Il a un certain répondant. Selon les estimations les plus fines de l'équipe d'experts engagée par Lavater, il « vaut » à peu près un million et demi de dollars.

Il a menti encore en m'annonçant que le terrain a été acheté quatre cent cinquante mille dollars par la société des Bahamas aux héritiers Elbert. Je le sais puisque la société des Bahamas, c'est moi. En réalité la société en question – je n'y apparais pas officiellement, à mon habitude – a payé deux cent cinquante mille dollars. Et elle a revendu le terrain à cet idiot de Joseph Benharoun – c'est toujours moi – pour six cent mille dollars, cela, c'est exact.

Si bien qu'on peut se poser une question : *Pourquoi Sidney Lamm a-t-il cru bon de minimiser le bénéfice réel réalisé par la société des Bahamas, qui n'est pas de cent cinquante mille dollars, mais de trois cent cinquante mille* ?

(Étant entendu qu'en fait il s'agit d'un bénéfice fictif puisque je me suis en réalité revendu le terrain à moi-même.)

Pourquoi ce mensonge ? Pour ne pas accabler davantage ce pauvre et stupide Joseph Benharoun ?

Ou bien plutôt parce que Lamm s'apprête à me racheter le terrain pour son compte personnel ? Et parce que tout le monde sait bien qu'aucun promoteur de la terre, même pour les raisons sentimentales les plus déchirantes du monde, n'accepterait de payer six cent mille dollars un terrain qui n'en vaut guère plus de deux cent mille. Lamm le sait aussi, et il sait également que s'il tentait de faire avaler une telle pilule à Joseph Benharoun, même Joseph Benharoun se méfierait. Tandis que si le même Joseph Benharoun croit que le terrain vaut quatre ou cinq cent mille dollars, il ne trouvera pas anormal que le bon Sidney Lamm, avec son grand cœur, sa grosse fortune héritée de ses parents, ses souvenirs de jeunesse et ses goûts écologiques, se déclare prêt à payer, disons cinq cent ou cinq cent cinquante mille, ce qui limiterait les pertes du pauvre Joseph Benharoun...

En réalité les choses se sont passées conformément au plan prévu.

Il a d'abord fallu trouver le terrain. Les agents immobiliers que j'ai alertés m'ont tout d'abord orienté vers la vallée de la Napa, au nord de San Francisco Bay ; c'est une région viticole, ce qui ne m'arrangeait pas trop. On m'a ensuite (officiellement pas à moi mais à Koski et Sasplan ; moi, je n'étais que leur chauffeur anonyme) montré d'autres terrains cette fois dans le Sud. J'étais presque décidé quand j'ai appris l'existence de Tamalpais avec sa curieuse clause testamentaire. Illumination.

J'ai acheté le terrain par le truchement d'une société des Bahamas représentée par le peintre et le sculpteur (écologistes comme il se doit, ils sont à première vue et même à perte de vue contre toute espèce de lotissement). Je me le suis revendu, ce terrain, six cent mille dollars, que je me suis réglés rubis sur l'ongle...

Avec les six cent quatre-vingt mille dollars que j'avais versés au nom de Joseph Benharoun dans cette petite banque dont le directeur est – les rapports des enquêteurs de Lavater m'avaient souligné ce détail – l'un des amis intimes de Lamm. Le retrait des six cent mille dollars effectué, un peu plus avec les frais et les honoraires de Becknall, j'ai fait part à ce même directeur de mes inquiétudes et de mes espoirs... certain que Lamm recueillerait tôt ou tard l'écho de ces confidences.

Et Lamm a fini par me téléphoner.

Et ça a été la fin de la première phase.

La deuxième a commencé en fait un peu avant par l'arrivée à San Francisco de deux Chinois venant prétendument de Saigon. Ils ne cachent pas leurs intentions : ils sont aux États-Unis, en Californie notamment, pour investir, pas seulement dans l'immobilier mais entre autres dans l'immobilier. Ils sont, disent-ils, mandatés par un certain nombre de leurs compatriotes et congénères du Vietnam et du Cambodge où l'on s'inquiète énormément des progrès de l'armée nord-vietnamienne. Ils ont rencontré des agents immobiliers à Los Angeles, et en Californie du Sud, et les prix les ont affolés. Dans le Nord, pensent-ils, cela devrait être meilleur marché. Un hasard les fait rencontrer un certain agent immobilier qui, par hasard encore, les oriente vers l'un des projets que Lamm a en train. Tous hasards qui me coûteront quand même vingt mille dollars de dessous de table, mais passons.

« Nous cherchons notamment du terrain, disent les Chinois à Lamm. San Francisco nous convient dans la mesure où il s'agit d'une ville comptant déjà soixante mille Sino-Américains rien qu'à Chinatown. Nous voulons du terrain afin d'y implanter, dans les années à venir, pas dans l'immédiat, une véritable petite ville chinoise, où nous serions entre nous, avec nos familles, dans le respect des lois de notre nouvelle patrie certes mais aussi dans celui de nos traditions. Notre projet est un projet à long terme. Nous demeurerons au Vietnam et au Cambodge aussi longtemps que cela nous sera possible et, nous l'espérons, des années encore... »

(Noter que c'est là l'un des ressorts du piège tendu à Lamm : le terrain de Tamalpais est inconstructible jusqu'en janvier 1976... il reste quatre longues années à attendre !)

Question de Lamm : « Quelles sont vos possibilités ? » En réalité, Lamm n'est pas tout à fait ignorant en ce domaine ; aussi bien Becknall que l'agent immobilier qui, par mes soins, l'ont mis en contact avec les deux Chinois, l'ont abondamment éclairé sur ce point. Réponse de Li et de Liu – pardon, des deux Chinois d'Indochine : « Deux millions de dollars pour le terrain, s'il en vaut la peine... »

Enquête discrète de Lamm, une enquête qui le convainc que les deux Chinois ont effectivement les moyens : ils ont effectué des versements de vingt millions de dollars dans diverses banques de San Francisco et ont d'ores et déjà procédé à des investissements réels, ne serait-ce que cette maison de Telegraph Hill ; mais ils ont également acheté un immeuble à Oakland et d'immenses entrepôts à Berkeley. (A noter encore : il s'agit là d'achats authentiques, qui en fait n'ont rien à voir avec moi, ni avec mes projets concernant Lamm, il se trouve simplement que Li et Liu, forts de leurs quarante-deux millions de dollars et rêvant plus que jamais de cinéma, se préparent à s'établir. Je me suis simplement servi de ces faits, dans lesquels je ne suis pour rien.)

Une semaine plus tard, un dîner met en présence Lamm et Becknall. Lamm parle du projet des Chinois cherchant un terrain. « C'est trop bête », s'exclame Becknall que j'ai au préalable instruit de ce que j'attends de lui, « vous m'en auriez seulement parlé il y a deux semaines ! Surtout que vos amis de Saigon ne sont pas pressés de construire ! Dommage. – Pourquoi ça ? – Parce que vous arrivez trop tard. J'avais un terrain convenant idéalement à Tamalpais, mais quelqu'un vient de l'acheter. – Qui ça ? – Un jeune Français un peu naïf qui se prend pour un grand homme d'affaires, un certain Joseph Benharoun. Vous devriez voir cette bague ridicule qu'il transporte ! Et ses cravates ! »

Mathématiquement, Lamm doit chercher à contacter le jeune crétin nommé Joseph Benharoun...

Et c'est la fin de la deuxième phase.

La troisième démarre sur un coup de téléphone que je donne, le lundi 14 :

« Monsieur Sidney Lamm ? Ici Joe Benharoun. »

Un silence, comme s'il avait oublié mon nom et comme si j'étais à cent lieues de ses pensées, alors que je sais bien qu'il guette fiévreusement mon appel depuis six jours, pressé qu'il est par Li et Liu qui l'ont pratiquement mis en demeure de leur montrer ce fameux terrain de Tamalpais dont il leur a déjà parlé, et qui parlent même, puisque Lamm ne veut pas s'occuper d'eux, d'acheter finalement ces soixante hectares de Half Moon Bay, « pas chers, monsieur Lamm, à peine un million cinq cent mille dollars », qu'une autre agence leur a proposés.

« Ah ! Joe, comment ça va ?

– Puis-je vous rencontrer ? Aujourd'hui ? Peut-être demain ? »

Ma voix est plus étranglée que jamais.

« Aujourd'hui, ce n'est vraiment pas possible, vous êtes sûr ? »

A l'autre bout du fil, cette crapule se livre à une très jolie séance de cinéma : « Je ne suis pas libre ce matin, plein de rendez-vous vous savez ce que c'est, oh ! c'est dommage pour déjeuner non plus et j'ai un dîner ce soir avec le maire, quant à demain malheureusement, quoique, attendez, si c'est tellement urgent... Je vous rappelle Joe... »

Et il me rappelle vingt minutes plus tard, dégoulinant de charme et « c'est une chance Joe, j'ai pu me libérer, je vous invite à déguster quelques fruits de mer chez Aliotto's puisque Scoma's est fermé à midi... ».

Bref, nous nous retrouvons face au panorama d'ailleurs charmant de Fisherman's Wharf et de la Golden Gate écharpée de brume, des crabes en premier plan, dans nos assiettes. Je lui sers le numéro – chacun son tour – que je lui ai préparé : tour à tour homme d'affaires sûr de lui et puis d'un coup petit gamin français un peu dépassé par ses propres ambitions et quasi pitoyable. Et voilà, tandis que je parle, que quelque chose m'arrive : surgissant brutalement de ma mémoire, je revois ce même homme ressortant le visage blanc du bureau de mon père à Saint-Tropez, contournant la maison sous les pins pour regagner sa voiture et me jetant au passage un regard meurtrier. D'une certaine façon, cet homme a tué mon père, ou a aidé à sa mort, pour ensuite le trahir une deuxième fois. Durant cinq ou six secondes, la haine me bouleverse au point que j'en tremble, au point que Lamm remarque mon émotion et lui attribue, heureusement, d'autres causes :

« Ça ne va pas, Joe ? »

Je bois un peu d'eau, les tempes inondées de sueur.

« Joe, je devine que les derniers jours n'ont pas dû vous être faciles... »

Passons sur les détails. Il dit : « Joe, j'ai été si occupé tous ces temps-ci que je n'ai guère eu le temps de penser à votre problème... » Quel problème ? Mais voyons, il sait bien dans quelle situation difficile je suis, avec ces six cent mille dollars bloqués pour des années. « Vous êtes coincé, mon garçon, c'est triste à dire mais c'est ainsi. Toutefois, pour toutes les raisons que vous connaissez... »

Bref, pour des raisons sentimentales et aussi parce que la fortune héritée de papa lui permet de laisser quatre années durant un investissement totalement improductif, il est d'accord pour me racheter le terrain de Tamalpais.

« Cinq cent mille dollars, Joe. Je ne peux pas faire plus. Le dilettantisme et l'amour de la nature ont des limites. »

Je prends l'air vexé, je me lève et je m'en vais.

Il me rappelle deux heures plus tard, à mon bureau d'Embarcadero et l'on verra plus loin pourquoi il est si pressé.

« Bon sang, Joe, qu'est-ce qui vous a pris ? »

Nous nous retrouvons, pour la deuxième fois de la journée, cette fois dans un bar de California Street.

« Joe, j'ai eu le temps de réfléchir. J'ai essayé de vous manœuvrer et ça a raté ; vous êtes plus malin que je ne l'avais cru. D'accord, je fais amende honorable. La vérité c'est que j'ai déjà idée à qui, peut-être dans quatre ans, je pourrai vendre ce terrain, sans faire un gros bénéfice, c'est entendu, mais je ne fais pas tellement ça pour l'argent. On n'est plus fâché ? »

Il sourit, bronzé, élégant, charmeur, un vrai San Franciscain de cinéma.

« Six cent mille dollars, Joe. Le prix que vous l'avez payé vous-même. »

Je boude :

« Six cent dix mille. Qu'au moins, je gagne quelque chose. »

Il fronce les sourcils et, une courte seconde, je crains d'être allé trop loin. Mais il éclate de rire :

« D'accord, jeune Français retors. »

Nous signons le jour même, mardi 15, et il me paie comptant à raison de cinq cent cinquante mille dollars sur une société panaméenne que j'ai tout spécialement créée pour la circonstance et de soixante mille en liquide. « Pourquoi des espèces ? » Je marmonne une confuse explication à propos de mon oncle d'Algérie et d'argent que je dois, et comme il sait par notre banquier commun que le compte Benharoun est quasiment à sec, il croit à quelque mirifique combinaison que j'ai tentée et sans doute ratée. Ce qui le renforce dans la conviction que je ne suis décidément qu'un fieffé jeune imbécile.

Soit dit entre nous, je viens de lui vendre six cent dix mille dollars un terrain pour l'heure inconstructible que j'ai payé, sous couvert de ma société des Bahamas, deux cent cinquante mille. C'est déjà un assez joli résultat mais le match commence à peine.

Et pour marquer la fin de cette troisième phase, je lui laisse payer nos verres.

La quatrième phase a déjà commencé. Chronologiquement, elle vient même avant la précédente, d'une certaine façon. Mon déjeuner avec Lamm chez Aliotto's a eu lieu un mardi. Le mercredi de la semaine précédente, six jours plus tôt, Li et Liu camouflés en Chinois de Saigon ont à ce point insisté pour aller voir le terrain de Tamalpais qu'il a fini par céder. Il les a emmenés dans sa propre voiture, mes deux *Zozos* affectant de parler un anglais catastrophique et s'entretenant en chinois la plupart du temps. Et pour ce qui est de visiter le terrain, ils l'ont visité rien à dire, ils l'ont arpenté pendant des heures avec une fébrilité joyeuse de fox-terriers. Superbe, c'est tout à fait ce que nous voulions, finissent-ils par dire à Lamm, lequel en est encore la langue pendante d'avoir tant couru derrière eux. Et ils ajoutent, innocents à n'y pas croire : « Nous pouvons maintenant vous le révéler, nous étions prêts à signer pour ce terrain de Half Moon Bay, nous allions le faire ce soir. Mais ce que vous nous proposez nous intéresse davantage. D'accord, nous achetons. Mais pas au prix que vous nous avez indiqué. Deux millions de dollars, c'est beaucoup trop. Nous paierons un million deux cent mille, pas davantage. »

Tout cela dans un anglais abracadabrant, où la fantaisie de mes Zozos se donne libre cours, et Dieu sait si elle est extravagante.

A noter la façon dont ils ont amené la conversation sur le montant de la transaction. En réalité, Lamm n'a jamais mentionné un prix. Et les deux compères se sont bien gardés de lui en demander un. S'agissant d'argent, la seule fois où il en a été question a été quand Lamm s'est simplement enquis des disponibilités chinoises. Li et Liu ont répondu : « Deux millions de dollars. » Ce jour-là, au terme de leur visite du terrain, ils affectent de considérer ce chiffre qu'ils ont donné comme le prix fixé par Lamm. Lorsque les deux Zozos et mois avons préparé la scène, Li et Liu ne croyaient pas plausible un tel quiproquo et je leur ai répondu : « Qu'est-ce qu'on risque d'essayer ? »

A la vérité, en entendant ses interlocuteurs parler d'un million deux cent mille dollars, Lamm a trois solutions. Il peut protester, disant n'avoir jamais encore parlé d'argent et mettre les choses au point – un promoteur honnête (allons, allons...) le ferait –, il peut se taire et accepter le quiproquo comme un miracle du ciel ; il peut réclamer davantage. Et étant donné qu'il est doté d'un culot infernal et d'un sens moral inexistant, quoique promoteur, il opte pour la troisième solution.

« Je peux difficilement descendre sous le million et demi », dit-il.

Interminable discussion de Li et de Liu en chinois, me raconteront-ils ensuite, histoire de meubler la conversation et d'échapper au fou rire qui les guette en permanence, ils se récitent mutuellement un long poème du XVIe siècle chinois narrant les déchirantes aventures d'une héroïne poursuivie par des hommes-dragons.

« Nous paierons un million quatre cent cinquante mille, disent-ils enfin, mais à condition que vous preniez à votre charge les frais de clôture et d'accès du terrain.

– D'accord, dit Lamm qui n'en croit pas ses oreilles et se dit que cette chance merveilleuse en laquelle il avait toujours cru vient enfin de lui échoir.

– Nous voulons un mur autour du terrain et quatre portes. Il faut mettre tout ça dans le contrat. »

Après tout, si l'on n'a pas le droit de construire sur le terrain, aucune disposition n'empêche de le clôturer.

« D'accord », dit Lamm.

Un acquiescement qui va lui coûter quatre-vingt-quinze mille dollars ; Li et Liu exigeront des portes monumentales avec des dragons dont ils ont précisément les modèles, quelle coïncidence, et encore des tas d'autres dragons sur le mur de clôture qui devra faire cinq mètres de haut, à raison d'un dragon tous les cent mètres.

Pour l'heure, Lamm ignore encore ce genre de détails. Autre chose le préoccupe : il est en train de vendre un terrain dont il ne s'est pas encore rendu propriétaire, puisque, contrairement à sa promesse, Joseph Benharoun ne l'a pas rappelé et que tout cela se situe, on s'en souvient, le mercredi alors que l'achat du terrain par Lamm à « Joe Benharoun » n'interviendra que le mardi suivant. Il se sent donc assez mal à l'aise et cela exliquera sa hâte à conclure avec moi la transaction. Il demande aux Chinois :

« Quand voulez-vous que nous signions le contrat ?

– Tlès vite, répondent les Zozos, nous c'est paltil poul Saigon tlès vite, poul voil ancêtle bien-aimé. »

Lamm sourit. C'est un habitué de ce genre d'acrobaties, il en a vu d'autres. Il se fait fort de joindre rapidement ce crétin de Benharoun Joe et de lui racheter son terrain au meilleur prix. D'ailleurs, le même crétin de Benharoun Joe doit le rappeler incessamment.

Pas de chance : Benharoun Joe sera introuvable pendant six jours et ne réapparaîtra que le mardi suivant. Cela aussi, Lamm l'ignore encore à cet instant. Il ramène les Chinois à San Francisco, s'entend demander par eux que les travaux de clôture et d'accès soient commencés dans les meilleurs délais. Lamm refuse dans un premier temps : « Je ne peux pas engager des frais aussi considérables sans garantie. Et si vous reveniez sur votre décision d'achat ? » On décide que Li et Liu verseront cent cinquante mille dollars d'acompte en échange d'une promesse de vente au texte succinct, donnant simplement les coordonnées du terrain désigné comme la propriété Elbert à Tamalpais. « Seulement, disent en charabia les Chinois, étant donné que nous repartons lundi prochain, le 14, il faut signer avant notre départ. – Les délais sont trop courts ! proteste Lamm. – A Half Moon Bay, eux c'est prêt à signer tout de suite », rétorquent les Célestes. Lamm cède, et se dit qu'il m'aura récupéré avant. Il n'y arrive pas, on l'a vu, je ne réapparaîtrai en tant que Benharoun que le lendemain, et plutôt que de perdre l'affaire, il signe effectivement, le lundi 14, une promesse de vente contre laquelle il reçoit cent quarante-cinq mille dollars, ainsi mis en demeure d'effectuer les travaux de clôture tels qu'ils lui seront déterminés par les hommes d'affaires de ses acheteurs. Et comme il ne peut évidemment pas, le 14, vendre une propriété qu'il n'a pas encore achetée, il prend prétexte de l'heure tardive de la signature pour dater le document du 15, le mardi.

J'ai conclu, sous couvert de la société panaméenne, la vente du terrain à Lamm le mardi 15. Le lendemain 16, je suis à Sacramento, capitale et siège du gouvernement de l'État de Californie, et j'ai dans une serviette les liasses des soixante mille dollars en espèces que m'a remises Lamm. Ces liasses portent encore les bandes de papier marquées du sigle de la banque du même Lamm.

Juste avant mon départ de San Francisco, j'ai mis en route les procédures de dissolution de la société panaméenne dont tout l'avoir, les cinq cent soixante mille dollars, produit de la vente du terrain, est en route pour un compte à numéros des Bahamas.

Ce mercredi 16 donc, dans l'après-midi, je verse les soixante mille dollars en liquide sur le compte de celui que j'appellerai ici l'Homme de Sacramento. En réalité, je n'effectue pas le versement moi-même, cet honneur revient à mon ami Sasplan, lequel pour la circonstance arbore des lunettes noires et une fausse moustache. Il voulait dans l'enthousiasme du moment ajouter une fausse barbe et j'ai refusé ; il a déjà une tête de bandit au naturel, on aurait cru à un hold-up.

Li et Liu quittent effectivement San Francisco dans la soirée du lundi 14, à destination de Tokyo, où ils ont d'ailleurs réellement à faire, en ce qui les concerne personnellement. Ce détail de la date et de l'heure de leur départ est capital. Leur présence à bord de l'avion de la Pan Am sera remarquée : on n'a pas tous les jours à son bord des passagers de première classe louant douze places pour deux à seule fin de pouvoir tranquillement jouer aux échecs sur un échiquier démontable de deux mètres de côté, avec des pièces télécommandées.

A Tokyo, ils ont des rendez-vous dès leur arrivée. Détail capital encore. S'ajoutant à celui de leur singulier comportement dans l'avion. Tout cela prouvera sans discussion possible qu'ils n'étaient pas à San Francisco le mardi 15 et donc qu'ils n'ont pu y signer l'acte de promesse de vente, et donc que cet acte est antidaté, ce qui n'est pas particulièrement légal.

Li et Liu, toujours pour des affaires qui ne regardent qu'eux, demeureront loin de San Francisco pendant plusieurs semaines. Ce qui ne les empêchera pas de faire pression, par le truchement de leurs hommes d'affaires, sur Lamm pour qu'il conduise à bien les travaux définis dans l'acte de promesse de vente.

Travaux qui seront achevés le 21 décembre.

Pour ma part, dans les premiers jours de ce même mois de décembre, j'ai rencontré sur les altières hauteurs de Nob Hill, dans ma suite du Fairmont Hotel louée sous mon vrai nom de Cimballi (Joseph

Benharoun a cessé d'exister), celui que j'appelle l'Homme de Sacramento.

Ça n'a pas été un match facile et sans le remarquable travail des enquêteurs mis en piste par les correspondants américains de Marc Lavater, j'aurais été mis knock-out dès la première reprise. Il a bondi après moins d'une minute :

« Auriez-vous par hasard la prétention de me faire chanter ?

– Vous avez touché soixante mille dollars voici quelques jours. L'argent a été retiré la veille par Sidney Lamm de sa banque. »

L'important personnage, surpris, nie, et de bonne foi, n'ayant pas encore eu connaissance du versement sur son compte. Je lui mets sous le nez le reçu témoignant du versement en liquide et divers autres papiers qui ne prouvent pas grand-chose mais tout de même qu'il a un compte à numéros dans une banque suisse et un autre dans une banque de Nassau. Ça le calme définitivement à défaut de le convaincre. Je dis :

« Tout ce que je vous demande est de m'écouter.

– Qu'attendez-vous de moi ?

– D'abord que vous acceptiez les cent mille dollars que je tiens à votre disposition, par n'importe quel moyen de paiement à votre choix. Un. Deuxièmement, que vous réexpédiiez à Sidney Lamm l'argent qu'il a eu l'effronterie éhontée de vous « adresser ». Trois : que vous le fassiez publiquement, avec un maximum de publicité. Quatre : que vous fassiez savoir avec tout autant de publicité que cet infâme individu avait tenté de vous acheter pour que vous interveniez à propos du terrain de Tamalpais qu'il souhaitait voir déclaré constructible. Cinq : que vous engagiez l'action la plus forte, la plus efficace, la plus publique pour que soit déclaré à jamais inconstructible le terrain Elbert de Tamalpais, symbole sacré du patrimoine national, écologique et patin-couffin des États-Unis d'Amérique. Soit dit en passant, ça vous posera en homme intègre, en défenseur de la nature et en adversaire acharné de la concussion, ce qui ne peut pas nuire loin s'en faut à votre carrière politique. Et en plus, vous touchez cent mille dollars dans la discrétion la plus absolue. Vive la démocratie. »

Et là-dessus, sitôt que l'affaire éclate à la une des journaux, les hommes de loi chargés par Li et Liu de défendre leurs intérêts entrent comme prévu dans la danse : ils déposent une plainte contre Lamm pour escroquerie à des titres divers, par exemple pour n'avoir pas prévenu leurs clients que le terrain n'était pas constructible (l'acte succinct ne mentionne pas ce point), et surtout pour leur avoir vendu le lundi 14 un terrain qu'il n'a pu acheter que le 15, ce qui n'est pas bien du tout.

La situation pour Lamm devient tout à fait désagréable quand on découvre que le dénommé Joseph Benharoun à qui il dit avoir acheté le terrain six cent mille dollars n'existe pas : les fiches d'immigration sont formelles à ce sujet. Et ça empire encore quand quelque journaliste malintentionné, en réalité alerté par un coup de téléphone anonyme – ce sera la moins coûteuse de mes interventions –, suggère que peut-être tant la société des Bahamas qui a acheté une première fois le terrain que la société de Panama qui l'a racheté pour le revendre six cent mille dollars à Lamm sont des créations de Lamm lui-même. Pourquoi pas ? Les deux sociétés ont toutes deux été dissoutes sans la moindre trace. Et, suggère encore le journaliste, ce n'est peut-être en fin de compte tout simplement qu'un moyen utilisé par l'ignoble Lamm pour détrousser les malheureux Chinois d'Indochine déjà victimes du communisme vietnamien assassin de nos « boys ». Lamm a tout de même essayé de revendre à ces malheureux, pour un million et demi de dollars, une propriété payée à peine deux mois plus tôt deux cent cinquante mille !

Escroc !

L'Homme de Sacramento, les élections étant proches – elles le sont toujours –, tire à boulets rouges. Il fait un travail superbe. De mon côté, je ne suis pas en reste. Je suis allé à Tamalpais, que je n'avais jusque-là qu'entrevu. J'y ai découvert en effet un paysage superbe, qu'il serait détestable de gâcher par quelque construction que ce soit. J'y ai également déniché un vieil homme et son chien, gardant trois ou quatre moutons. J'ai fait le nécessaire : ils sont tous passés à la télévision, « voilà ceux que l'on veut dépouiller de leur raison de vivre ! voilà ceux à qui des hommes comme Sidney Lamm s'attaquent ! », quitte à acheter le temps d'antenne nécessaire et j'ai tiré des larmes à la moitié de la Californie.

Ça n'a pas arrangé les affaires de Sidney Lamm. Même si les Chinois se sont montrés miséricordieux – pas par pitié mais Li et Liu qui n'ont jamais vu Saigon qu'au cinéma ne tiennent pas à ce que l'on s'occupe trop d'eux – et ont retiré leur plainte, à condition que Lamm restitue les cent cinquante-cinq mille dollars qu'il a reçus d'eux et moyennant une indemnité d'un montant équivalent. Du côté de Sacramento, on a bien voulu transiger de même, en échange d'un versement de deux cent mille dollars au profit des enfants handicapés et autres œuvres. Lamm s'en tirera avec une condamnation de principe.

Hébété, il aura, dans l'affaire, perdu un million cent mille dollars, d'après mes calculs. J'en ai pour ma part gagné deux cent mille. J'ai eu beaucoup de frais.

Et puis Lamm possède encore le terrain de Tamalpais. Il en est le propriétaire, après tout. Et il a toujours la ressource d'aller y admirer quelques centaines de dragons, qui sont véritablement, non mais véritablement HIDEUX !

Pour le reste, l'Homme de Sacramento a sévi : « Aucune construction sur ce terrain pendant les cinq cents prochaines années ! » a-t-il tonné, la voix tremblante d'une vertueuse indignation, lui, l'Incorruptible.

16

AVEC Robert Zarra, nous sommes convenus de contacts réguliers. Il m'a fait valoir qu'il fallait bien qu'il fût en mesure de me toucher quand cela deviendrait nécessaire, quoique concédant que cela pourrait prendre des mois. En fin de compte, nous avons opté pour un certain numéro à Las Vegas, que j'appellerais de temps à autre, simplement pour dire où je me trouvais et pour à peu près combien de temps.

Depuis que j'ai rencontré Zarra à Nassau, au cours d'une partie de pêche mouvementée, les semaines ont passé, puis les mois. J'en suis venu presque à espérer l'affaire enterrée, ayant fait une croix sur le million de dollars qu'il m'a bien fallu verser. Mais j'ai mis en marche une procédure apparemment inexorable. Dans les premiers jours de décembre, je suis au Fairmont Hôtel, sur Nob Hill, et je viens tout juste d'avoir cet entretien avec l'Homme de Sacramento quand le téléphone sonne. Une voix inconnue :

« Je vous appelle de la part de cet ami avec qui vous êtes allé pêcher à Bimini. Vous vous souvenez de lui ?

– Oui.

– Il vous demande si vous pourriez faire un saut à Las Vegas.

– Quand ?

– Le plus tôt sera le mieux. Cela ne vous retiendra guère plus de quelques heures. »

Je réfléchis rapidement. A quoi bon attendre ?

« Je peux partir demain.

– Une suite vous sera réservée au Caesars Palace. »

Au moins ont-ils le geste ! Je débarque à Vegas en fin de matinée et tout se passe comme si des caméras me tenaient en observation jusque dans ma salle de bain : je viens à peine de sortir de ma douche et d'enfiler un peignoir quand ils arrivent. Ils sont trois mais celui qui mènera la conversation est un homme d'environ trente-cinq ans, de type latin, moustache et cheveux noirs soigneusement taillés, très large d'épaules mais guère plus grand que moi. Il pourrait s'appeler Capone ou Palermo, je l'appellerai ici Ximenez.

« Notre travail, monsieur Cimballi, est d'organiser et de faire durer des grèves spontanées et légitimes de travailleurs. Actuellement, nous travaillons et allons de plus en plus agir en Amérique du Sud. On nous a dit que vous étiez intéressé personnellement par notre travail. »

Il a des yeux ronds et noirs, d'une étonnante et à vrai dire impressionnante fixité, un peu trop rapprochés. Le faisant parler comme je viens de le faire, je trahis quelque peu son personnage ; la vérité est qu'il a le même humour qu'un moulin à légumes. Si j'ai le malheur de l'interrompre au milieu d'une phrase, il reprend celle-ci depuis le début, avec un sérieux mortel. A l'évidence, on lui a donné l'ordre de venir me rendre compte, afin que je sois assuré que ce million de dollars que j'ai déjà versé, cet autre que je devrai verser encore, ne sont pas dépensés en pure perte. Et de m'expliquer comment, pourquoi, dans quelles circonstances il va, ainsi que les siens, diriger plus particulièrement ses efforts contre tous les intérêts du groupe Hovius-Donaldson au Chili. De ces intérêts, il détient une liste exhaustive, il n'y manque pas une usine, un camion, une machine à écrire. Soit dit en passant, je découvre mieux à quel point Hovius et son associé écossais se sont implantés en territoire chilien. Ce fut au départ une initiative d'Hovius. Curieux personnage que cet Austro-Hongrois de nationalité argentine ; quoique dans les meilleurs termes possibles avec la droite de son pays et la quasi-totalité des dictateurs latino-américains, il se flatte néanmoins d'être l'ami personnel de Castro et d'avoir été l'ami d'enfance de Guevara, ce qui reste à démontrer à en croire le rapport Lavater. Hovius semble persuadé qu'un jour viendra où reculera l'impérialisme américain », pour reprendre le vocabulaire castriste. Et de faire valoir que, selon lui, au Chili par exemple les trois quarts des sociétés anonymes appartiennent en réalité à un seul groupe américain réunissant la Banque Rockefeller, l'International Telegraph & Telephone, la Banque Edwards, la Banque sud-américaine et la théorique Banque du Chili ; de faire valoir encore que les bénéfices réalisés au Chili par les compagnies américaines telles que la Bethlehem Steel, l'Anaconda Copper ou la Kennecott Copper représentent plus de quatre fois le revenu global du pays. Hovius s'imagine assez volontiers en missionnaire réalisant l'unité économique latino-américaine autour de sa personne, de préférence à son profit, au détriment des Nord-Américains bien entendu. Politiquement, il est aussi socialiste que Robinson Crusoé mais sa femme est à la fois chilienne et gauchiste, ce qui ne laisse pas d'être rigolo quand on sait qu'elle règne sur vingt domestiques.

« Pour l'instant, dit Ximenez, on a fait exprès de les laisser à peu près tranquilles. Pour qu'ils prennent confiance. Ça leur tombera dessus d'un seul coup, on leur prépare une grève qui va les bloquer complètement, vos amis, et cette grève durera, durera... »

Hovius a pris des risques et, de façon bien plus surprenante, a entraîné Donaldson à en prendre. La venue au pouvoir de Salvador Allende lui est apparue comme le signe d'une ère nouvelle, le signal d'une marée par laquelle il peut atteindre au port. Selon les chiffres que nous avons pu établir, Marc et moi, Donaldson et lui ont engagé plus de trente millions de dollars dans ce pays déchiré. Marc Lavater s'il était plutôt défavorable à mon recours à la Mafia, maître d'œuvre avec la C.I.A. des grèves chiliennes, ne m'en rejoignait pas moins sur mon analyse de la situation : « Hovius et Donaldson sont engagés profondément. Ils peuvent encore se retirer, perdre beaucoup d'argent mais ressortir de la mêlée sans autre casse. Le jeu consiste à les maintenir dans un premier temps au Chili, en leur faisant miroiter la possibilité d'y demeurer tout à fait quoi qu'il arrive. Viendra alors un moment où ils seront trop engagés pour avoir la possibilité de quitter la partie. Ce sera alors pour eux vaincre ou mourir, ils seront enferrés, ils investiront de plus en plus et n'auront pas le choix. Leurs moyens ne sont pas sans limites. Avec un peu de chance, Hovius réussira peut-être même à convaincre Yahl d'intervenir mais je ne le crois pas. Si la situation est perdue, Yahl le découvrira mieux et plus vite que quiconque. Et il n'hésitera pas le moins du monde à abandonner ses anciens associés. Il n'est pas homme à faire du sentiment. Franz, peut-être que ton intervention dans cette affaire ne sera que symbolique. Mais sait-on jamais ? Ce sera peut-être aussi le coup de pied de l'âne, ou la goutte d'eau qui fait déborder le vase. »

Ximenez me regarde et je réalise qu'il s'est arrêté de parler depuis déjà quelques secondes.

« Tout ce que je demande, dis-je, c'est qu'on agisse de telle sorte que ces gens soient amenés à s'engager à fond, sans avoir la possibilité de reculer. C'est en ce sens qu'il faut leur tendre un piège. »

Ses yeux noirs et ronds, à la fixité décidément inquiétante, me considèrent avec une surprise glacée.

« C'est ce que je viens de vous dire que nous allions faire, monsieur », dit-il.

A quelques jours de Noël, l'idée de demeurer seul en Californie, où Li et Liu ne sont pas, m'est brusquement apparue insupportable. L'affaire Lamm est en cours, tout s'agence comme prévu, le piège est tendu et ne va pas tarder à s'abattre, je peux donc m'absenter. Et puis je suis encore sous le coup de cette entrevue au Caesars Palace de Las Vegas ; le malaise qu'elle a provoqué en moi est loin de s'être dissipé, en fait, j'en suis malade.

Le 20 décembre, je regagne Paris et ma première visite est pour l'appartement de l'avenue de Ségur. Je n'y trouve que Futur Beau-Papa, qui est seul. Catherine et sa mère ne sont pas à Paris. Où ? Il hésite à me répondre, visiblement rendu muet par l'admiration et l'affection qu'il me porte. « Catherine vient tout juste d'avoir dix-huit ans. Fichez-lui la paix. » Où est-elle ? On argumente un peu, on fait presque la paix et il finit par m'apprendre qu'elles sont toutes deux au Maroc, à Marrakech, où elles passeront les fêtes et lui-même ira les rejoindre dans deux ou trois jours. Je saute dans le premier avion et, en ce mois de décembre gris et froid qui ne fait rien pour m'enlever cette boule que j'ai au fond de l'estomac, je me trouve devant Catherine et sa mère également en maillot de bain, presque aussi jolies l'une que l'autre, dans le merveilleux décor de La Mamounia.

« Ton beau-père, votre mari chère madame, a énormément insisté pour que je prenne part à votre réveillon. Enfin presque, il aurait plutôt insisté pour que je ne vienne pas. Il a fait un barrage de son corps mais j'ai franchi l'obstacle. Je vais vous confier un secret : je suis heureux mais vraiment infiniment heureux de vous voir et c'est vraiment une chance que je sois justement passé par Marrakech aujourd'hui, sur ma route entre Bourg-en-Bresse et Sioux Falls. »

Je leur ai apporté des cadeaux, pour Belle-Maman un truc en porcelaine qui a été peint aux environs d'Amsterdam et de 1771 ; et Belle-Maman ravie, qui est collectionneuse, l'identifie comme un Oude Loosdrecht ou quelque chose de ce genre. Elle me dit que je suis fou et que c'est un bien trop joli cadeau. Et de m'embrasser comme si elle était ma mère, ce qui me fait une impression pas ordinaire.

Comme nous ne sommes encore que le 21 et que Futur Beau-Papa n'est pas dans les parages sauf peut-être déguisé en méhariste pour m'espionner, nous partons faire un tour de l'autre côté de l'Atlas, plein sud vers le désert, et des endroits comme Ouarzazate et Tineghir. A Tineghir, l'hôtel comporte une grande terrasse d'où l'on a une vue admirable sur l'oasis et les couchers de soleil. Au soir de notre arrivée, la mère de Catherine s'arrange pour que nous y demeurions seuls quelques minutes.

« Franz, j'avais à vous parler, dit-elle, rien ne presse mais vous apparaissez et disparaissez si vite que je ne suis jamais sûre d'avoir le temps de finir mes phrases, avec vous. Il s'agit de Martin Yahl. Franz, il se trouve que je connais Martin Yahl, depuis longtemps. Je sais ce qui vous sépare de lui, j'en sais plus que vous ne sauriez l'imaginer mais ce n'est pas l'essentiel. L'essentiel est que nous nous sommes trouvés voici quelque temps, mon mari et moi, à un dîner auquel Martin Yahl assistait. Votre nom, le nom de votre famille du moins, est venu dans la conversation. Mon mari a bien failli parler de vous. Je lui ai sous la table administré un coup de pied qui eût à coup sûr assuré le succès de la France sur le pays de Galles, dans le dernier Tournoi des Cinq Nations. Mon mari est un tout petit peu moins stupide qu'il n'en a l'air, il s'est tu ; mais il a éprouvé le même sentiment que moi : Martin Yahl vous hait, d'une haine quasi paranoïaque, tout comme apparemment vous le haïssez. Je n'aime pas ce genre de situation, elle me fait peur. Je voulais vous dire deux choses, Franz ; la première est de vous demander de prendre garde, un Martin Yahl est un adversaire terrible ; la deuxième concerne Catherine et vous. Je souhaiterais que vous l'épousiez, je crois savoir qu'elle-même ne serait pas opposée à ce projet, il s'en faut. Mais Catherine et moi partageons le même sentiment : pas pour l'instant, pas aussi longtemps que vous serez dans cet état. »

En janvier, je suis revenu à San Francisco. L'affaire de l'ignoble Sidney Lamm, promoteur sans scrupule, sera définitivement réglée au printemps.

Le temps passe et je ne fais pas grand-chose. Li et Liu ont découvert un jeune metteur en scène qu'ils estiment génial et qui rêve d'un super-super grand film qui se déroulerait dans un avenir mythique, opposant des mondes imaginaires en une fantastique guerre des étoiles, au prix de décors incroyables et de personnages à dormir debout. Le projet enthousiasme mes Zozos. « Vous ne m'avez pas déjà parlé d'un truc de ce genre ?

– Oui, mais cette fois, on va le faire. Nous allons y mettre de l'argent. » Ils mettent de l'argent partout ; au Japon notamment où ils ont noué des contacts avec un atelier d'animation qui envisage la création de grandes bandes dessinées destinées à la télévision et plus spécialement aux émissions pour la jeunesse. Là, il est question de robots. Il est d'ailleurs question de robots partout, s'agissant de Li et Liu. Ils en ont empli leur maison de Telegraph Hill et leurs entrepôts de Berkeley. « Franz, viens travailler avec nous. » J'hésite et refuse pour finir, je ne me vois pas dans les robots.

Le temps passe et je suis tendu, anxieux, presque angoissé. Je suis allé deux autres fois à Vegas et on m'a rendu compte, comme l'on ferait à un client d'agence de publicité, des résultats de mes investissements. Mes interlocuteurs varient mais l'impression que j'ai face à eux reste la même : une efficacité glaciale, un mépris amusé pour l'amateur que je suis et, de plus en plus, la conviction que je me suis embarqué dans une aventure où je n'avais rien à faire, qui dépasse mes moyens, diffère de mes goûts, et dont je serai assurément, en fin de parcours, la victime, d'une façon ou d'une autre. Mais il est sûr que je ne peux plus reculer. Quelle folie !

Mes interlocuteurs me disent que tout va bien, que « dans le cadre général de la détérioration de la situation économique du pays » le groupe-à-qui-je-veux-du-mal est en train de plonger, effectivement amené par une stratégie dont on m'assure qu'elle est habile à engloutir de plus en plus de capitaux.

« Capitaux qui seront perdus, soyez-en sûr, monsieur Cimballi. Toute cette aventure va leur coûter beaucoup d'argent. »

Et de souligner qu'ils tiennent les engagements pris en leur nom par Robert Zarra. Sous-entendu : il faudra bien tenir les vôtres, Cimballi, nous ne sommes pas de ceux qu'on oublie de payer.

Je m'en doutais un peu.

Au printemps, Sidney Lamm en prison, je quitte San Francisco. Je vais aux Bahamas. Pour suivre ce qui est en train de se passer au Chili, je n'y suis pas plus mal qu'ailleurs. Pour m'occuper, je spécule vaguement, me familiarisant de plus en plus avec les mécanismes du marché des changes, jouant du mark contre le dollar, prenant du franc suisse contre du yen, du florin pour du dollar ou de l'or et l'on recommence. C'est amusant et je suis un peu gagnant, oh ! pas des merveilles mais assez pour payer mes hôtels et mes avions.

Robert Zarra a quitté Nassau. Même la puissante protection de la Mafia ne lui suffit plus, il est décidément trop en vue et ça énerve la police américaine. A la tête d'une véritable armée privée forte de plusieurs centaines d'hommes, il va prendre ses nouveaux quartiers dans une propriété vaste comme un empire personnel, au cœur d'une petite république d'Amérique centrale et sa puissance financière et militaire y sera telle qu'elle contrebalancera le pouvoir du chef d'État local, au demeurant encore moins pourvu de scrupules que son hôte. Et ce sera au point d'ailleurs que Zarra sera bientôt contacté par la C.I.A., peu rancunière, qui fera valoir à l'exilé qu'en tant qu'Américain, il se doit d'aider son pays, notamment en assurant dans le pays où il s'est réfugié le maintien d'un solide couvercle anticommuniste. Zarra, patriote en diable, acceptera la proposition, et jouera de son influence, en échange de visites discrètes sur le sol américain.

Et tout sera bien qui finira bien dans ce merveilleux conte de fées.

J'ai voyagé, je suis allé à Londres où je me suis rendu sur la tombe du cimetière de Brompton, afin d'y déposer de nouvelles roses. Je suis allé à Mombasa ; Joachim et Chandra et bien d'autres m'ont fait un accueil chaleureux qui, par ces temps de solitude, m'a réchauffé le cœur. Joachim a dû revendre l'affaire de location de voitures que je lui avais laissée, « mais ça va très bien », dit-il en se balançant d'une patte à l'autre. J'apprends aussi qu'il est devenu enfant de chœur, pauvres de nous ! aux côtés de Kikuyus grands comme deux bananes. Il m'emmène en safari-promenade pendant trois jours mais refuse avec la dernière énergie que je lui laisse un sou. Je vais voir Chandra qui gère avec une méticulosité indienne son affaire, enfin la mienne, de change parallèle. Il a fait des calculs einsteiniens pour déterminer la part qui me revient sur ses bénéfices. « C'est de l'argent à toi, Petit Chef.

– Et Joachim ? il n'a plus un *cent*, c'est ça ? » Il acquiesce : si seulement Joachim avait voulu que lui, Chandra, l'assiste dans la gestion mais je connais Joachim, n'est-ce-pas ? aussi pataud dans les affaires que dans la vie. « Chandra, je ne veux pas de cet argent. Remets-le à Joachim mais pas tout à la fois, donne-lui par exemple trois cents dollars par mois. »

Huit jours plus tard, je suis de nouveau au Caesars de Vegas et revoilà Ximenez, l'homme aux yeux de gerfaut.

« Monsieur Cimballi, je suis venu vous annoncer que la conclusion est proche. Comme vous avez dû le lire, l'état d'urgence vient d'être proclamé dans la capitale, il y a eu un premier soulèvement militaire qui ne compte pas vraiment et le chef de l'État qui réclamait les pleins pouvoirs se les est vu refuser. Tout se déroule parfaitement. »

Ce sont peut-être ces derniers mots qui me hérissent, ou l'assurance méprisante de ce type, ou ma certitude que je n'ai plus grand-chose à perdre mais je dis :

« Je ne veux pas payer pour quelque chose qui n'a pas été fait. Que ces gens auxquels je m'intéresse aient perdu et perdent encore de l'argent au Chili, au cours des derniers mois, je le reconnais. Ce que je mets en doute, c'est que ces pertes soient la conséquence d'une attaque directement dirigée contre eux, et pour laquelle j'ai payé. Ils sont en fait les victimes d'une situation générale. »

Le regard noir me transperce.

« Et quelles sont vos suggestions, monsieur Cimballi ?

– Je ne paie que si ça en vaut la peine. Je veux qu'Hovius et Donaldson perdent jusqu'à leur chemise.

– Encore faut-il en avoir les moyens. »

Je m'entends dire :

« Il y a un moyen. »

Je développe l'idée à mesure qu'elle me vient :

« Hovius et Donaldson, leur groupe, ont investi plusieurs dizaines de millions de dollars, aux environs de quarante semble-t-il. Ils en ont déjà perdu pas mal, peut-être le quart, peut-être un peu plus...

– Il y aura d'autres grèves. Les mineurs sont toujours en grève. Et une action très importante va...

– Et ils perdront encore de l'argent, j'en suis d'accord. Ils en perdront jusqu'au jour où ils se retireront. Ils seront bien moins riches mais ils ne seront pas ruinés. Et je veux leur ruine. Je ne paierai que leur ruine et rien d'autre. »

Il me dévisage absolument impassible :

« Ce moyen ?

– Contactez Hovius, soit vous, soit l'un des représentants de la future junte. Laissez entrevoir à Hovius la possibilité d'une « latinisation » de la future économie chilienne, c'est son dada, la possibilité pour son associé et lui, surtout pour lui qui est argentin, de demeurer au Chili après un changement de régime et donc de pouvoir récupérer au-delà de l'argent jusqu'ici engagé.

– En échange ?

– En échange de dix millions de dollars payables à la junte, ou à vous. C'est votre problème. »

Silence. Ils sont trois dans la pièce à me faire face et j'espère que mon visage ne révèle rien de ma trouille intense.

« Et le gouvernement nouveau ne tiendrait pas ses promesses, c'est bien ça ? » demande Ximenez.

Je soutiens tant bien que mal sans broncher son regard et je ne réponds pas. D'ailleurs, il ne m'a pas vraiment posé une question. En quelque sorte, il réfléchissait à voix haute.

« Je connais Hovius, dit-il enfin. C'est un homme qui prend des risques. »

Nouveau silence, qui se prolonge. Les yeux de gerfaut m'enveloppent et, pour une fois, je n'y lis pas l'espèce de mépris léger que j'y ai toujours vu.

« Les ordres que j'ai reçus sont de vous satisfaire », dit enfin Ximenez.

Et c'est allé très vite. Il y a eu, le 25 juillet, la formidable grève des camionneurs et de tous les chauffeurs de transports en commun sur le territoire chilien, et deux jours plus tard, l 'assassinat de l'aide de camp de Salvador Allende, puis toute une série de pressions, de sabotages, d'intimidations tout au long de la mi-juillet, du mois d'août, des premiers jours de septembre. Le 5 septembre, c'est l'assassinat d'Allende lui-même. Je n'ai pas aimé la nouvelle de cette mort. De toute façon, je n'y avais pas la plus infime part.

J'ai moins aimé encore la nouvelle de la mort de John Hovius dans la mesure où elle était le résultat involontaire de mon action. Hovius est mort onze jours après Allende, non pas au Chili où toutes les usines et les implantations de son groupe furent réquisitionnées et attribuées à d'autres sans dédommagement, mais en Argentine. Il est tombé d'un neuvième étage. Possible qu'il se soit suicidé.

En ce qui me concerne, on est venu me voir au Britannia Beach Hotel de Nassau, un matin, et ils m'ont au vrai tiré du lit. Ils étaient deux, bien propres, jeunes, l'air de ce qu'ils étaient, des avocats importants et très intelligents, très sûrs d'eux-mêmes et de leur cause.

« Nous sommes venus régler les détails de ce versement que vous vous êtes engagé à faire voici quelques mois, suite à un contrat passé verbalement. »

Ce « contrat verbal » n'ayant pas l'air de les troubler le moins du monde. J'ai acquiescé :

« La somme est d'un million de dollars. »

Ils ont pareillement secoué la tête avec courtoisie :

« Vous devez faire erreur, monsieur Cimballi. En raison des services supplémentaires que vous avez réclamés à nos clients, le montant de leurs honoraires est de trois millions de dollars. »

Je les ai regardés, j'ai dit :

« Donnez-moi une heure. »

Une heure plus tard, j'ai payé. A l'évidence, ils étaient parfaitement informés de ce que je pouvais payer, du maximum de ce qu'ils pouvaient me demander. Et marchander avec eux aurait été comme de discuter avec la mer, à cette différence près que la mer ne vous pousse pas d'un balcon du neuvième étage.

Hovius mort, Donaldson ruiné ou peu s'en faut, j'en ai eu la preuve, Martin Yahl lui-même touché dans la mesure où il détenait tout de même vingt pour cent des titres du groupe, par les faux-semblants habituels, et moi ruiné de même, n'ayant plus guère alors que le dixième à peine de ce que j'avais, tel est le bilan.

Il n'est pas de ceux dont on se flatte.

Ce mois d'octobre à New York est ensoleillé et doux. Je marche le jour dans Central Park ou bien je rôde dans Manhattan, « downtown » comme un chien perdu dans la foule tout au fond des canyons découpés par les façades des banques surpuissantes. J'avais ouvert un compte à la Chase, pour le plaisir de me convaincre que j'en étais le client : il n'est plus désormais que théorique. J'ai quelque peu le cafard, mon Vendredi Noir survient pour l'heure chaque jour de la semaine, et Wall Street m'apparaît pour ce qu'elle est vraiment : une ruelle étroite et d'une repoussante saleté. Chaque matin, je me dis qu'il me faut tenter quelque chose, n'importe quoi, user de mon dernier capital pour, je ne sais, ouvrir un restaunt ou créer une religion nouvelle qui m'apportera plein de cotisations et de dons, sans parler des impôts qu'on ne paie pas dès lors qu'on est un Dieu.

N'importe quoi.

Et ça dure.

Mais voilà, il y a les idées que l'on pressent, celles dont on devine l'approche comme on aperçoit un cavalier venant à vous du fin fond d'une plaine immense... Moins poétiquement, il y a les idées qui vous pètent à la figure.

Je me balade dans Greenwich Village, d'un banc à l'autre de Washington Square à regarder les étranges écureuils noirs. J'ai effectué un peu plus tôt mon quotidien pèlerinage au New York Stock Exchange et je me rends bien compte que je suis en train ou presque, de tourner à la cloche. La danse de Cimballi n'est même plus qu'une valse lente.

Il s'appelle David Sussman. Il se dit peintre et l'est à peu près autant que moi, sauf que lui distingue les couleurs. On bavarde comme-ci, comme-ça. Il m'offre une bière dans un bar de l'avenue des Amériques, je lui en paie un autre, dans le quartier portoricain, qu'il me rend à la hauteur de Macy's, que je lui restitue dans la 58e. On entre au Guggenheim avant d'être complètement beurrés, on regarde des choses accrochées aux murs dans leur espèce de colimaçon et David m'invite à dîner chez lui, à Brooklyn dans sa famille qui est juive autrichienne, tout juste comme ma mère. Le hasard qui m'a conduit ici m'y fait rencontrer, venu aussi dîner en famille, car il est seul à New York, sa femme étant pour quelques jours chez ses parents dans l'Ohio, le frère de David, Leonard. Et c'est exactement ainsi que les choses s'enchaînent avec le même mécanisme farfelu et imprévisible. Leonard me dit en riant : « *If you're looking for a job*, si vous cherchez du travail, ne venez surtout pas me voir, je suis dans le Marasme. » Je lui demande mais en réalité je m'en fous complètement, c'est juste par politesse, de m'expliquer ce que c'est que le Marasme en question. Il me l'explique et voilà, ça arrive. L'idée que j'ai à ce moment-là explose littéralement, d'un coup.

Qui diable aurait pu prévoir qu'une idée pareille me vaudrait soixante-cinq millions de dollars pas moins, et l'honneur tant attendu d'affronter *mano a mano*, Sa Grandeur Bancaire Martin Yahl Soi-Même.

IV

LA CEINTURE DE SOLEIL

17

ÇA se passe surtout en Floride, m'a dit Leonard Sussman. Ailleurs aussi mais surtout en Floride, c'est là que c'est le plus spectaculaire. C'est sur la côte est de la péninsule essentiellement. Ça commence à North Palm Beach et plus vous allez au sud, plus vous découvrez le marasme, son étendue, sa gravité. Allez-y, m'a dit Leonard, allez au Sud, passez à Riviera Beach, à West Palm Beach, à toutes ces *beaches* qui se succèdent en litanie, Boyton, Delray, Deerfiled et Pompano, allez à Fort Lauderdale et Hollywood pas celui du cinéma un autre, allez à Miami. Le marasme, « Frank », avec un grand M comme dans Mégalomanie.

A New York, j'ai de nouveau loué au Pierre, moins en signe de ma prospérité revenue, qu'en prévision de ma fortune à venir. « Et, bien entendu, vous me gardez ma suite durant mon absence, dont je ne sais encore combien elle durera. » Grand seigneur. « Mais bien entendu, monsieur Cimballi. »

Je suis sorti noblement, j'ai pris le volant de la Porsche que j'ai louée aussi, mais pour huit jours seulement – il ne faut pas exagérer – et j'ai pris la route du Sud.

Je passe six jours au total en Floride et durant ces six jours, je rencontre vingt-huit promoteurs ou agents immobiliers, un journaliste spécialisé de

Miami, un avoué et deux banquiers. Le coffre de ma voiture, qui n'est pas énorme il est vrai, regorge de prospectus et de dépliants en quadrichromie, quand je rentre à New York.

Chacun des trente-deux entretiens que j'ai eus au doux soleil hivernal de Floride m'a un peu plus convaincu que je tenais effectivement une idée en or.

Pour un beau marasme, c'est un beau marasme !

Cela m'a pris toute une matinée et une bonne partie de l'après midi pour y parvenir, mais je suis enfin devant l'homme que je voulais voir. Il ne le sait pas et ne le saura jamais, mais c'est le supérieur très supérieur, tout en haut de l'échelle de Leonard Sussman. Par sa grande baie vitrée à droite de son bureau panoramique, on aperçoit l'un des squelettes en cours d'habillage des tours jumelles du World Trade Center culminant à quelque quatre cents mètres de haut. A gauche, autre baie vitrée qui offre une vue imprenable sur la tour de l'U.S. Steel Building, sur la Battery et la statue lointaine de la Liberté. L'homme en face de moi s'appelle, disons, Henry Clay Adams.

« Monsieur Cimballi, je ne vous ai reçu que parce que vous avez énormément insisté.

– Vous m'avez accordé dix minutes.

– Pas une seconde de plus.

– Cela suffira. »

J'ai répété mon argumentation tel un vendeur d'aspirateurs, je l'ai rabâchée jusqu'à la savoir par cœur. Je la récite, aussi vite que je le peux, estimant et espérant non sans quelques raisons que cet homme n'est pas un imbécile.

« Premier point, l'existence aux États-Unis de ce que l'on appelle la Ceinture de Soleil, la Sun Belt.

Ça comprend tout ce qui est au Sud, c'est-à-dire la Floride, le Nouveau-Mexique, l'Arizona et la Californie, éventuellement un morceau du Texas. Quelqu'un habitant New York, la Nouvelle-Angleterre, Detroit, Chicago, l'Oregon, les Dakotas, le Nebraska, le Canada, quiconque se gèle les oreilles huit mois par an a tout naturellement envie d'aller habiter dans la Ceinture du Soleil, surtout au moment de sa retraite. On s'est donc mis à acheter. Ça a commencé voici quelques années et c'est, en Amérique, un phénomène curieusement nouveau. Pour répondre à cette demande sans cesse croissante, naît un fantastique boom immobilier, on se met à construire de toutes parts, des milliers de promoteurs se mettent à l'œuvre et accumulent les profits les plus fabuleux. C'est une situation qu'aucune banque au monde ne peut considérer sans en être agacée. Et les banques interviennent, elles investissent, par l'intermédiaire de ce que vous appelez les R.I.T., les Reals (estate) Investment Trusts. A noter un fait essentiel : contrairement aux banques européennes, les banques américaines ne sont pas habituées aux opérations immobilières ; elles ont donc tendance à se fier entièrement aux promoteurs ; et elles les financent, à cent pour cent, avançant tout, l'argent du terrain, l'argent de la construction, celui de la publicité et celui des frais. C'est tellement facile que le premier aventurier venu devient promoteur. Et le drame se noue, monsieur Adams. Non, je ne fais pas le clown, monsieur Adams. Vous m'avez accordé dix minutes et elles ne sont pas écoulées. Attendez la suite. Le drame se noue parce qu'à force de construire des dizaines de milliers, des centaines de milliers, des millions d'appartements à vendre ou à louer dans la Ceinture de Soleil, vient un moment où l'offre excède fantastiquement la demande. C'est le trop-construit, l'over-built. S'y ajoute la crise ; même la traditionnelle clientèle de New York, qui a l'habitude de se retirer en Floride, cesse d'investir. Bien sûr les banques détiennent les hypothèques mais à quoi bon, puisque les promoteurs, faute de clients, ne peuvent plus payer ? Et voilà où nous en sommes, monsieur Adams. Imaginons une banque de Chicago, ou de New York mais je ne cite personne. Cette banque a prêté des centaines de millions de dollars pour des immeubles qui ont bel et bien été construits, qui existent, qui sont splendides, à Fort Lauderdale ou Pompano Beach, à Corpus Christi au Texas, à Santa Monica en Californie. Mais des immeubles qui sont vides, dont personne ne veut plus, dont les rares loctaires ne paient plus les loyers et que pourtant on ne chasse pas parce que au moins ils entretiennent un semblant de vie dans ces mausolées. Et tous les mois, monsieur Adams, tous les ans, puisque voilà bientôt trois ans que ça dure, il faut néanmoins acquitter les taxes et les frais de maintenance et de gardiennage et l'on a dans ses bilans de fin d'exercice, chaque fois, ces centaines de millions de dollars qui finissent par être prodigieusement agaçants, d'abord parce qu'ils manquent, parce qu'ils dorment et ensuite parce qu'ils donnent, du fait de leur absence, une image qui n'est pas très flatteuse.

« Il vous reste deux minutes trente, monsieur Cimballi. »

Henry Clay Adams a des cheveux neigeux, un visage rose, un regard expressif. Je lui souris. Je sais déjà que cet homme va faire ma fortune, j'en danserais.

« J'en ai terminé, monsieur Adams. A deux choses près. La première est que je sais que votre banque a placé environ quatre cents millions de dollars dans ces immeubles actuellement invendus, notamment en Floride. La deuxième est que je sais comment l'on peut vendre ces appartements, je sais à qui les vendre et comment obtenir en échange de l'argent frais. »

Il ne bronche absolument pas. J'attends aussi. On verra bien qui parlera le premier. C'est lui et il dit de sa voix douce :

« Puis-je avoir quelques détails supplémentaires ? »

Je lui adresse mon plus radieux sourire. Mais comment donc ! Je lui explique le détail de ce que je vais faire. Enfin presque tout le détail. Il se renverse dans son fauteuil, allonge le bras sans tourner la tête, décroche le téléphone :

« Qu'on ne nous dérange pas. »

Il revient à moi :

« Vos conditions ?

– Cent cinquante mille dollars d'avance pour mes frais et vingt pour cent de commission.

– Dix.

– Quinze.

– D'accord. »

J'avais tablé sur douze. Nous discutons des détails et parvenons rapidement à un accord. Qu'est-ce que cent cinquante mille dollars pour un Adams, pour une banque comme la sienne ? Et il ne risque rien d'autre. Si je ne trouve pas d'acheteurs, je ne toucherai rien.

Le soir même, je prends l'avion pour Bruxelles et de là pour le Luxembourg.

Aller vite. Mon idée ne vaut que dans la mesure où je l'ai eue le premier. Elle ne vaut aussi que parce que j'ai affaire à des Américains, à des banquiers américains, capables d'en remontrer à n'importe qui en tout domaine mais qui pourtant, dans ce cas précis, ont une faiblesse. Et cette faiblesse, ils ne tarderont pas à la pallier, quitte à m'évincer, au besoin sans le moindre ménagement (ce qu'ils feront d'ailleurs). C'est donc une course de vitesse que je dois livrer. Je me donne six mois, peut-être un peu plus, peut-être moins, avant que ces grands messieurs établis dans leurs énormes tours de béton et d'acier ne commencent à me regarder de travers et ne m'expédient au diable.

Mon idée est simple : pour des raisons dont je suis d'ailleurs convaincu qu'elles ne sont que circonstancielles et donc passagères, pour des raisons dont en vérité je me contrefiche, il n'y a plus actuellement aux États-Unis d'acheteurs américains pour des appartements américains. Bon, je crois, moi, qu'on peut en trouver ailleurs. Partout. Dans le monde entier. L'Indochine connaît la guerre, le Proche-Orient connaît la guerre, l'Afrique n'est pas trop flambante, l'Amérique latine est déchirée par ses dictateurs, survolée de surcroît par l'ombre menaçante du castrisme. Quant à l'Europe, c'est bien simple, tout le monde ne peut pas porter son argent en Suisse dans la crainte d'un nouveau mai 68 qui irait cette fois jusqu'au bout de ses folkloriques barricades. Je pense, je suis certain qu'il y a donc, dans toutes ces régions du monde, des clients potentiels, des gens qui seraient forcément intéressés par un investissement dans le pays symbole du capitalisme, les États-Unis, emplacement idéal d'un bas de laine, où ce n'est pas *a priori* demain la veille qu'on assistera à des nationalisations massives.

Difficile pour un Américain accoutumé au dollar-roi d'imaginer qu'il faut aller chercher de l'argent ailleurs qu'aux États-Unis. Ayant besoin de nougat à Montélimar, on ne pense pas illico à Kansas-City pour s'en procurer. Voilà la faiblesse de mes interlocuteurs américains.

Et si l'argument aussi primaire et essentiel que le bas de laine en sécurité n'y suffisait pas, j'ai pour convaincre mes clients d'autres atouts. Ces deux douzaines de vendeurs dans l'immobilier que j'ai rencontrés en Floride me l'ont prouvé, chiffres en main : le prix du mètre carré aux États-Unis est, comparativement à celui pratiqué en Europe, inférieur de moitié. C'est bien simple : pour un appartement de cent mètres carrés dans un immeuble de grand standing à, par exemple West Palm Beach, qui est un joli coin croyez-moi, pour un appartement parfaitement construit donc, un promoteur américain ou la banque ayant repris son hypothèque demande soixante mille dollars. Soit entre deux mille cinq cents et trois mille francs du mètre carré. A Cannes, le même appartement, exactement le même, vaut le double au moins, voire le triple ou le quadruple. Autre exemple ? Pour le prix d'une chambre de bonne à Genève, on a, à Delray Beach, « les pieds dans l'eau », un très beau studio de cinquante ou soixante mètres carrés assorti d'une piscine, de la plage et du soleil.

Et je ne trouverais pas d'acheteurs ?

Durant ces quelques jours que j'ai passés en Floride, j'ai fait faire des photos, pas n'importe lesquelles : il me fallait bien sûr au centre du cliché l'un de ces immeubles que je me suis chargé de vendre, mettant en valeur la qualité de ses finitions, sa décoration, ses jardins plantés de fleurs tropicales, sa piscine et la plage toute proche. Mais pas seulement tout ça – le photographe grinçait des dents : j'ai aussi voulu que figure très ostensiblement, passant par là par hasard, un détachement de l'U.S. Marine Corps, bannière étoilée en tête. Cela revenant à dire à quiconque contemplant la quadrichromie recouvrant mon argumentaire : « Regardez ! Non seulement c'est beau, non seulement c'est ensoleillé, non seulement c'est moins cher qu'en Europe, non seulement c'est un investissement dans une monnaie qui ne se dévaluera jamais de façon catastrophique, mais encore c'est un investissement fait au cœur du pays le plus puissant du monde et l'armée des États-Unis veillera personnellement sur vos petites économies ! »

Je trouve un imprimeur en Belgique. Je lui donne négatifs et texte, avec un projet de maquette. « Cinq mille exemplaires pour commencer. »

A Henry Clay Adams, je n'ai pas seulement arraché son accord et cent cinquante mille dollars. Nous avons été plus loin. Adams a tout d'abord refusé d'un mouvement sec de son auguste tête blanche, chenue et tout et tout :

« N'en demandez pas trop.

– Monsieur Adams, si mes renseignements sont exacts, et ils le sont, vous avez actuellement douze mille appartements sur les bras, invendus, dont les frais courent tous les mois, de la Floride à la Californie. Prenons un prix moyen de soixante mille...

– C'est trop.

– Disons cinquante mille, peu importe. Multiplié par douze mille, cela fait six cents millions de dollars immobilisés. Et cela depuis combien de temps, monsieur Adams ? Presque trois ans si je ne me trompe pas. Vous voilà donc depuis trois ans ou presque avec six cents millions de dollars bloqués, officiellement représentés par des hypothèques à douze pour cent. Mais ces hypothèques sont-elles servies ? Non. Vous ne touchez pas un *cent*, dans la quasi-totalité des cas.

– Votre idée ?

– Je n'aurai de chance de trouver des gens acceptant de payer soixante mille dollars pour un appartement et à qui je devrai honnêtement annoncer qu'ils auront à payer en sus des frais d'entretien, je n'aurai cette chance que si je peux leur promettre quelque chose.

– Quoi ?

– Un intérêt de cinq pour cent sur l'argent qu'ils auront versé pour leur achat. »

Oh ! le calcul est vite fait : un Français désireux de mettre quelque argent à l'abri en Suisse doit acquitter un impôt forfaitaire s'élevant à trente-cinq pour cent de son dépôt. Moi, aux États-Unis, et le dollar question sécurité et fiabilité vaut presque le « franc suisse », j'offrirai à mes clients cinq pour cent EN PLUS, au lieu de trente-cinq pour cent en moins. Tête d'Adams :

« Et c'est naturellement ma banque qui devra leur verser cet intérêt ?

– Évidemment, monsieur Adams. Qui d'autre ? Ne me regardez pas ainsi s'il vous plaît. De mon côté, je leur vends soixante-dix mille dollars un appartement qui en vaut soixante mille et je leur dis franchement pourquoi le prix est majoré de dix mille dollars : parce qu'à partir du moment où ils auront acquitté au moins, disons soixante pour cent du prix global, ils se verront servir chaque année un intérêt de cinq pour cent, soit trois mille cinq cents dollars par an pour soixante-dix mille dollars. Trois mille cinq cents dollars payés par vous, monsieur Adams. Et vous les paierez presque de bon cœur, parce que vous savez qu'en servant cinq pour cent d'intérêt à quelqu'un qui vous amène au comptant cinquante, soixante ou soixante-dix mille dollars, c'est comme si vous empruntiez vous-même ces sommes afin d'être en mesure de les prêter vous-même à quelqu'un d'autre, ici aux États-Unis, moyennant un intérêt de douze pour cent et plus. Vous aurez payé cinq pour cent, vous en toucherez douze. Bénéfice : sept. Mais vous savez tout ça bien mieux que moi. »

L'œil d'Henry Clay Adams :

« Quel âge avez-vous, monsieur Cimballi ?

– Et encore, si vous m'aviez connu quand j'étais jeune ! »

Je trouve mon premier client, mes quatre premiers clients, tout seul. Ce sont des Belges dont l'un a travaillé avec moi à l'époque pas si lointaine des gadgets. Il a alors gagné pas mal d'argent et il a, sinon la reconnaissance du portefeuille, du moins tendance à m'écouter quand je parle.

Et il a des amis que ça intéresse.

Plus un notaire qu'il connaît et qui a lui-même des clients qu'il conseille.

Plus les amis des clients du notaire qui lisent mon argumentaire. Et ça fait tache d'huile. Mon ami Letta à Rome, convaincu à mes premiers mots, se lance à l'attaque et me promet des résultats rapides.

La surprise me vient de Marc Lavater, que j'ai consulté parce qu'il ne me viendrait pas à l'idée de lui dissimuler quelque chose et aussi parce que, mieux que quiconque, il est à même de m'indiquer des clients.

« J'en connais un. »

Je le regarde ahuri :

« Toi ?

– C'est une bonne affaire, oui ou non ?

– C'en est une.

– Alors achète cinq appartements pour moi, veux-tu ? Que veux-tu que je fasse de tout cet argent que tu me donnes, depuis trois ans ? »

Bien entendu, dans toute cette affaire, je n'apparaîtrai jamais officiellement. La société éditrice de mon argumentaire est luxembourgeoise, localement représentée par un journaliste qui avait besoin d'une nouvelle voiture. Quant aux heureux nouveaux propriétaires d'un bel appartement en Floride, ils sont eux-mêmes discrètement dissimulés derrière des sociétés ayant par exemple leur siège social à Panama. Et ces sociétés ne traitent avec eux qu'au travers d'une société que je viens de créer... à Curaçao.

Curaçao, c'est dans les Antilles néerlandaises, au large du Venezuela, à droite en sortant de Maracaïbo, vous ne pouvez pas vous tromper. C'est grand comme rien, ça ne ressemble pas à grand-chose. J'y suis allé pour me distraire au temps où je séchais sur pied à Nassau. J'y ai vu la plaque derrière laquelle mon père, sur les conseils d'un nommé John Carradine surnommé Scarlett, avait autrefois édifié un empire. Et sans même avoir besoin de traverser la rue, j'ai vu cette autre plaque à l'abri de quoi, toujours grâce au même Scarlett aujourd'hui décédé, Martin Yahl a opéré son fabuleux détournement.

J'ai fait en sorte d'être installé tout à côté.

Sa Grandeur Bancaire et moi, nous faisons désormais presque plaque commune. On est voisins.

J'ai mis au travail tout mon ancien réseau de l'affaire des gadgets. J'ai embarqué le Turc dans la galère et ça l'a follement amusé, Ute *itou*. J'ai appelé Hyatt à Hong Kong et j'ai eu une nouvelle fois la preuve de sa disposition de caractère : je lui aurais demandé de s'engager personnellement, il aurait à coup sûr refusé, mais je lui dis : trouve des clients et tu as cinq pour cent. Et là il comprend et il marche. C'est un subalterne-né.

Le meilleur de tous est Letta à Rome. En quelques jours, ce travailleur acharné me rabat toute une volée de clients sérieux. Ça va tellement vite que j'en suis moi-même ahuri et c'est au point que je renonce provisoirement à mon idée première : mettre tous les clients éventuels dans un avion-charter, transporter tout le monde en Floride, avec jolies filles en tutu-panpan à la descente d'avion et visite organisée sour les palmes. Ce n'est même pas nécessaire dans un premier temps ; j'utiliserai le procédé un peu plus tard, dans d'autres circonstances, on le verra.

Retour à New York, me revoilà face à Adams. Je suis mort de fatigue.

« Je vous ai vendu quarante-six appartements. C'est dérisoire si l'on songe aux douze mille que vous avez à vendre, ne me le dites pas, je le sais. Mais l'essentiel est ce réseau que j'ai mis en place et dont les résultats vont grossir de semaine en semaine. Bon, je n'ai pas traversé l'Atlantique pour recevoir une médaille. Parlons plutôt chiffres. J'ai calculé que chacun de ces quarante-six clients apportait une moyenne de quarante et un mille dollars et des poussières. Soit un total de versement d'un million huit cent quatre-vingt-treize mille deux cent vingt-deux dollars, desquels j'ai soustrait comme convenu mes quinze pour cent de commission, c'est-à-dire deux cent quatre-vingt-trois mille neuf cent quatre-vingt-trois dollars et trente *cents*. Vous pouvez refaire les comptes. »

Adams me regarde. Son œil serait presque humain, par moments. « Je ne suis malheureusement pas libre à déjeuner, monsieur Cimballi, mais je suis sûr que l'un de mes collaborateurs se fera un plaisir de vous inviter. » Je dis non merci, je suis fatigué et cela doit se voir. « Puis-je au moins vous faire reconduire à votre hôtel ? Le Pierre dites-vous ? »

Au Pierre, je suis lié avec l'un des réceptionnistes, qui est né le même jour que moi. A son regard, je comprends qu'il a quelque chose à me dire. Je le prends à part :

« On m'a posé des questions sur vous, monsieur Cimballi. Des policiers privés et qui ont des moyens. Ils sont passés par la direction, pas par nous. »

Je le remercie selon les usages. Je suis réellement à bout et l'information que je viens d'obtenir ne pénètre pas vraiment. Je consacre les dix heures suivantes à dormir et il fait nuit noire quand, au sortir de la douche, je redeviens à peu près moi-même. Je m'allonge devant l'écran de télévision qui donne des images d'un match de football (américain). « Des policiers privés. » Mes yeux sont sur les joueurs bardés de caoutchouc et de plastique mais mes pensées sont ailleurs. Je finis par décrocher le téléphone et je forme le numéro moi-même :

« Françoise ? Je veux parler à Marc ? Je vous embrassc. »

Ils sont tous deux dans leur maison de Chagny à faire n'importe quoi, peut-être à jardiner, je ne sais même plus s'il fait jour ou nuit ni dans quelle saison on est.

« Marc ? Tu as pu t'en occuper ?

– Affirmatif. Yahl a engagé la plus grosse agence

de police privée américaine. Ils te suivent au jour le jour, à vingt-quatre heures près. Ils sont au courant pour la Floride, pour la société du Luxembourg et pour celle de Curaçao. Pour Landau et Lamm aussi.

– Pour l'Argentin et l'Écossais ?

– Yahl sait. Il ignore les détails, et l'importance de ton intervention mais il sait combien tu avais gagné avec l'homme aux jambes d'acier et combien tu as perdu à Nassau. A mon avis, il sait ce que tu as en poche à mille dollars près.

– Et toi, comment sais-tu qu'il sait tout ça ? »

Il rit :

« Je fais tourner les tables. »

Il refuse d'en dire plus, peut-être parce que nous sommes au téléphone mais pas seulement pour ça. Cet animal me cache quelque chose et comme j'ai en lui une confiance quasi totale, ce mystère dont il entoure la source de ses informations m'agace mais ne m'inquiète pas vraiment. Je finirai par savoir...

Reste les agissements de Sa Grandeur Bancaire. Ainsi, il sait à mille dollars près ce que j'ai en poche ? Bon, et alors ? Il y a des années que je ne l'ai pas vu mais j'arrive aisément à l'imaginer se faisant chaque jour communiquer l'état de la fortune de Cimballi Franz, présentement domicilié à l'hôtel Pierre de New York et riche d'environ trois cent cinquante mille dollars. A la façon dont on prend connaissance des cours de la Bourse. A l'évidence, Martin Yahl me craint à proportion de l'argent que je peux détenir. Il n'a pas tort. Et ce n'est certainement pas avec trois cent cinquante mille dollars que je peux l'épouvanter.

A y réfléchir, d'ailleurs, s'il était au courant, il n'a pas non plus bougé quand j'en avais quinze fois plus, au lendemain de mon opération sur l'or.

Quel degré de fortune devrais-je atteindre pour qu'il commence d'avoir peur ?

Cent millions de dollars ? deux cents ?

Et même, à supposer que je parvienne à de tels sommets, que pourrais-je faire contre lui ? Financièrement, je serais ainsi tout juste à sa hauteur. Et je n'ai pas la moindre idée de la façon dont je pourrais alors attaquer sa formidable forteresse.

Je regarde les footballeurs avec leurs immenses numéros et leurs épaules de géants. Cent millions de dollars. Je viens d'en gagner deux cent quatre-vingt-trois mille et je sais très bien que, dans le meilleur des cas, à ce rythme, il me faudra sans doute deux ans ou trois ans pour simplement retrouver le niveau atteint avec l'aide de M. Hak. En supposant que les banquiers comme Adams me laissent faire, ce qui est peu probable.

Et c'est comme une décharge électrique. Je bondis. Je danse seul dans ma chambre, comme un fou. J'ouvre le réfrigérateur et je débouche une bouteille de champagne.

Imbécile ! Grand imbécile de Cimballi, pauvre crétin !

Et je n'y avais pas pensé !

18

CELA s'appelle en anglais le *leverage*, le levier.

C'est le principe très américain – pas seulement américain mais nulle part plus qu'aux États-Unis on ne le pratique avec plus de virtuosité – , le principe par lequel, pour lever une hypothèque, il n'est pas nécessaire de verser la totalité du montant de cette hypothèque.

Le leverage, c'est la possibilité – réelle, on le verra – de verser deux mille dollars pour arrêter une hypothèque de cent mille dollars sur un terrain ou un immeuble. Et, ayant arrêté l'hypothèque, naturellement, cela vous permet de vendre ce terrain ou cet immeuble. En d'autres termes, cela vous permet en toute légalité de vendre quelque chose que vous n'avez jamais acheté ou plus exactement de le vendre et de le payer après l'avoir vendu et donc de vous acquitter de la totalité du montant de l'hypothèque – quatre-vingt-dix-huit mille dollars si vous n'en avez versé initialement que deux mille – en puisant dans les sommes que la vente vous a rapportées.

Vos deux mille dollars sont le levier, et rien d'autre. Mais « donnez-moi un levier et je soulèverai le monde..., etc. »

Et si les circonstances vous favorisent et que vous parveniez par exemple à revendre deux cent mille dollars ce même terrain nanti d'une hypothèque de cent mille (dont vous n'avez payé que le deux pour cent, soit deux mille), votre bénéfice ne sera pas du simple au double mais bien de cent mille dollars pour deux mille d'investissement, soit de *cinq mille pour cent*.

Voilà pour le premier des mécanismes que je vais utiliser.

Il y en a un deuxième.

Au cœur des conseils d'administration de toutes ces banques empêtrées dans le Marasme, voire des compagnies d'assurances qui ont investi dans les mêmes conditions et aux mêmes endroits, la détresse est telle, qu'on en est venu à tout accepter pour être débarrassé de cet irritant passif que représentent ces dizaines de milliers d'hypothèques non servies. Tant d'argent gelé empêche ces grands financiers de dormir, il n'y a rien qu'un financier haïsse plus que de l'argent immobile et improductif. Ça lui donne des boutons.

Au point que nombre de ces banques et de ces compagnies d'assurances sont prêtes, littéralement, à brader leurs hypothèques.

A moitié prix.

Et c'est là que ça devient hallucinant.

Imaginons, mais est-ce besoin de l'imaginer, ça va arriver vraiment et plus d'une fois, soit donc un immeuble à Palm Beach en Floride, dont le promoteur a fait faillite faute d'avoir trouvé des clients. A ce promoteur sa banque – disons la National Illinois Company de Chicago – a prêté dix millions de dollars et elle détient depuis une hypothèque de dix millions de dollars. Autrement dit, l'immeuble vaut dix millions de dollars. Cette hypothèque, la banque la détient depuis trois ans. Elle en a assez, elle ne veut plus la voir figurer dans ses bilans, d'autant qu'elle est loin d'être unique, il y en a des milliers d'autres.

C'est à ce point que la National Illinois Company de Chicago est prête à céder son hypothèque à moitié prix.

Soit cinq millions de dollars au lieu de dix.

Et si maintenant, à ces cinq millions de dollars, on appliquait le principe du levier ?

J'ai besoin de cinq cent mille dollars, au maximum, pour avoir le droit de mettre en vente un immeuble de dix millions de dollars. La vente réalisée je verserai à la banque les quatre millions et demi de dollars couvrant le reste du prix de cession de l'hypothèque. Voilà, en quelques mots, à quoi ça se résume.

A cette époque, qui suit immédiatement la mise en place européenne et même asiatique, grâce à Hyatt à Hong Kong, de mon réseau de vente d'appartements, je n'ai pas cinq cent mille dollars, j'en ai les deux tiers et ne peux guère envisager de les investir ; j'ai quand même besoin d'argent pour vivre et me déplacer.

Je pourrais emprunter ces cinq cent mille dollars. Il ne fait pas de doute qu'au su de mon raisonnement sur le levier, n'importe quelle banque de New York m'avancerait la somme, y compris la banque d'Adams. Mais justement, trop facilement : je ne tiens pas du tout à ce que mon idée coure au travers des bureaux. Et puis j'ai une autre raison de ne pas le faire, pour le moins aussi péremptoire : emprunter de l'argent, c'est apparaître au grand jour, cela revient à hurler aux oreilles de ces policiers privés que Martin Yahl a attachés à mes basques : « Attention, je suis en train de préparer un coup fumant, dont votre patron me dira des nouvelles ! »

La vérité est que même si je ne sais pas encore comment j'attaquerai un jour Martin Yahl, mon intention, ma volonté de l'attaquer, sont absolues. Il ne fait pas de doute que j'aurai pour cela besoin d'argent, de beaucoup d'argent. Et plus il me croira faible, plus longtemps il croira que je n'ai pour vivre que les revenus, certes confortables mais tout de même hors de proportion avec ses propres moyens, de mes commissions de courtier versées par Henry Clay Adams, plus grand sera l'effet de surprise quand je passerai à l'attaque.

J'ai besoin de cinq cent mille dollars et je ne veux donc pas passer par les banques, ni par le Turc, ni même par Marc Lavater qui tous deux seraient fort capables de me prêter cette somme. Non, ce dont j'ai besoin, c'est d'un mécanisme susceptible d'être utilisé autant de fois que nécessaire, chaque fois que j'aurai la possibilité d'arrêter l'hypothèque d'un nouvel immeuble.

Entre tous les hommes et toutes les femmes, telle Ute Janssen, dont j'ai utilisé les talents pour l'affaire des gadgets, l'un d'eux m'a particulièrement frappé par son intelligence, sa puissance de travail et presque sa férocité, s'agissant de décrocher un contrat, un contact, une commission. Il s'appelle Letta, il est un peu français, un peu italien, un peu tunisien, un peu tout, voire le reste. Je le rencontre à Rome au terme d'un périple invraisemblable qui m'a, j'en suis alors certain, permis de dépister tout suiveur éventuel, appartînt-il à la « plus grande agence de police privée des États-Unis ». J'ai esquissé un voyage en Californie, j'ai filé sur Montréal, de là à Chicago, d'où j'ai pris un avion pour Genève, où j'ai loué une voiture qui m'a conduit à Lyon, où j'ai pris le train pour Rome. Je dis à Letta :

« J'ai besoin le plus rapidement possible de dix personnes capables de payer chacune cinquante mille dollars cash pour un appartement.

– Dix ?

– Dix. »

Il ne bronche pas. Il est un peu voûté, la tête rentrée dans les épaules, les mains s'agitant parfois avec des gestes de croupier ramassant les plaques perdues ; il regarde ordinairement son interlocuteur par en-dessous, comme s'il tentait d'en estimer le prix au kilo. Il sort son carnet poisseux de sa poche et se livre à quelques calculs.

« Des Italiens ? ou bien vous avez une nationalité préférée ?

– Je m'en fous complètement.

– Je peux vous trouver dix Italiens. Ils ont tous des cousins ou des parents aux États-Unis, je le sais, je les ai prospectés à cause de ça. Ça crée des liens. Je peux vous les trouver en quarante-huit heures. Peut-être moins, il faut que j'aille les voir un à un. On ne parle pas de ces choses au téléphone. A propos, on est venu me voir, prétendument de la part du fisc, pour m'interroger sur mes affaires avec vous. Mais j'ai un cousin qui a un cousin au ministère : c'est après vous qu'ils en ont et ça vient de Suisse. »

Ainsi, même ici, Sa Grandeur Bancaire me traque.

Connaissant mieux Rome que moi, Letta m'a emmené dîner dans le Trastevere, de l'autre côté du Tibre, dans un restaurant *tipico*, spécialisé dans les fruits de mer et les poissons. Je le contemple en train de nettoyer un oursin : après son passage, au microscope, on ne trouverait plus rien. Et ce type peut me trouver cinq cent mille dollars en quarante-huit heures, « peut-être avant » ! Je lui souris :

« Quel est votre prénom ?
– Adriano. »

Outre italien et français, il parle arabe et un peu espagnol.

« Vous parlez vraiment arabe ?
– Comme le français et l'italien.
– Adriano, j'ai besoin de quelqu'un qui s'occuperait de toutes mes affaires en Europe... non, attendez, en Europe et au Proche-Orient, puisque vous parlez arabe. Ça vous va ? »

Ça lui va.

« Mais il y a une condition : officiellement, et pour quelque temps encore, vous ne serez qu'un courtier entre tous les autres, et les affaires que vous aurez avec moi ne concerneront que de simples courtages. En d'autres termes, je veux que ces gens qui s'intéressent à moi, et qui sont venus vous voir pour vous poser des questions à mon sujet, continuent à croire que je ne fais rien d'autre que vendre quelques appartements par-ci, par-là. Cette affaire de cinq cent mille dollars doit demeurer secrète, totalement. »

Nous nous mettons d'accord, Adriano Letta et moi : il est entendu que l'argent des dix acheteurs qu'il va me réunir passera, non pas par la société de Curaçao qui est apparemment repérée par les espions de Yahl mais par une autre, celle-là au Liechtenstein. « Et nous continuerons d'utiliser Curaçao pour les courtages. » Il a très bien compris et je lui fais confiance, faute de pouvoir faire autrement.

Deux jours passent et j'aurais pu en profiter pour faire un saut à Paris afin d'y embrasser Catherine et sa mère, mais ce serait mettre en danger le secret dont j'ai entouré mon voyage à Rome. J'attends, marchant interminablement dans les jardins de la

Villa Medicis. Quarante et quelques heures plus tard, Letta a tenu parole et regroupé ses dix acheteurs. Avec ces dix personnes, au lieu d'aller tout bêtement (comme je continuerai à le faire par ailleurs pour donner le change à Yahl) verser leur argent à Adams et encaisser ma commission au passage, je constitue un syndicat d'acheteurs et je reprends l'hypothèque de dix millions de dollars détenue par une banque de Boston qui s'est déclarée prête à me la céder pour cinq millions de dollars.

A compter de cette minute, ce n'est plus un immeuble appartenant à la banque d'Henry Clay Adams que je vends appartement par appartement (après en avoir bien sûr attribué un à chacun de mes Italiens), mais un immeuble qui m'appartient en propre, que je n'ai pourtant payé à ce jour que cinq cent mille dollars, lesquels d'ailleurs n'étaient pas à moi, et sur lesquels je ne dois encore à la banque que quatre millions et demi de dollars. Que j'ai le temps de payer. La banque, elle, est contente : elle a pu *write off the book* cette mauvaise affaire, en me repassant le bébé.

Avant ma tournée floridienne, pendant celle-ci, après celle-ci, de retour à New York, j'ai interrogé un maximum de personnes, jusqu'aux plus vieux brokers qui ont clamé à l'unisson : « Cette crise immobilière ne durera pas, c'est impossible, même en 29 on n'a pas vu ça. » Les banquiers eux-mêmes qui vont me brader leurs hypothèques useront, pour me convaincre de me substituer à eux, exactement du même argument. Eh bien, je les ai crus et, à cette époque où je rachète ma première hypothèque, je les crois plus que jamais. Je suis convaincu que tôt ou tard la surconstruction, l'*overbuilt* n'existera plus, que tout redeviendra normal et que, la clientèle américaine traditionnelle étant revenue à ses habitudes, tous ces appartements actuellement à l'encan, presque à la casse –par ce réflexe très américain qui veut qu'on jette tout ce qui n'est pas immédiatement utilisable – que tous ces appartements retrouveront très vite des acquéreurs.

Je suis loin de me douter à quel point je vais avoir raison.

Pour l'heure, une chose compte : aller vite, considérer que chaque jour, chaque semaine qui passe, ces mêmes banques avec lesquelles je traite à deux niveaux – vendant directement leurs appartements d'une part et encaissant des commissions, et d'autre part, dans la discrétion la plus totale, leur rachetant un maximum de leurs hypothèques – que ces banques donc vont réaliser que ce que j'ai fait en allant chercher des clients à l'extérieur des États-Unis, elles peuvent le faire aussi, avec des moyens fantastiquement supérieurs, sur une échelle incomparablement plus grande. D'autant que déjà les premiers signes d'une reprise commencent à apparaître. Leonard Sussman, celui-là même qui m'a le premier parlé du Marasme et m'a en quelque sorte mis sur la voie, sera le premier à m'alerter. On dit que dans une armée, pour obtenir quoi que ce soit, il vaut parfois mieux connaître un sergent qu'un général ; eh bien, Leonard Sussman est le sergent d'une armée dont Henry Clay Adams serait le général. Leo dirige précisément ce service de la banque Adams où l'on s'occupe des biens immobiliers. Il est, c'est le moins que l'on puisse dire, intelligent et vif. Il sera probablement l'un des tout premiers spécialistes new-yorkais à acquérir la certitude que la reprise s'amorce ou va s'amorcer. Cette certitude, il me la communique, très discrètement. « A une condition, Franz : mettez-moi dans le coup avec vous. » J'accepte.

Les trois semaines qui suivent sont folles. J'avais, au moment de l'intervention de Leo Sussman, levé déjà trois hypothèques. En trois semaines, je vais en lever seize autres.

Les chiffres réels seront évidemment moins ronds et plus variés mais on peut en donner une image assez exacte en disant que je vais ainsi me rendre théoriquement propriétaire de dix-neuf immeubles valant chacun dix millions de dollars, que les banques me céderont en réalité à la moitié de leur prix, soit quatre-vingt-quinze millions de dollars. Quatre-vingt-quinze millions de dollars dont je ne verserai, de par le principe du levier, que le dix pour cent environ, soit neuf millions et demi. Et je vais trouver ces neuf millions et demi grâce à mes syndicats d'acheteurs d'une part, pour environ la moitié de la somme, puis, sur la fin, grâce à des emprunts que je vais faire auprès de petites banques que Leo Sussman m'a indiquées.

Évidemment, cela aurait pu ne pas marcher, ou du moins ne pas marcher extraordinairement. Le fait est que cela n'a pas été une réussite, mais un fantastique triomphe.

Car la crise a soudain cessé et la reprise, comme souvent aux États-Unis où le marché réagit avec une vitesse folle, la reprise a été fulgurante. J'aurais déjà gagné beaucoup d'argent si les dix-neuf immeubles dont j'avais racheté les hypothèques avaient seulement retrouvé leur véritable valeur de dix millions de dollars chacun. Dans ce cas, j'aurais pour chacun d'eux reçu cinq millions pour cinq cent mille dollars de mise, soit mille pour cent, et ça n'aurait pas été si mal.

Mais la reprise s'est accompagnée d'une flambée des prix et très vite, tel immeuble de la côte de Floride ou de Californie dont personne ne voulait six mois plus tôt à cinq millions, sans parler de son prix réel de dix, s'est enlevé à vingt, vingt-cinq, trente millions de dollars. J'ai vu des gens faire la queue, presque se battre, à seule fin d'acheter des appartements que quelques semaines auparavant, un Adriano Letta ou l'un de mes courtiers de Bruxelles, de Genève, voire Hyatt, essayait difficilement de vendre à un médecin concussionnaire. Revendre trente millions de dollars un immeuble que l'on a payé sept mois plus tôt cinq millions, sur lesquels on n'a encore versé que le dixième, cela m'est arrivé et pas une fois, mais à plusieurs reprises, au cours de cette période folle. J'ai bel et bien reçu vingt-cinq millions de dollars pour une mise de cinq cent mille. Par trois fois. Et les autres immeubles, s'ils ne m'ont pas rapporté autant, n'en ont pas moins déversé énormément d'argent.

J'avais voulu aller vite et je suis allé vite, mais les événements sont allés plus vite encore que moi. Aurais-je disposé d'un mois de plus, de quelque protection puissante, que j'aurais pu probablement décupler encore mes gains, pour le moins.

Mais quand s'achève cette aventure délirante qui aura en tout et pour tout duré neuf mois, quand je fais mes comptes, j'en suis presque pris de vertige, néanmoins.

Tout au long du parcours, je m'en suis tenu à mon option initiale, c'est-à-dire que j'ai très nettement séparé les gains, en quelque sorte officiels, en tout cas destinés à être rapportés à Martin Yahl, que j'ai réalisés en tant que courtier d'Henry Clay Adams, grâce à ma commission de quinze pour cent sur tout l'argent de mes clients européens ou asiatiques (Hyatt se défendra assez bien).

Ces gains se monteront à un peu plus de un million quatre cent mille dollars en neuf mois.

S'ajoutant aux trois cents et quelque mille que je possédais déjà, ils représentent un total de un million sept qui constitue en quelque sorte ma fortune officielle, celle dont Martin Yahl a sûrement connaissance. Il ne devrait pas s'en inquiéter. Déjà, onze mois plus tôt, quand je possédais près de quatre millions et demi de dollars, avant le passage des amis de Robert Zarra, Yahl ne s'était apparemment pas soucié du danger que je pouvais représenter.

Avec seulement un million sept, je dois donc lui sembler parfaitement inoffensif.

Ce qu'il ne sait pas, j'en mettrais ma main au feu, c'est que j'ai œuvré dans l'opération Ceinture de Soleil à deux niveaux, menant deux actions distinctes. Avec des résultats très différents. La vérité est que le principe du levier a opéré à merveille. Et l'actif de ma société liechtensteinoise est de soixande-dix millions de dollars...

Je n'ai jamais joué aux cartes et n'y prends aucun plaisir. Pas davantage aux dés. Les règles du poker me sont à peu près inconnues. Pourtant, il y a quelque chose en quoi je crois. Je crois qu'il y a des moments dans la vie, un moment, deux ou trois si l'on a une chance peu banale, où l'on possède, quelques secondes durant, une sorte de sens divinatoire ; pour peu qu'on ait atteint au nécessaire état second fait d'une concentration intense et même d'une certaine exaltation. A ce moment-là, on SAIT que cette carte encore cachée est bel et bien le quatrième roi qui vous manque. On SAIT que cette carte viendra, quoi qu'il arrive, contre toute péripétie. On le SAIT.

J'ai su que j'allais me voir offrir le moyen d'attaquer Martin Yahl.

Ce jour-là, alors que l'on est encore à l'orée de l'explosion finale ayant mis fin à l'opération Ceinture de Soleil, je suis dans un avion qui de Californie me ramène à New York. Leo Sussman aurait normalement dû m'accompagner mais à la dernière minute des difficultés mineures sont apparues concernant un immeuble que je vise à Santa Barbara, et il est demeuré sur place. Je suis donc seul, trop énervé pour dormir et sur un siège voisin du mien se trouve un homme élégant, avec la juste et suffisante pointe de fantaisie vestimentaire. Leo Sussman présent, nous n'aurions sans doute pas cessé, lui et moi, de parler travail pendant tout le trajet mais ma solitude est la condition *sine qua non*. Avec le goût des Américains pour le bavardage, mon voisin entame la conversation. Il me propose un verre que j'accepte. Nous parlons de voyages aériens, de la Californie que nous venons de quitter, de New York que nous allons retrouver. Il me donne sa carte de visite, me montre la photo de sa maison d'Harrison, banlieue très snob de New York, de sa femme, de ses deux enfants et de son chien. Il est avocat, avocat d'affaires, il a son cabinet dans Manhattan et a notamment travaillé avec Mac Enroe, dont les jeunes fils sont paraît-il des espoirs du tennis. Toutes choses dont je me contrefiche. Il porte un insigne à la boutonnière et, sur le moment, je ne me souviens pas où j'ai déjà vu le même. Il rit :

« Je sors de Harvard. »

Et cela me revient d'un coup : Martin Yahl porte ordinairement le même insigne. Martin Yahl n'est guère un nom que j'aime à prononcer, et pourtant je demande :

« Connaissez-vous un banquier suisse du nom de Martin Yahl, qui aurait fait ses études à Havard ? »

Le nom lui est familier, il l'a lu au nombre des anciens élèves, mais Yahl est d'une promotion antérieure à la sienne.

« Autant qu'il m'en souvienne, il était du temps du célèbre Carradine.

– Dit Scarlett. »

Il s'étonne que je connaisse, en dépit de mon âge, le surnom de Carradine.

« D'autant, dit-il, qu'il y a des années qu'il s'est retiré de la vie publique. »

Quelque chose bondit en moi sauvagement.

« Comment ça, « retiré » ? On m'a dit qu'il était mort ? »

Et mon interlocuteur me fixe :

« Mort ? Qui diable vous a dit que Scarlett était mort ? »

19

Les événements de cette période se sont à ce point enchevêtrés, chevauchés les uns les autres qu'il serait difficile, si même je le voulais, de respecter l'ordre chronologique.

Ceci se passe avant la conclusion de l'opération Ceinture de Soleil, avant aussi que j'apprenne que John Carradine dit Scarlett n'est pas mort.

C'est un coup de téléphone d'Adriano Letta qui ouvre le ban. Adriano a pour consigne de ne m'appeler en aucun cas au Pierre. « Et si j'ai quelque chose de vraiment très urgent ? » Je vois mal ce qu'il pourrait y avoir d'urgent dans des ventes d'appartements mais pour lui faire plaisir, je lui ai dit qu'en ce cas il pourrait joindre Leo Sussman, lequel parle espagnol, ce qui leur permettra en principe de se comprendre. « Il parle espagnol comme une vache française, me dit Leo, mais si j'ai bien compris, il voudrait que vous le rappeliez d'urgence à l'Hôtel de Paris à Monte-Carlo. » Qu'Adriano m'appelle au téléphone est déjà une surprise, surtout qu'il a payé de sa poche la communication et il est plutôt, disons, économe. L'imaginer en direct de l'Hôtel de Paris, à Monte-Carlo, relève de la fantasmagorie pure et simple. Je l'appelle sur-le-champ, je l'obtiens, il me dit qu'il faut que je sois avec lui dans les meilleurs délais, que c'est extrêmement urgent et important.

Il ne veut pas en dire plus. D'avion en avion, me voici en France, pardon à Monaco. Sur la Côte d'Azur, par un temps que je revois très nuageux et très menaçant, en revenant de l'aéroport de Nice où Adriano Letta est venu me chercher, il m'explique ce qui est arrivé. En fait, il s'est trouvé dans la situation d'un gendarme qui, poursuivant avec flegme un voleur de poule, capture sans coup férir l'Ennemi Public Numéro Un.

« Nous avons commencé à parler d'investissements aux États-Unis. Il m'a laissé parler, ça avait l'air de l'amuser et j'ai compris que quelque chose n'était pas normal. Pourtant, quand j'ai eu fini d'exposer mes arguments, il m'a dit : « Bon. Et « maintenant supposons qu'au lieu d'accepter cinq « de vos appartements, je vous en achète cinq mille, « ou cinquante mille ? »

Ça surprend, ce genre de choses, dit Adriano. J'en conviens, ça me surprend aussi.

« Vous ne m'avez pas dit son nom. »

Le plus agaçant avec Letta, c'est qu'il parle vraiment arabe, et parfaitement. Sa prononciation s'en ressent. Je comprends tout au plus Aziz dans le défilé de patronymes qu'il éructe.

« C'est un Séoudien. J'ai vérifié : il a des moyens fantastiques. Si on refuse de lui changer ses jetons au casino, il est capable d'acheter la Société des Bains de mer. »

Un atout pourtant d'après Letta : le prince (c'est un prince paraît-il), le prince Aziz a le même âge que moi et cela pourrait créer des liens. « Mais il ne décide pas seul, ou du moins pas sans avoir pris conseil de l'homme qui l'accompagne et lui sert de chaperon. Attention, cet autre homme est un Libanais un peu syrien qui affecte de mal parler anglais et français, qu'en réalité il parle très bien. »

C'est un vieux routier de la finance, un ancien de l'Intrabank de Beidas. Son nom est Fezzali.

Et voilà comment je me retrouve deux heures plus tard, ayant à peine eu le temps d'une douche et d'un changement de tenue, en face de deux Arabes, d'un soufflé de langouste et du traditionnel loup braisé aux laitues, traditionnel à l'Hôtel de Paris. J'ai décidé de jouer le jeu complet de la franchise. Je leur raconte mon histoire dans les moindres détails, du moins pour ce qui concerne la partie en quelque sorte officielle : le Kenya, Hong Kong, l'or et les gadgets, ce que j'appelle des affaires immobilières à Paris et à San Francisco ; je donne par le détail toute la genèse de l'affaire Ceinture de Soleil et je laisse dans l'ombre mes démêlés avec Landau, Lamm, Hovius et Donaldson. Aziz m'a écouté avec presque un sourire complice, il ne faudrait pas grand-chose pour que nous fassions la bringue ensemble. En revanche, l'autre est demeuré strictement impassible, ni sympathique ni antipathique, de marbre, ses yeux sans expression posés sur moi avec une apparente absence d'intérêt.

« Vous voulez dire que vous avez eu le premier cette idée d'aller chercher hors des États-Unis les acheteurs que le marché américain ne peut plus fournir ?

– Ne peut plus fournir pour l'instant. La crise ne va plus durer.

– Mais vous êtes le premier à avoir eu cette idée ?

– Je défie quiconque de prouver le contraire. »

L'échange a lieu avec Aziz mais, fréquemment, je regarde le dénommé Fezzali qui mange son soufflé comme il avalerait une poignée de dattes, avec la même indifférence. Même non prévenu par Adriano Letta, je me serais méfié de lui : cette épaisseur, cette lourdeur apparente d'homme des souks, surtout dans le décor raffiné de Monte-Carlo, m'auraient de toute façon mis sur mes gardes. C'est lui, lui aussi, peut-être lui surtout, qu'il faut convaincre. Et quelque chose me gêne en lui, l'impression qu'il connaît un fait que j'ignore, qu'il a donc sur moi un atout supplémentaire. Il semble à cent lieues de nous tandis que je raconte, aussi drôlement que possible et je fais au moins rire Aziz, ma première entrevue avec Henry Clay Adams, mes premières ventes en Belgique et au Luxembourg. Je dis comment il m'est arrivé de louer un avion, de l'emplir de candidats à l'accession à la propriété en Floride, comment j'ai débarqué tout le monde à Miami, pour une réception à base de Cadillac, d'orchestres cubains et de jolies filles en maillot de bain dans chaque piscine (quand il s'est agi pour moi de recueillir très vite un maximum d'argent et non plus seulement des commissions).

Les yeux d'Aziz brillent :

« Il y avait vraiment de jolies filles ?

– Il y en avait de superbes. »

Nous nous sourions avec complicité, Aziz et moi. Il ne fait pas de doute qu'il y a entre nous un courant de sympathie et, d'ores et déjà, la promesse tacite de joyeuses et communes « parties ». C'est à ce moment-là que je prends ma décision, quitte ou double.

Le choix que j'ai en cette minute est clair. Je peux évidemment me contenter d'apparaître comme un courtier, certes d'envergure mais un courtier quand même, me posant en intermédiaire entre les vendeurs américains et le formidable acheteur potentiel qu'est Aziz. Ce faisant, je gagnerai sans nul doute beaucoup d'argent.

Ou alors je révèle clairement que mon intervention dans la Ceinture de Soleil a été à deux niveaux, commissionné d'une part, agissant pour mon compte d'autre part et rachetant un maximum d'hypothèques pour une opération qui, si elle réussit, et à cette époque je n'en ai pas encore la certitude, devrait apporter de fantastiques résultats. En révélant tout de mon activité, je cours un double risque : d'abord celui que d'une façon ou une autre, il y ait corrélation entre Fezzali et Martin Yahl, qui serait alors averti d'une éventuelle et considérable augmentation de ma puissance ; ensuite, tout simplement, celui de perdre le plus gros client que j'aurai jamais. Pourquoi en effet Fezzali passerait-il par moi pour réaliser des opérations qu'il peut faire seul, maintenant que je lui ai indiqué la voie à suivre ?

J'ai décidé de courir ce double risque, mes yeux presque rivés à ce visage totalement fermé que m'oppose Fezzali. C'est un homme d'environ soixante ans ; il n'a rien manifesté et pratiquement rien dit jusqu'ici, et la seule fois où il a ouvert la bouche, il a parlé arabe. Mais j'en suis maintenant à expliquer le mécanisme du levier et il se décide tout de même à prendre une part plus active à la conversation. Ses questions en arabe me sont traduites en anglais par Aziz :

« Si votre pronostic quant à la crise se révèle fondé, que se passera-t-il ? »

Et je répète une nouvelle fois mon raisonnement :

« Imaginez un immeuble hypothéqué pour dix millions de dollars. Vous servez actuellement, au plus, un dixième de la somme pour arrêter l'hypothèque. Je suis convaincu que la fin de la crise va très bientôt arriver et que ce même immeuble va très bientôt valoir quinze ou vingt millions de dollars, plutôt vingt que dix qui ne représentent que l'hypothèque et non la valeur réelle de l'immeuble au moment de sa construction. Vous vendez l'immeuble vingt millions. Moins les neuf millions que vous devez, reste onze. Vous avez touché dix fois la mise. Et si vous trouvez des banques acceptant de vous céder des hypothèques pour la moitié de leur valeur, vingt fois la mise. »

J'ai fini mon poisson. Et mon argumentation. J'attends, tandis que mes deux interlocuteurs discutent en arabe. Le visage de Fezzali est toujours aussi peu expressif et, ne comprenant pas un traître mot de ce qu'il a dit, j'essaie d'interpréter le ton de sa voix, qui n'évoque d'ailleurs rien de bien précis. De nouveau, j'ai l'intuition qu'il sait quelque chose que j'ignore, qu'il serait pourtant capital que je sache. Et je pense en moi-même, par pur instinct : tu es perdu, Cimballi, tu as joué et perdu. Ce type est contre toi, quoi que tu proposes. Peut-être même agit-il en complet accord avec Martin Yahl, et cette rencontre aurait alors été organisée à seule fin de me tirer les vers du nez. Pour un peu, j'en viendrais à soupçonner Adriano Letta de me trahir.

« Dessert ? »

Pas de dessert, sinon pour Fezzali qui commande une énorme glace, pour Aziz et moi, café et cigares. Je ne fume guère, sinon parfois un havane, sans trop y prendre plaisir. J'allume un Davidoff Château Quelque Chose, je contemple la mer et la côte illuminée. Un souvenir qui remonte : celui d'un Grand Prix de Monaco auquel mon père m'avait emmené assister, avec sur la piste des Ferrari rouges semblables exactement, mais en format réel, à celle de *La Capilla*.

« Monsieur Cimballi ? »

La voix ne m'est pas familière et pourtant, les serveurs repartis, nous ne sommes que trois dans la suite. Je tourne la tête et je constate que, pour la première fois, Fezzali vient de m'adresser directement la parole, dans un français tout à fait aisé :

« Monsieur Cimballi, dit-il, j'ai bien connu votre père. En fait, il était mon ami. Je me serais même rendu à ses obsèques si elles n'avaient pas eu lieu dans l'intimité. Mais avoir été l'ami d'un homme ne signifie pas forcément accorder sa confiance au fils de cet homme. Son Altesse le prince Aziz souhaitait que nous vous confiions cent millions de dollars afin que vous les placiez dans cette affaire que vous nous proposez. Aller plus loin dans l'investissement, surtout en un délai aussi court, supposait certains aménagements. D'où la longueur de la discussion que nous avons eue. Mais nous sommes finalement tombés d'accord : la somme qui vous sera confiée, sous mon contrôle bien entendu, sera de deux cent cinquante millions de dollars. Disponibles sous deux heures. »

Je le regarde bouche bée. Et pour un peu j'éclaterais de rire : Mon instinct ! parlons-en ! Cimballi, tu n'es qu'un jeune crétin !

Aziz n'a pu suivre notre échange en français. Il me sourit et demande en anglais :

« Il y a quelque chose qui ne va pas ? »

Je secoue la tête, souriant à Fezzali qui semble quelque peu s'être amusé à mes dépens :

« Ça pourrait difficilement aller mieux. »

Je ne crois pas si bien dire. Il ne s'agit pas seulement de cet énorme capital, énorme à mon échelle. A la limite, ce n'est qu'un détail. Les conséquences de ce qui vient de se passer n'apparaîtront que plus tard et elles seront fichtrement spectaculaires, bien plus, décisives.

La voiture que j'ai louée m'attend devant l'entrée principale du Caesars Palace de Las Vegas, où j'ai passé la nuit. Je me mets en route. Il est sept heures du matin. Je roule sur le Strip avant de tourner à gauche un peu avant le « Sahara ». Malgré l'heure, des machines à sous fonctionnent. Toujours à gauche, par Rancho Road, la direction de Reno. D'après ma carte, j'ai à peu près deux cent trente kilomètres à faire. Je les parcours sans hâte et il est plus de dix heures quand je me présente à l'entrée de la vallée de la Mort.

Je n'y suis jamais venu à ce jour ; le nom seul me fascine et m'inquiète, alors qu'il ne s'agit guère que de l'un de ces surnoms homériques attribués par les pionniers. L'avocat new-yorkais rencontré dans l'avion m'a dit : « Suivez la route de la Vallée du Salt Creek, prenez à gauche la direction de Stove Pipe Wells, au travers des Dunes de Sable. Vous verrez à main gauche encore une piste, celle de Mosaïc Canyon et de la ville fantôme de Skidoo. Ce n'est pas là et c'est dommage, les noms sont marrants. C'est à droite. Traversez le Titus Canyon et, quatre kilomètres au-delà de Grapevine, vous apercevrez la maison... Vous ne pourrez pas vous tromper : il n'y en a pas d'autres à des miles à la ronde, elle est en plein désert, parfaitement solitaire, assez stupéfiante, construite dans un curieux style hispano-mauresque, à la façon des haciendas qu'on voit dans les films tournés au Mexique... »

Et la maison est effectivement là, au terme de cette espèce de jeu de piste jalonné de noms qu'on dirait imaginés par un scénariste hollywoodien. Elle est là et d'elle se dégage en effet une extraordinaire impression de solitude. « Franz, si vous y allez dans les prochains jours, je vous plains : la chaleur y sera terrifiante ; elle dépasse parfois cinquante-cinq degrés à l'ombre. »

Ma voiture est climatisée mais je ressens néanmoins cette chaleur de four incroyablement sèche, au travers des vitres. Et je la reçois comme l'on prend un coup de poing quand, ayant coupé le moteur après une lente approche sur une piste de terre, j'ouvre ma portière et je descends.

Une minute au moins s'écoule dans un silence de commencement du monde, écrasant comme une chape. Je sais pourtant qu'il y a quelqu'un et que l'on va venir : j'ai vu bouger une silhouette. J'attends, déjà ruisselant de sueur. La maison comporte un grand patio, très vaste cour intérieure autour de laquelle s'organise la construction proprement dite, à un seul étage mais surélevé par rapport au sol. Une galerie court sur les trois côtés de la cour, le quatrième de ces côtés étant occupé par un énorme porche en dôme. Partout des fleurs, qui escaladent les murs en grappes somptueuses. Il y a dans l'air cette odeur particulière de la terre brûlée de soleil sur laquelle on fait couler de l'eau.

« Ceci est une propriété privée. »

Je n'ai pas entendu la femme arriver. Rien de surprenant à cela : elle est nu-pieds et ce détail ne cadre guère avec le reste de sa tenue : elle porte une blouse et une coiffe d'infirmière d'une netteté absolue.

« Je sais. Je voudrais voir M. Carradine.

– M. Carradine ne reçoit pas. »

Un mouvement sur la droite cette fois : une autre infirmière apparaît, tout aussi silencieuse que la première et à peu près du même âge : une cinquantaine rude et sans beauté, marquée de tous les symptômes d'une impitoyable efficacité. La nouvelle venue s'immobilise, mains croisées sur le ventre, me regardant sans la moindre expression. Et dans l'enfilade des pièces sombres dont les murs sont pourtant très blancs, mais qui ne semblent pas comporter la moindre fenêtre, une troisième femme est apparue, aussi fantomatique que les deux premières.

« Il me recevra, moi. Si vous lui remettez ceci. »

Je tends le rectangle de carton, sur lequel j'ai écrit quelques mots. Je le tends dans le vide. Aucune des trois femmes qui me sont visibles n'esquisse le moindre mouvement pour s'en saisir. Et j'ai l'impression qu'il y a d'autres femmes que je ne vois pas, pareillement pieds nus, vêtues de blouses immaculées et dirait-on glacées, pareillement immobiles, mains croisées sur le ventre dans un geste qui n'est que féminin... Je me décide à faire quelques pas, j'escalade les trois marches permettant d'accéder à la galerie ceinturant le patio.

« M. Carradine ne reçoit jamais. Personne. Il n'y a aucune exception. »

La différence de température entre l'écrasant soleil de la cour et la fraîcheur régnant à l'intérieur de la galerie est plus que relative, elle est réelle et d'au moins vingt-cinq degrés. Je lève les yeux et j'aperçois les bouches de climatisation au plafond.

« Je suis la seule personne au monde que M. Carradine acceptera de recevoir. Donnez-lui ce mot. »

Silence. J'ai toujours mon morceau de carton à la main. Je traverse la galerie et j'entre dans un très vaste salon meublé de meubles espagnols qui me semblent superbes ; il y a des coffres et surtout un *vargueño*, un buffet de bois sombre qu'on a pris soin de laisser en partie ouvert afin que soit visible l'intérieur fourmillant de tablettes sculptées et de tiroirs. Je pose mon carton sur une chaise aragonaise.

« M. Carradine me recevra, sitôt qu'il aura lu ceci.

– M. Carradine ne lit pas.

– Alors, lisez-le-lui. Je ne partirai pas. »

L'une des femmes cède soudain. Elle condescend à bouger. Elle vient vers moi, passe près de moi sans m'accorder le moindre regard, cueille le carton au passage et disparaît dans l'enfilade des pièces. Dix minutes au moins passent, dans un silence de sépulcre et les femmes restées là immobiles me surveillent d'un œil froid. Surgissant enfin du néant, la femme qui a pris ma carte est de retour :

« Veuillez me suivre. »

La maison, de l'extérieur, semblait très vaste ; elle l'est en fait plus encore qu'il n'y paraissait. Mais ce n'est pas tant cela qui me frappe, et pas davantage son luxe fou et l'atmosphère de musée funèbre qui y règne. C'est cette odeur.

Elle touche d'abord mes narines une première fois, s'estompe aussitôt, au point que je peux croire l'avoir rêvée. Et puis une, deux bouffées m'arrivent ; bientôt, c'est une nappe où je m'enfonce. Elle est visqueuse, colle à la peau, elle est pestilentielle et étouffante, absolument épouvantable.

Sitôt que je comprends que cette odeur s'épaissit à mesure que j'avance, j'ai une hésitation, presque un mouvement de recul. Et la femme qui m'ouvre la voie, devine évidemment ce qui m'arrive. Elle s'immobilise un très court instant, ne se retourne qu'à demi :

« Et ce n'est rien encore, dit-elle. Mais vous avez voulu venir. »

Nous repartons et l'odeur devient carrément suffocante. C'est pire que tout ce que j'aie jamais pu sentir, pire que tout ce que j'aie pu jamais rêver de sentir. C'est une puanteur qui m'attaque pas seulement les narines mais chaque pouce de la peau, que l'on respire comme un gaz.

« Par ici. »

La dernière porte que la femme ouvre devant moi fait littéralement déferler la puanteur comme une lame de fond. Je suis sûr qu'il n'existe pas au monde de charnier plus puant que cette pièce où je pénètre.

C'est une pièce extraordinaire : on y a sur les murs, mais non seulement sur les murs, sur le plafond et le plancher aussi, disposé des toiles de maîtres. Je reconnais des Van Gogh, des Renoir, des Gauguin, avoisinant d'autres peintres dont je ne sais rien. Ces toiles garnissent donc cinq des parois de la chambre, la sixième consistant en un rectangle ouvert sur le panorama illimité de la vallée de la Mort dans toute son extraordinaire beauté. Ouvert vraiment : on pourrait sortir par là et les climatiseurs se battent pour repousser la chaleur qui tente de pénétrer.

Pourtant, l'occupant de la pièce, s'il peut à loisir contempler son fabuleux musée, n'a aucune chance de simplement toucher du doigt chacun de ses composants : il est lui-même dans une cage de verre qui épouse, dix centimètres en retrait, les dimensions exactes des cinq parois décorées.

Et je comprends la raison de ce dispositif étrange en découvrant, avec un hoquet de répulsion, les traînées jaunâtres de pus balafrant le verre de toutes parts.

L'occupant de la pièce est un homme entièrement nu, affalé dans un siège de métal sans aucune aspérité, à l'évidence spécialement conçu pour pouvoir être lavé à grande eau. Car tout le corps de l'homme n'est qu'un abcès énorme, une pustule monstrueuse. Pas dix centimètres carrés de chair qui ne soient rongés par une lèpre constamment suintante. Le visage lui-même est en partie dévoré. « M. Carradine ne lit pas », m'ont dit les femmes. O mon Dieu, avec quoi lirait-il ? On ne distingue même plus les yeux dans ce masque d'épouvante fait de croûtes et d'abcès, et nulle part dans toute la maison la puanteur n'est évidemment plus forte qu'au contact immédiat de ce qui reste de John Carradine dit Scarlett.

La femme, après m'avoir fait entrer, s'est retirée comme une ombre. Elle, ou quelqu'un d'autre, a posé mon morceau de carton sur l'un des accoudoirs du fauteuil de métal. Ma carte de visite est déjà tachée, une trace jaune en marque l'un des coins.

Le visage ravagé, horrible, se tourne lentement dans ma direction. Un long silence. Et puis la voix s'élève, fantastiquement claire et nette, teintée d'un léger accent de Harvard.

« Ainsi donc, vous êtes le fils d'Andrea ? »

Je fixe le carton pour n'avoir pas à soutenir la vue de cette ignominie qu'est son visage. Il dit :

« Relisez-moi ce que vous avez écrit, je vous prie.

– *Je suis le fils d'Andrea Cimballi. Je vous défie de trouver un moyen d'abattre Martin Yahl.* »

Le visage d'aveugle bouge doucement, pour un peu on pourrait croire à un sourire. Mais il demeure fixé dans ma direction comme un radar.

« Votre prénom ?

– Franz.

– Date de naissance ?

– Le 9 septembre 1948.

– Vous vous souvenez de *La Capilla* ? Vous devez vous en souvenir, si vous êtes vraiment le fils d'Andrea. Il y a à peu près quinze ans, j'ai fait un cadeau au fils d'Andrea. Quelque chose de gros et de rouge.

– Une Ferrari modèle réduit.

– Elle portait un numéro.

– Le sept. »

Silence.

« Vous avez le même timbre de voix que votre père. Vous lui ressemblez physiquement ?

– Assez.

– Votre taille ?

– Un peu plus grand que lui. »

Ce qu'il y a de plus stupéfiant pour moi, dans cette conversation, c'est la voix de John Carradine, une voix d'une clarté parfaite, à l'élocution précise ; c'est une voix d'avocat accoutumé au prétoire, une voix de professeur en chaire, parfaitement placée. Et sortant pourtant de cette bouillie rouge et jaune, purulente, inhumaine.

« Comment m'avez-vous retrouvé ?

– Par hasard.

– Mais vous ne me cherchiez pas.

– Je vous croyais mort. »

La nausée me gagne au fil des secondes bien que, curieusement, je commence à m'habituer à l'odeur. Je fais quelques pas, traverse la pièce et sors sous le soleil, chancelant presque dans la chaleur qui d'un coup m'enveloppe. La voix derrière moi :

« J'étais en train de calculer votre âge, Franz ; vous devez avoir vingt-trois ou vingt-quatre ans. Et vous voulez vous attaquer à Martin Yahl ?

– Pas seulement à lui. »

Je me mets soudain à vomir et ça dure une longue minute. Ensuite, je m'écarte et je vais m'asseoir sur un rocher, au pied d'un cierge du Mexique mais en fait à proximité du seuil de la pièce. Scarlett, à qui je tourne le dos, est à trois ou quatre mètres de moi.

« Vous voulez dire que vous comptez vous lancer dans une sorte de vengeance ?

– C'est déjà fait. »

Le spectacle de la vallée de la Mort est d'une bouleversante beauté, en dépit de la lumière à présent verticale et qui efface une partie des reliefs. Mes nausées s'apaisent.

« Vengeance contre qui, Franz ?

– Landau, Lamm, Hovius et Donaldson, pour ceux-là, c'est fait. Bremer est mort de lui-même. Et je me contenterai de cracher à la figure de mon oncle Giancarlo. Il me reste Martin Yahl.

– Et moi.

– Je vous ai dit que je vous croyais mort.

– Je ne le suis pas.

– Il vaudrait mieux que vous le soyez. Je ne vous plains pas, au contraire. Je suis heureux de vous avoir vu, de savoir ce qui vous est arrivé. Quand j'ai appris la mort de Bremer, j'ai éprouvé un sentiment de frustration. Pas avec vous, maintenant. Je suis heureux d'apprendre que vous n'êtes plus qu'un déchet humain. »

Un mouvement dans la pièce derrière moi, une série de frôlements, de ahans, de glissades écœurantes. Je l'imagine abandonnant son fauteuil de métal et se coulant vers moi avec le lent mouvement de reptation d'une amibe. Il geint et grogne. Il s'approche. Je ne me retourne pas. Je dis :

« Tous les autres et surtout mon imbécile d'oncle n'ont joué en fin de compte que des rôles secondaires. Pas Martin Yahl ni vous. Je suis sûr, et toutes les recherches que j'ai faites le prouvent, que c'est lui et vous qui avez tout organisé. Je ne sais pas si c'est lui ou vous qui y avez pensé le premier. Peu importe. Votre rôle a été de démonter ce que vous aviez vous-même construit à la demande de mon père, vous avez fourni la technique nécessaire au détournement et vous avez agi avec tant d'adresse que même en sachant que le détournement avait eu lieu, il était ensuite impossible de le prouver. »

L'immonde reptation se poursuit. Il pleure de douleur et de rage à chaque mouvement qu'il fait. Il n'est plus qu'à deux mètres de moi. Sa puanteur m'enveloppe.

« Ce que je vous reproche le plus, à Martin Yahl et à vous, ce qui me fait vous haïr plus que vous ne sauriez l'imaginer, ce n'est même pas de nous avoir volé, mon père et moi. Même pas d'avoir trahi à ce point la confiance d'un homme. »

Encore un mètre entre nous mais il souffre le martyre et chaque centimètre lui est une torture. La reptation s'interrompt, il halète à grands coups rauques d'homme au bord de l'asphyxie.

« Ce qui me fait surtout vous haïr, c'est ce que vous avez fait endurer à ma mère. Je me souviens de cette sarabande autour d'elle alors même qu'elle était mourante et qu'au lieu de la laisser mourir en paix, on lui faisait toutes sortes de piqûres pour la maintenir non seulement en vie, mais surtout lucide et légalement apte à signer tous les papiers que vous aviez à lui faire signer. Vous avez négligé ses souffrances, à ce moment-là, vous vous en êtes foutu éperdument. J'ai entendu les médecins qui parlaient entre eux. Ça, Scarlett ou Carradine ou quel que soit votre nom, je ne pourrai jamais l'oublier. Yahl et vous. Je vous ai haï d'une haine d'enfant et cette haine ne s'est pas apaisée avec les années, il s'en faut. Et vous voudriez que je compatisse ? »

Il ne bouge toujours pas. Je me retourne. Sa main – cette espèce de moignon purulent qui est sa main – n'est qu'à une vingtaine de centimètres de moi, dans la poussière ocre. Lui-même est à plat ventre en travers du socle de béton et d'acier sur lequel on fait coulisser la baie vitrée susceptible de fermer la pièce. Il est allongé pantelant, toute la sanie et tout le pus s'écoulant de son corps faisant une mare qui s'élargit, en partie bue par le sable de la vallée. A en juger par ce qui sinue sur son visage à l'emplacement des yeux, et par ces hoquets qui le secouent, il est en train de pleurer.

Je me lève et je vais frapper aux vitres de la pièce voisine, où deux femmes sont assises. Après quelques instants, elles arrivent, chaussées et gantées de plastique et je comprends pourquoi elles allaient pieds nus. Elles soulèvent délicatement le corps, l'épongent, lui injectent par force piqûres un produit blanchâtre, le nettoient autant que faire se peut ; dans le même temps, deux autres femmes lavent à grande eau toute la pièce de verre, et jusqu'au fauteuil de métal blanc, à l'aide de lances d'arrosage qui crachent un produit à odeur d'éther. Elles replacent Scarlett dans son fauteuil et à peine ont-elles tourné les talons et sont-elles ressorties que les pustules se remettent à couler.

Le silence sépulcral de la vallée de la Mort retombe, finalement rompu par cette voix étonnamment claire :

« L'idée est venue de Martin Yahl lui-même. Nous étions à Harvard ensemble et je lui devais beaucoup. C'est lui qui m'a aidé dans les premières années de ma carrière, m'a prêté de l'argent, m'a présenté à votre père. J'ai monté la première Curaçao, celle dont votre père détenait les parts. Les années ont passé. J'ai toujours eu de gros besoins d'argent et Martin Yahl était toujours là pour y répondre. Et puis, en 1955, le premier abcès est apparu... J'ai vu tous les médecins et ils n'ont rien pu faire, ils ont parlé d'un virus, comme toujours quand ils ne savent pas. »

J'avais toujours imaginé la vallée de la Mort comme un désert absolu chauffé à blanc. Mais la réalité est tout autre : la beauté de cet endroit est stupéfiante et la vie s'y manifeste par des formes infiniment variées ; je distingue des insectes, des reptiles, des dizaines d'animaux furtifs dont me semble-t-il un lièvre et, à un jet de pierre sur ma droite, jaillissant de rochers ocre pour se déverser dans une vasque naturelle, coule une source claire.

« Au printemps 1956, je ne pouvais déjà plus paraître en public, une de mes joues était atteinte. Martin Yahl est venu me voir. J'avais plus que jamais besoin d'argent. Il m'a demandé si je pouvais défaire ce que j'avais construit, si je pouvais effacer jusqu'à la moindre trace de Curaçao Un, faire comme si elle n'avait jamais existé et ensuite, avec les mêmes avoirs, les mêmes capitaux, en les faisant surgir du néant en quelque sorte, si je pouvais créer une autre société, Curaçao Deux dont il serait, lui Martin Yahl, l'unique propriétaire. J'ai répondu qu'il y avait un obstacle essentiel : votre père. Votre père et tous ceux qui avaient été ses collaborateurs immédiats et savaient donc la vérité. Il serait impossible de les tromper, eux.

– Landau, Lamm, Bremer, Hovius et Donaldson.

– Il y avait aussi un Italien qui s'appelait Revere mais il s'est tué en voiture en 57. Je n'ai jamais rencontré ni Landau ni Donaldson. Vous les avez vus ?

– Je n'ai pas eu besoin de les voir. Ils sont ruinés, tous les deux, comme Lamm. Bremer est mort et Hovius aussi. Mais je ne les ai pas tués. »

Est-ce que j'ai tué Hovius ?

« Ils étaient tous autant d'obstacles. Je l'ai dit à Martin Yahl qui m'a répondu qu'il se chargerait d'eux et qu'ils se tairaient. J'ai demandé : « Et Andrea ? » Martin a haussé les épaules : « Son cœur « lâchera tôt ou tard. Il est à la merci d'une émotion « un peu violente ». Quand votre père est-il mort ?

– Le 28 août 1956.

– Mort naturelle ?

– Infarctus.

– Que faisait-il au moment de sa mort ?

– Il téléphonait.

– Vous ne savez pas à qui ?

– Non. Mais il parlait en allemand à son interlocuteur. »

Je me retourne et je fais face à Scarlett. Mes mains tremblent. Le visage d'aveugle oscille lentement de gauche à droite, braqué sur moi.

« Vous comprenez, Franz ? Ce devait être Martin à l'autre bout du fil. »

Je baigne dans la sueur. Mais c'est presque sans répulsion à présent que je peux contempler les yeux morts :

« Vous n'y voyez vraiment plus rien ?

– Il y a un an, je distinguais encore les formes. Plus maintenant.

– Martin Yahl vous paie toujours ?

– Je vis des revenus du capital qu'il m'a versé en 1956. Il me savait incapable de gérer mon propre argent : je n'ai pas le droit de toucher à ce capital, je ne perçois que les revenus. Martin Yahl est un banquier avisé. Martin Yahl ne se trompe jamais et sait toujours ce qu'il convient de faire. »

Le contraste est saisissant et dramatique entre la pourriture de ce corps et la gaieté sarcastique de la voix. Scarlett remarque :

« Je me souviens de vous comme d'un enfant qui jouait tout nu sur la plage de Pampelonne. Vous vous êtes vraiment vengé de tous ces gens ? »

Je dis oui. Et voilà que je me mets à raconter non seulement comment j'ai fait, mais encore toute l'histoire de mon départ de Londres jusqu'à la minute même où j'ai posé le pied dans la vallée de la Mort. C'est un récit qui demande du temps et je suis à un moment obligé de l'interrompre quand resurgissent les femmes gantées et bottées, masquées comme des chirurgiens, qui répètent l'opération de tout à l'heure, un nettoyage aussi complet que possible, mais vain puisque dès la seconde de leur départ le pus se remet à couler et la puanteur se réinstalle.

« Écoutez-moi Carradine, je veux m'en prendre à Martin Yahl.

– Par l'argent ?

– Par l'argent.

– De combien disposez-vous ? »

Je n'hésite qu'à peine :

« Environ soixante-dix millions de dollars.

– Ce n'est pas assez. Martin Yahl en a trois fois autant, sans parler de sa banque. Vous pouvez lui faire des ennuis, probablement lui faire perdre pas mal d'argent, vous vous ruinerez vous-même et rien de plus.

– Je n'ai donc aucune chance, d'après vous ?

– Vous seul ? Aucune.

– Et avec votre aide ? »

Silence. L'épouvantable visage pivote avec lenteur, comme suivant la ligne des crêtes du Grapevine.

« Avec mon aide, tout serait différent, jeune Cimballi. Vous avez contre Martin Yahl un atout extraordinaire, dont vous ne semblez pas avoir mesuré l'importance jusqu'ici. Voici cinq ans, Martin est venu me voir, dans cette même maison. Il se tenait à cet endroit même où vous êtes, en plein soleil, sous prétexte d'une odeur que j'aurais dégagée. Nous avons... Non, il serait plus juste de dire qu'il a beaucoup parlé, et parlé de vous. C'était en fait la seule raison de sa visite : il avait traversé le monde pour me parler, à moi seul, son complice. Je me souviens d'avoir ri et de m'être moqué de lui. Je lui ai dit : « Marty, c'est ridicule pour un homme « de ton pouvoir, de ta fortune, de ta qualité, c'est « ridicule de craindre et de haïr à ce point un gamin « de dix-huit ou dix-neuf ans qui n'a eu d'autre but

« dans la vie, à ce jour, que de dépenser un
« maximum d'argent en un minimum de temps, ce
« pour quoi d'ailleurs tu as fait de ton mieux pour
« qu'il se laisse aller. Marty, tu fais une fixation sur
« ce gosse. » Voilà votre atout, jeune Cimballi fils
d'Andrea : le fait que Martin Yahl, contre toute
raison, ait peur de vous, et la haine presque
incontrôlée qu'il vous porte. »

La sueur ruisselle sur tout mon corps et mes
vêtements sont à tordre. Mais ce n'est pas la chaleur
effrayante qui fait trembler mes mains :

« Je peux m'attaquer à Yahl ? Avec une chance de
le vaincre ? »

Scarlett se pelotonne frileusement dans son
fauteuil d'acier, repliant sous lui les moignons de
ses jambes, par un mouvement qui, de la part d'un
monstre, est étrangement humain.

« Vous le pouvez, dit-il. Cela devrait même être
assez facile. Nous jouerions aux échecs, je vous
annoncerais : mat en neuf coups. »

20

J'AI demandé à Scarlett :

« Pourquoi m'aideriez-vous ? »

Il a eu cette réponse surprenante :

« L'art pour l'art. Jeune Cimballi, je vais mourir, pouvez-vous comprendre ça ? Je devrais être mort depuis des années ; non pas que ma maladie eût dû me tuer, elle n'est pas vraiment mortelle et n'affecte que la peau. Mais j'aurais dû me suicider depuis longtemps ; à présent, c'est trop tard, on m'en empêche. Jeune fils d'Andrea, j'ai appris à construire puis à détruire Curaçao Un, à faire naître Curaçao Deux sans laisser la plus petite trace de la substitution, le plaisir physique et sensuel d'un artiste peignant ou sculptant. Je n'ai pas le moindre remords de ce que j'ai fait, j'ai été un peu trop occupé de moi-même et de ce qui m'arrivait pour m'en soucier. Vous avez eu de la chance ou beaucoup d'adresse : vous seriez venu en essayant de me contraindre à vous aider, de n'importe quelle manière, par la menace, j'aurais sans doute éclaté de rire, pour la première et sans doute la dernière fois depuis des années. Que voulez-vous que je craigne ? Une balle dans la tête ? Il y a quelques semaines, j'ai essayé de m'arroser d'essence mais ces maudites femmes sont accourues trop tôt. Qu'est-ce que je pourrais craindre d'autre ? Je n'ai jamais eu d'amitié pour Martin Yahl. Il n'a jamais été homme à susciter l'amitié, même lorsque nous avions vingt ans. Il m'a toujours fasciné par son effrayante efficacité. Il a usé de moi, de ce talent que j'avais. J'ai souvent rêvé d'une merveilleuse combinaison qui le jetterait à genoux et lui démontrerait que mon efficacité est à certains égards supérieure ou au moins égale à la sienne. Je l'ai rêvée sachant que je n'aurais jamais l'énergie de la développer. Et vous voilà, avec vos petits millions de dollars dont vous êtes si fier, avec votre haine enfantine, votre souvenir de cette fille morte à Londres et votre espoir de cette autre donzelle qui vous attend à Paris. Vous êtes si content de tout cet argent que vous avez gagné tout seul. Jeune Franz, votre voix est celle d'Andrea ; je voudrais bien n'être plus aveugle pour quelques secondes pour voir la tête que vous avez. Avez-vous les yeux de votre père ? Il avait une façon particulière de regarder les gens, je l'aimais bien, en quelque sorte. Appelez-moi l'une de ces femmes, jeune Cimballi sorti de ses langes, qu'elles apportent un magnétophone et des cassettes. Je vais vous dire, point par point, tout ce que vous aurez à faire. A vous d'aménager, de relier tout ça. Mais je vous garantis une chose : en fin de parcours, pour Martin Yahl, ce sera la culbute. Avec un grand C.

J'ai commencé par me rendre à Rome. Fezzali n'est pas personnellement l'homme des palaces, c'est évident. Sur les indications de Letta, je le retrouve dans un petit hôtel de la via Sforza, à peu près à mi-chemin entre Sainte-Marie-Majeure et le Colisée. Il n'y a pas de restaurant et nous allons nous installer devant des gelati à décourager un ours blanc, à la terrasse d'un petit café. Fezzali m'écoute pendant plusieurs minutes, pratiquement sans un mot. Il dit enfin :

« C'est un plan assez extraordinaire. »

Il hoche la tête, de l'air d'un marchand de tapis des souks de Fez jugeant la production concurrente.

« Réalisable ou pas, à votre avis ? »

On lui apporte sa glace et il en bave. Il hausse les épaules.

« En tout cas, dis-je, il n'est pas de moi. »

Et je lui parle de ma visite à la vallée de la Mort. Ce sera l'une des rares fois, lors de nos nombreuses rencontres, où je le verrai exprimer autre chose qu'un dégoût général de l'humanité, et une tristesse de vieux chameau atteint par la limite d'âge.

« Je croyais Scarlett mort. Je l'ai connu.

– Il vous connaissait aussi. Il m'a dit de vous demander si vous vous souveniez de l'affaire Bester.

– Je m'en souviens », dit Fezzali.

Il lampe sa glace avec une rapidité stupéfiante, en commande aussitôt une autre. Il fixe en attendant le trottoir avec intensité, demande :

« Combien m'avez-vous dit que vous vouliez ?

– Trois cent cinquante millions à New York, six cents à Genève. Mais vous m'aviez parfaitement entendu la première fois.

– Cela fait neuf cent cinquante millions de dollars. Tout de même.

– Je sais compter jusque-là. Et je vous rappelle que dans un cas au moins il ne s'agit que d'un jeu d'écritures. »

On lui apporte une nouvelle glace, encore plus monstrueuse que la première. Il la considère avec une poignante mélancolie, puis se met en devoir de l'engloutir.

« Je ne peux évidemment pas vous répondre sur-le-champ.

– Je m'en doute.

– Il faudra que je consulte les princes.

– J'attendrai. »

Le tout entre deux bouchées gargantuesques de glace et de fruits confits. Je l'observe : il a connu mon père, il dit lui-même en avoir été l'ami et c'est somme toute le premier que je rencontre à me faire ce genre d'affirmation ; j'aurais presque pu croire que mon père n'avait vécu que pour être trahi.

« Vous vous entendiez bien avec mon père ? »

Il boit une gorgée de café noir et très fort, il boit un peu d'eau glacée, enfourne de la glace, reprend une gorgée de café et ainsi de suite. Il choisit de ne pas entendre ma question, contemple ma coupe à laquelle je n'ai pas touché :

« Vous ne mangez pas la vôtre ?

– Elle est à vous. »

Je me lève.

« Appelez-moi à New York aux numéros que je vous ai laissés. Pas au Pierre.

– Bon retour », bougonne-t-il.

Je vais m'éloigner, il me rappelle, impassible.

« Vous pourriez au moins payer les consommations.

– Excusez-moi.

– C'est la moindre des choses », dit-il.

Il me rappelle le surlendemain : « D'accord pour les deux opérations. Bonne chance. » Je suis dans l'appartement de Leo Sussman, où Léo a fait, à mes frais, installer trois lignes supplémentaires. Nous allions passer à table, Léo, Robin sa femme, et moi. Tous deux voient mon visage :

« Mauvaise nouvelle ?

– Non. Non, au contraire. »

Encore un pas. Un pas de danse. Un autre pas décisif. C'est parti.

La voix claire agréablement timbrée de Scarlett monte de la cassette :

– *Premier Coup : mettre à la disposition de Martin Yahl les capitaux dont il aura besoin par la suite. La clef dans ce cas est évidemment ce Fezzali. Celui-ci devrait accepter et, de toute façon, c'est à vous de le convaincre. Vous devriez y arriver. Il vous écoutera parce qu'il était l'ami de votre père et parce que, dans cette affaire d'immobilier de la Ceinture de Soleil, vous lui avez démontré un certain talent. Il vous écoutera mais autre chose sera de le convaincre d'intervenir, surtout s'il s'agit d'engager des sommes aussi importantes ; on ne fait pas d'affaires avec de bons sentiments, ou alors ce sont des dons et c'est déductible fiscalement. Non, Fezzali acceptera parce que ce que vous lui proposez l'intéressera, lui et les émirs enturbannés qu'il représente. Ce qui est d'abord en jeu, c'est avant tout ce groupe qu'il aura la possibilité d'acquérir. Fezzali sait bien que c'est un excellent investissement. Et il acceptera aussi parce qu'il entreverra la possibilité d'obtenir le contrôle d'une banque suisse, ce à quoi les pétro-dollars s'évertuent depuis toujours sans jamais y être parvenus.*

Une fois obtenu l'accord de Fezzali, et donc les centaines de millions de dollars que vous lui avez demandés...

De Rome, je rentre directement à New York et j'y consacre presque un mois à des activités souterraines, qui n'auraient déjà pas été simples en elles-mêmes, qui sont *a fortiori* compliquées dès lors que tout ce que je fais est fait secrètement, à l'insu – ou du moins je l'espère – des espions que Martin Yahl a dépêchés à mes trousses. Ce jeu de cache-

cache m'a d'abord amusé mais très vite il est devenu exaspérant, au point que j'en suis venu à appliquer la solution suggérée dès le début par Marc Lavater : faire appel à la police et me plaindre de la filature dont je suis l'objet.

A peu près quatre semaines après avoir reçu le coup de téléphone de Fezzali m'annonçant qu'il est d'accord pour s'engager dans l'opération, après m'être évidemment assuré que l'argent a bien été versé sur le compte de ma société du Liechtenstein, après avoir comme convenu créé la nouvelle société panaméenne dont je vais avoir besoin, après avoir enfin tenu de multiples conseils avec mes trois avocats, après tout cela je me présente à cette banque de Nassau Street, dans Manhattan, « downtown ».

– Coup Numéro Deux. Jeune Cimballi, l'homme que vous irez voir après l'accord de Fezzali est un banquier appelé Stern. C'est un homme âgé, qui comptait se retirer des affaires depuis déjà deux ans. Il pensait sa succession assurée grâce à son petit-fils, mais le garçon est mort et depuis Stern n'est plus le même homme. Et je le crois prêt à écouter toute offre d'achat qui serait raisonnable, à plus forte raison si elle n'est pas raisonnable, autrement dit si le prix que vous lui offrez de ses titres dépasse tout ce qu'il pouvait actuellement attendre d'un acheteur. Quel est votre prénom déjà ? Franz. Écoutez-moi Franz et vous verrez que tout ceci est fort simple. Depuis le jour où votre père est mort, depuis le jour où Martin Yahl a commencé à piloter ce que j'appellerai Curaçao Deux, la plus belle de mes créations, Yahl en a fait, dans son secteur particulier que vous connaissez, l'un des groupes, ou si vous préférez l'une

des multinationales les plus puissantes du monde. Au point qu'il n'existe dans notre monde capitaliste occidental qu'une seule autre concentration qui soit plus importante et c'est UNICHEM. UNICHEM *et Curaçao Deux sont concurrents, du moins en principe ; dans la brutale réalité, elles se partagent, suite à un accord tacite de non-agression, la plus grande partie du marché mondial, toujours dans leur secteur particulier. La proportion des forces ?* UNICHEM *pèse deux fois plus que Curaçao Deux, à quelques millions de dollars près. Vous me suivez, jeune Franz ? Bon. Voyons maintenant de quoi est fait* UNICHEM. *C'est une société dont quarante-cinq pour cent des parts, des titres, des actions sont entre les mains de petits porteurs ; il doit y avoir ainsi – mais il vous appartient d'en savoir davantage – à peu près vingt-cinq mille actionnaires, pour la plupart citoyens de la Libre Amérique. Nous en reparlerons. Considérons pour l'instant ces cinquante-cinq autres pour cent, c'est-à-dire la majorité. Ces cinquante-cinq pour cent sont détenus par deux familles, représentées par deux banques, lesquelles sont gérées par deux hommes, cinquante-cinq pour cent représentant six cent soixante-dix mille actions. Le plus gros de ces gros porteurs, qui dirigent effectivement* UNICHEM, *est précisément M. Aaaron Stern...*

Aaaron Stern est devant moi. Je devrais écrire : devant nous. Je ne suis pas seul. Je suis accompagné de mes trois avocats, tous trois disciples et anciens élèves de Scarlett, qu'ils considèrent comme leur père spirituel. Qui plus est, c'est Scarlett lui-même, resurgi d'entre les morts, qui les a contactés par téléphone et leur a demandé, contre beaucoup de mon argent d'ailleurs, de se consacrer à ma bataille.

C'est précisément l'un de ces trois avocats, Philip Vandenbergh, qui fait les présentations :

« Monsieur Franz Cimballi, ses conseils : James Rosen et Joseph Lupino. »

Serrements de main. On s'assoit. Philip Vandenbergh parle, comme convenu. C'est un new-yorkais de trente-cinq à quarante ans, sorti lui aussi de Harvard, intelligent comme le diable, froid comme la mort, aux yeux de qui il ne faut pas grand-chose pour apparaître comme un métèque. Pas sympathique, mais c'est le cadet de mes soucis. Quand je l'ai rencontré pour la première fois (et en plus il me dépasse de vingt centimètres), il ne m'a pas caché qu'il aurait à coup sûr décliné toute proposition de faire ce que nous sommes en train de faire si John Carradine lui-même, « que je croyais mort, comme presque tout le monde », n'était personnellement intervenu. « Quoique cette étrange bataille que nous engageons soit, je le reconnais, assez fascinante, d'un seul point de vue intellectuel. » Vandenbergh m'a également fait remarquer que constituer une équipe avec lui-même, Lupino et Rosen revenait à regrouper les meilleurs cerveaux de la jeune génération sur la place de New York et même les territoires avoisinants. « Lupino et Rosen feront un double emploi avec moi, mais je suppose que le vieux Scarlett nous a réunis afin qu'aucun de nous ne puisse se trouver dans l'autre camp. »

Philip Vandenbergh parle toujours. Mais c'est moi qu'Aaaron Stern regarde :

« Qui représentez-vous, monsieur Cimballi ?

– Franz Cimballi. Moi.

– Et vous seriez prêt à me payer trois cent cinquante dollars pièce un titre qui à ce jour, dans le meilleur des cas, a tout juste atteint trois cent trente-cinq, qui même actuellement ne coûte guère que trois cent trente ?

– C'est la raison même de ma présence.

– Et ceci pour les quatre cent dix mille titres que nous détenons ? »

Je jette un regard vers Philip Vandenbergh qui, comme convenu, retire le chèque certifié de sa mallette et le pose sur le plateau nu du bureau.

« Cent quarante-trois millions cinq cent mille dollars, dit-il. Cash. Soit quatre cent dix mille fois trois cent cinquante dollars. »

Je surveille non pas les yeux, mais les mains d'Aaaron Stern, et je pressens en un éclair qu'il est bien capable de dire oui sur-le-champ, ce qui gâcherait tout. Selon la manœuvre que nous avons précisément mise au point pour une telle éventualité, Vandenbergh, Rosen, Lupino et moi, je me hâte de dire sur un ton péremptoire :

« Je ne m'attends pas à une réponse précipitée, monsieur Stern. Je comprends que vous ayez besoin de réfléchir. Faites-le. Mais faites-le vite car je n'ai pas de temps à perdre. Nous sommes aujourd'hui mercredi 7 mai et il est dix heures douze du matin. Je serai dans ce même bureau, face à vous, demain à onze heures pour recevoir votre réponse. A demain, monsieur Stern. »

Comme convenu, Philip Vandenberg exprime la surprise et le désagrément que lui cause ma prétendue faute tactique. La vérité est qu'il faut absolument que Stern soit convaincu que seule l'impétuosité de ma jeunesse et aussi une prétention certaine ont fait obstacle à la conclusion d'un accord auquel, pour sa part, il était d'ores et déjà prêt à souscrire. D'ailleurs, pour empêcher qu'il n'ouvre la bouche, je me lève et gagne rapidement la porte.

Je m'arrête sur le seuil, fièrement campé, à la limite de la parodic :

« Demain onze heures, monsieur Stern. »

Et je sors, tandis que mes conseils, comme dépassés par ma stupidité impulsive, se retirent à leur tour avec des mines certes impassibles mais tout de même un petit peu désolées.

Un premier coup constitué du versement par Fezzali de six cents millions de dollars, de pétro-dollars prétendument en quête de placements avantageux. Ces six cents millions ont été versés à Genève, à la Banque Yahl, et Fezzali lui-même s'est rendu sur les bords du Léman ; il y a rencontré Yahl, et lui a parlé.

Un deuxième coup représenté par cette visite que je viens de rendre à Aaaron Stern, avec en main un chèque certifié de la Bank of America pour un montant de cent quarante-trois millions de dollars.

Un troisième coup...

– Trois : après Stern, vous irez voir Glatzman. L'idéal serait que vous le rencontriez le même jour, disons une heure après Stern. Leurs bureaux sont d'ailleurs voisins ; Rosen vous arrangera ça très bien. Cette précipitation cadrera parfaitement avec le personnage que vous devez jouer : celui d'un jeune chien fou un peu prétentieux, en fait quelque peu grisé par sa propre réussite, et qui fonce droit devant lui. Non, non, je n'ai pas dit le rôle d'un imbécile. Mais on peut imaginer que tout cet argent si rapidement acquis vous soit monté à la tête. Bon, parlons de Glatzman. C'est un autre client que Stern. Stern est âgé et veut vendre. Glatzman a vingt ans de moins et ne vendra que s'il y trouve son compte.

N'essayez surtout pas de lui jouer la comédie, vous ne le tromperiez pas. Allez-y tout droit. Dites-lui pourquoi vous voulez absolument ces deux cent soixante mille titres de UNICHEM *qu'il détient.*

Glatzman regarde Philip Vanderbergh, puis Lupino, puis Rosen. Et moi enfin. Il hausse les sourcils :

« Qu'est-ce que c'est ? un rallye ? »

Je lui souris :

« Attendez que les autres arrivent, ils n'arrivaient pas à trouver de taxi. »

Il allonge une petite main fine et potelée et prend le chèque certifié de quatre-vingt-onze millions de dollars.

« Ça fait beaucoup d'argent.

– J'ai remarqué, moi aussi.

– Vous êtes allé chez le père Stern ?

– Nous sortons de chez lui.

– Qu'est-ce qu'il a dit ?

– Il nous donnera sa réponse demain.

– Mais vous pensez qu'il va accepter ?

– Oui. »

Ses yeux un peu fendus m'étudient, tandis que sa main attire devant lui, successivement, un bloc de papier et un crayon. Il fait sans se presser, vérifiant chaque calcul deux fois, ses petits comptes : quatre cent dix mille actions de Stern, deux cent soixante mille chez lui, soit au total six cent soixante-dix mille à trois cent cinquante dollars l'une...

« Deux cent trente-quatre millions cinq cent mille dollars. »

Franz, il vous demandera pourquoi vous vous portez acquéreur de ces titres... Glatzman pose la question :

« Et pourquoi ce désir forcené de devenir actionnaire majoritaire de UNICHEM ? »

Ne mentez surtout pas, Franz. Allez-y tout droit.

« Parce que je m'appelle Cimballi, et que l'homme qui dirige effectivement l'autre grand groupe mondial en dehors de UNICHEM s'appelle Martin Yahl. Et parce que je n'aurai de cesse d'avoir massacré Martin Yahl. Vous pouvez, en refusant de me vendre vos titres, assister en spectateur à ce combat mais vous risquerez alors d'y perdre énormément ; il s'agira d'une bataille où quelqu'un sautera, de Yahl ou de moi... »

Franz, Glatzman est avant tout un homme d'affaires. Parce que vous l'intriguez et qu'il veut savoir jusqu'où vous pouvez aller, et aussi parce que c'est dans sa nature, il va relancer la discussion. Vous lui offrez trois cent cinquante dollars par action ? Il essaiera d'avoir plus.

« Disons cent millions pour mes deux cent soixante mille actions », dit Glatzman.

Et vous refuserez.

« Non.

– Quatre-vingt-quinze et elles sont à vous. »

Je me lève, le visage exprimant – je fais de mon mieux – une rage froide.

« Ne me prenez pas pour un gamin, Glatzman ! Ce sera quatre-vingt-onze ou rien. Et ne vous y trompez pas : je n'achèterai vos titres que dans la mesure où ils m'assureront la majorité de UNICHEM. En eux-mêmes, ils ne m'intéressent pas. Je ne les veux que si je peux acquérir également ceux de Stern. Et je paierai trois cent cinquante dollars l'action, pas un *cent* de plus. C'est déjà un prix remarquablement haut, en échange duquel j'exige une réponse presque immédiate. Stern doit me donner sa réponse demain à onze heures. Mes hommes d'affaires seront chez vous une demi-heure plus tard. J'achèterai à Stern et à vous, ou je n'achèterai pas. Au revoir, monsieur Glatzman. »

Retour au Pierre. Dans la Mercedes 600 que j'ai louée, Lupino chantonne, rythmant sa chanson d'un tapotement de ses doigts. Malgré son nom, il est blond-roux, de cette blondeur que l'on dit vénitienne. Il cligne de l'œil dans ma direction, l'air de dire : « Qu'est-ce qu'on rigole ! » C'est le plus jeune de mes trois conseils, il a trente-deux ans et déjà une réputation remarquable.

« N'oubliez pas d'appeler Scarlett pour le tenir au courant », me dit Philip Vandenbergh de sa voix calme et froide.

Je réponds par un acquiescement, tandis que la voiture remonte lentement la 6e Avenue. J'ai une peur de tous les diables, à présent que la bataille est tout à fait lancée. L'énormité des sommes investies, et donc aussi l'énormité des risques encourus, la puissance de l'adversaire contre qui j'ai engagé ce combat à mort, tout cela m'apparaît d'un coup, encore amplifié par mon imagination probablement enfiévrée, par la fatigue écrasante que je ressens. J'ai l'impression que je n'ai pas véritablement dormi depuis des jours et c'est assez juste, je suis à ce point énervé que j'ai du mal à trouver le sommeil, quand j'ai le temps de le chercher. Je demande à la cantonade :

« Quelqu'un déjeune avec moi ? »

Philip Vandenbergh décline l'invitation avec son habituelle courtoisie glacée qui me hérissera décidément toujours le poil, Rosen dit qu'il est déjà retenu, Lupino accepte. Vandenbergh et Rosen mettent pied à terre à la hauteur de Rockefeller Center. Vandenbergh, juste avant de refermer la portière :

« Pensez à téléphoner à Scarlett.

– Merde. »

Lupino s'esclaffe tandis que la Mercedes repart :

« Rosen, Glatzman, Stern, Cimballi, Lupino même combat. Pour Vandenbergh, tous des métèques. Mais l'enfant de salaud est un sacré juriste, et rusé presque autant que moi, malgré ses airs de bon élève. Franz, vous savez que Scarlett vous a réuni une équipe terrible ? Vous savez. Vous vous faites du souci hein ? Du calme, on va gagner. Ça m'amuse drôlement tout ça. C'est l'un des plus extraordinaires coups fourrés de l'histoire financière, si vous voulez mon avis. Je vous fais une proposition : vous payez les cocktails, le champagne à table, la bouffe elle-même et moi j'offre les cafés. Qu'est-ce que vous en dites ? on partage en frères. Et n'oubliez pas d'appeler Scarlett. »

Et je n'oublie pas d'appeler Scarlett. Scarlett dont la voix au téléphone me semble extraordinairement lointaine, sonore, comme résonnant dans un tombeau. Je l'imagine aisément, trop aisément, replié comme un monstrueux fœtus à la chair purulente, dégoulinant de pus dans son fauteuil d'acier, au centre de sa cage de verre, l'une de ses femmes gantées et masquées lui tenant l'appareil.

A mes premiers mots, il a marqué une hésitation. Tout s'est d'abord passé comme s'il avait oublié jusqu'à mon nom, jusqu'à la raison qui fait que je l'appelle et le tienne au courant. Et puis son cerveau a semblé revenir, se remettre au travail.

« N'oubliez rien, Franz, je veux tout savoir.

– Je n'ai rien oublié. »

Un silence.

« Ça devrait marcher maintenant, jeune Cimballi. Vanderbergh m'a appelé hier soir et nous avons longuement discuté, lui et moi. Il a tout mis au point. A l'heure qu'il est, ou dans les minutes qui viennent, même si Stern ou Glatzman ne s'en chargent pas, ce qui m'étonnerait bien, la nouvelle court ou va courir vers Genève. Je ne serais même pas surpris que Martin fût déjà au courant. Quoi qu'il en soit, dès qu'il saura, il va agir. Il est impossible d'imaginer une seule seconde qu'il accepte celui qu'il hait et craint le plus, Franz Cimballi le Danseur, *présidant* aux destinées de son principal concurrent dans le monde, avec une puissance double de la sienne. Il est impossible d'imaginer que poussé tout à la fois par la haine qu'il éprouve à votre encontre, par des considérations purement de stratégie commerciale, par cette occasion enfin qui lui est offerte de devenir le numéro un mondial dans son secteur d'activités, il est impossible d'imaginer qu'il ne va pas agir. Il va agir, jeune Franz au nez encore plein de lait. Et il n'a qu'une solution : se hâter de racheter à Stern et à Glatzman, au prix fort, à un prix écrasant, leurs six cent soixante-dix mille actions. En vous battant sur le fil. Franz, je parierais ma mort immédiate et si merveilleusement apaisante que dans les heures à venir, Martin Yahl va passer à l'attaque. Ou bien je ne m'appelle plus Scarlett. Vous-même serez stupéfié par l'extraordinaire rapidité de sa riposte. De son O.P.A. »

21

OFFRE Publique d'Achat : O.P.A.

C'est le terme technique. Cela revient à annoncer publiquement, à grand renfort de publicité afin que nul n'en ignore – et l'on est tenu de par la loi à cette publicité – que l'on se tient prêt à racheter à un prix convenu, évidemment supérieur au prix pratiqué, tous les titres d'une même société donnée. Cela dans un laps de temps déterminé, et sans limitation quantitative de titres. Autrement dit, l'on s'engage formellement à acheter tous les titres qui seront présentés à la vente.

Martin Yahl lance officiellement son offre publique d'achat le jeudi 8 mai à dix heures du matin, heure de New York. Prix par action offert à tout porteur se présentant dans le délai prescrit : trois cent quatre-vingts dollars. Temps pendant lequel l'offre sera valable : quinze jours.

Soit jusqu'au vendredi 23 mai, dix heures.

Nous apprenons la nouvelle dans les bureaux qu'avec un luxe inouï de précautions, de façon qu'aucun des agents éventuels de Yahl ne soit alerté, j'ai loué au nom de ma toute nouvelle société panaméenne, dans la 59e Rue. C'est l'un des adjoints de James Rosen qui nous la communique par téléphone, de son poste de guet à New York Stock Exchange. On aura une idée du déploiement de forces consenti depuis déjà plusieurs semaines, avant même ma rencontre à Rome avec Fezzali, quand j'aurai dit que cet homme est l'un des soixante-dix travaillant à ce moment-là à plein temps, uniquement à New York, sous les ordres de cet état-major constitué de mes trois conseils et de moi-même, en liaison constante avec Scarlett. Hors New York, en outre, ils sont plus de deux cents à l'œuvre. Une armée.

Au moment où tombe la nouvelle, nous sommes là tous les quatre, Philip Vandenbergh, Rosen, Lupino et moi. Nous nous attendions à cette annonce mais il n'empêche que durant quelques instants, aucun de nous n'ouvre la bouche. Je me lève et je me mets à marcher. Au passage, Jo Lupino m'adresse son traditionnel clin d'œil, Rosen griffonne n'importe quoi et le glacial Vandenbergh y va d'un mince sourire.

« Il est tombé en plein dedans. »

Philip Vandenbergh se lève à son tour et me fixe avec dans ses prunelles claires une expression que je ne lui ai encore jamais vue, tenant tout à la fois, dirait-on, de la curiosité et, pour un peu, de l'estime. C'est comme s'il me voyait pour la première fois. Il dit de sa voix de Harvard :

« J'ai beaucoup de respect pour Scarlett. J'en ai toujours éprouvé mais je ne croyais pas que, dans ce cas précis, il pût avoir raison. Trois cent quatre-vingts dollars ! Mon Dieu ! Je n'aurais jamais imaginé qu'un banquier comme Martin Yahl irait jusque-là. Scarlett l'a parfaitement deviné : ce Suisse s'est laissé emporter par la haine qu'il a pour vous. »

Il me dépasse d'une tête. Je lui demande :

« Et c'est ça qui vous travaille ?

– Oui. Parce que l'on juge un homme à ses ennemis. »

Je lui souris. Il y a pas mal de temps que j'attends de lui river son clou, à celui-là :

« D'accord, mon vieux. Alors dans ce cas, j'ai une grande nouvelle pour vous : vous m'êtes tout à fait antipathique. Je dirais même que je n'arrive pas à vous blairer. »

Le 17 mai à cinq heures de l'après-midi, je suis dans une Fiat tout à fait anonyme qui, par la grâce douteuse d'un chauffeur particulièrement taciturne, me dépose derrière un petit hôtel non loin de la via Aurelia, à Rome. Je gagne comme convenu la chambre du premier étage et Fezzali est là.

« Bon voyage ?

– Est-ce que nous ne devrions pas échanger des phrases code du type : « Attention, les lavabos sont bouchés » et vous me répondriez : « Je m'en fous, je suis constipé. » Juste pour le cas où je ne serais pas moi et vous ne seriez pas vous. Ça se fait, dans les films d'espionnage. »

Fezzali sourit :

« Toujours aussi bavard, hein ? Mais nous jouerons une autre fois. Je suis censé être en conférence dans ma suite du Hassler et n'ai guère de temps. Bon, tout s'est passé comme prévu.

– Vous avez rencontré Yahl ?

– Une première fois à Rome, ici même, enfin pas dans cet hôtel-ci, au Hassler.

– Quand était-ce ?

– Mercredi 7, à neuf heures du soir. »

Trois heures de l'après-midi, heure de New York ! J'en reste presque bouche bée : la réaction de Martin Yahl a été fantastiquement rapide, et cela aussi Scarlett me l'avait prédit. Quatre heures à peine après que j'ai rencontré Glatzman et Stern, il avait déjà pris contact avec Fezzali, avait trouvé un avion, était accouru à Rome et s'était lancé dans une négociation.

« Que vous a-t-il proposé ?

– Il m'a d'abord rappelé la demande que j'avais, que nous avions le prince Aziz et moi, formulée quelque temps plus tôt, quand nous avons effectué à sa banque un dépôt de six cents millions de dollars, demande d'une aide et de conseils pour des investissements fructueux. Il m'a dit : « Le moment est venu. J'ai effectivement une affaire pour vous. » Et il m'a proposé la vente de son propre groupe moyennant deux cent soixante millions de dollars.

– Et vous avez accepté.

– J'ai refusé. J'ai proposé deux cent trente. Et nous sommes tombés d'accord sur cette base à charge pour nous de lui garantir ultérieurement, pour une durée de dix ans renouvelable, la gestion de ce groupe que nous acquérions ; nous sommes convenus que nous trouverions difficilement meilleur gestionnaire que lui. En outre, nous nous sommes engagés à respecter une clause de non-concurrence entre UNICHEM et son ancien groupe. »

Fezzali engloutit avec la plus grande tristesse une glace d'un litre pour le moins. Je soupire :

« D'accord, espèce de vieux marchand de chameaux, faites-moi languir, si ça vous amuse tant que ça. Et obligez-moi à vous poser la question. D'accord, je vous la pose : et pour ce qui m'intéresse ? »

L'animal prend le temps d'avaler voluptueusement assez de glace pour couler un autre *Titanic*. Il me jette enfin un regard mélancolique :

« M. Yahl nous a également demandé de nous engager à acheter toute action de la UNICHEM se présentant à la vente en dehors des six cent soixante-dix mille détenues par les banques Stern et Glatzman. J'ai répondu que je ne voyais *a priori* aucune espèce de difficulté à m'engager sur ce point, sous réserve que mon engagement soit entériné par les émirs à qui je dois rendre compte, bien entendu. Il y a deux jours, j'ai appelé Genève pour confirmer que mes mandants souscrivaient à cet engagement.

– Mais vous n'avez rien signé ?

– Sur ce dernier engagement ? Rien. Nous n'avons passé qu'un simple accord verbal. Après tout, déduits les deux cent trente millions de dollars payés pour l'achat du groupe Yahl, nous avons encore en dépôt chez ce monsieur trois cent soixante-dix millions de dollars. J'ai d'ailleurs fait remarquer à M. Martin Yahl que le risque de voir se présenter sur le marché, d'ici la clôture de son O.P.A., un nombre important de petits porteurs était extrêmement minime, compte tenu de la dissémination, voire de l'atomisation de ces petits porteurs. »

Fezzali enfourne une autre lampée de glace, ayant gardé pour la dernière bouchée la cerise au marasquin qu'il préfère, c'est certain. Il conclut :

« Il est convenu que je disais juste. »

Sa portion de glace est finie, il contemple la coupe vide d'un œil plus mélancolique que jamais. Il me demande :

« Et de votre côté ?

– Stern et Glatzman ont vendu la totalité de leurs titres à Sa Grandeur Bancaire qui se trouve donc actuellement majoritaire au sein de la UNICHEM et gestionnaire du groupe concurrent. Quant à moi, pauvre petit gamin innocent perdu par sa propre impétuosité, j'ai eu la douleur de découvrir que mon ennemi mortel avait renchéri sur mon offre et m'avait soufflé l'affaire dont je rêvais. J'en avais les « larmezozieux », mon pauvre monsieur.

– Et l'autre opération ?

– Les équipes de Vandenbergh, de Rosen et de Lupino font un travail fantastique depuis maintenant plus d'un mois. Ça marche plutôt bien. »

Nous échangeons un regard. Je suis sûr qu'il lit sur mon visage la véritable angoisse qui m'habite.

« Une autre glace ? propose Fezzali.

– Mangez la mienne, comme d'habitude.

– Du moment que c'est vous qui payez », répond Fezzali avec bienveillance.

La voix de Scarlett résonnant dans la cage de verre :

– *Jeune Cimballi, souvenez-vous. En Un, vous avez obtenu de vos amis arabes le versement de six cents millions à la banque Yahl, de trois cent cinquante autres à votre compte. En Deux, c'est votre visite à Stern et votre offre à trois cent cinquante dollars l'action. En Trois, la même offre, faite cette fois à Glatzman. Bon, voilà pour vos trois premiers mouvements. A ce stade, si tout se passe comme prévu, où en serons-nous ? Eh bien, en théorie, Martin Yahl doit réagir et tel que je le connais, réagir très vite. Ses arrières assurés par la présence de six cents millions de pétro-dollars dans les coffres de sa banque, il n'a qu'un moyen de vous empêcher d'acheter les cinquante-cinq pour cent des titres* UNICHEM, *c'est de les acheter lui-même dans le cadre d'une* O.P.A. *C'est un banquier soucieux de toutes les apparences de la légalité et pour lui, une* O.P.A. *est la seule façon de jouer. Pour acheter, il n'a pas le capital nécessaire mais il a une solution : vendre son propre groupe aux Arabes. Je connais Fezzali : Martin Yahl n'obtiendra certainement pas de lui les deux cent cinquante millions de dollars qu'il espère. Il en aura au plus deux cent trente. Pour surenchérir sur l'offre que vous avez faite à Stern et Glatzman, il doit monter à trois cent soixante-dix ; pour moi je crois qu'il ira plus haut, pour vous assommer en quelque sorte et vous administrer la démonstration de sa toute-puissance. D'ailleurs, même à trois cent quatre-vingts dollars et un peu plus, il ne fera pas une si mauvaise affaire :* UNICHEM *est une entreprise saine, qui n'a à craindre que la seule concurrence de l'ancien groupe Yahl... dont Yahl est bien capable de demander à garder le contrôle – c'est en tout cas ce que je lui aurais conseillé de faire.*

Faisons nos comptes, Franz le Danseur : six cent soixante-dix mille actions à, disons, trois cent quatre-vingts dollars font deux cent cinquante-quatre millions six cent mille. Deux cent cinquante, en gros. Il va en toucher deux cent trente de Fezzali : manquent donc vingt-quatre millions six cent mille. Yahl les a, à condition de puiser dans sa fortune personnelle. Ce qu'il fait. Il achète donc la totalité des titres de Stern et Glatzman. Et c'est là que ça devient amusant...

Car attention, il n'est pas fou : il sait qu'il y a encore quelque part dans la nature quelque cinq cent cinquante mille actions UNICHEM, *également concernées par son* O.P.A. *Et il connaît sa loi, le bon vieux Marty : il sait bien que quiconque lance une offre publique d'achat est tenu d'acheter* TOUTES *les actions se présentant à la vente en réponse à l'offre, et cela dans le délai déterminé de l'*O.P.A. *Bien sûr ces actions sont disséminées, atomisées, disons-nous, mais pourquoi prendre des risques ? En mettant au tapis deux cent cinquante millions de dollars pour acquérir les cinquante-cinq pour cent de la* UNI-CHEM, *Yahl a usé de la plus grosse partie de sa masse de manœuvre. Il doit lui rester à peu près cinquante, soixante millions de dollars, peut-être un* *peu plus, je ne sais pas au juste. Plus sa banque, bien entendu, mais il se tuerait dix fois plutôt que de s'en dessaisir. Et même cet argent qu'il a en réserve n'est pas forcément disponible à vue, il travaille quelque part ou alors Yahl ne serait plus un banquier. Et si, par une épouvantable coïncidence, ces cinq cent quarante mille actions, les minoritaires, appelons-les ainsi, se présentaient en masse à l'*O.P.A.*, il ne pourrait évidemment pas répondre. Martin Yahl ne croit guère à une telle éventualité et, dans l'absolu, il a raison. Mais il est prudent, très prudent. Et avant de s'embarquer dans l'aventure, il demandera à Fezzali de s'engager à acheter toutes les actions de la* UNICHEM *se présentant à la vente et qu'il ne pourrait lui-même acquérir...*

Voilà le coup numéro Quatre...

De Rome, malgré le peu de temps dont je dispose, je ne regagne pas directement New York. Je m'arrête à Paris, pas longtemps, quatre heures à peine entre deux avions. Mais c'est suffisant pour embrasser Catherine qui est venue me chercher à Roissy.

« Tu as l'air fatigué.

– Je suis fatigué. Mais je n'oublie pas cet engagement que tu as pris. »

Les yeux dorés étincellent, pleins d'une malice provocante :

« Comprends pas.

– Mon œil. La première fois, nous étions aux Bahamas et tu avais un tout petit tout petit maillot noir, la deuxième fois nous étions à Paris et tu portais une robe bleue avec des fleurs partout. Dans les deux cas tu m'as dit : « Je t'épouserai, Franz « adoré, lumière de ma vie, toi sans qui la vie ne « vaudrait plus d'être vécue, je t'épouserai sitôt que

« tu auras fini de faire l'imbécile à courir dans tous « les sens et à danser ta danse de fou. »

– Tu es sûr que je l'ai dit comme ça ?

– C'était l'idée générale. »

Elle cesse soudain de sourire et ses yeux s'emplissent de larmes :

« Ô mon Dieu ! dit-elle d'une toute petite voix, je commençais à croire que tu m'avais oubliée ! »

Je n'ai pas devant moi suffisamment de temps pour aller jusqu'à Paris et, d'ailleurs, nous n'en avons envie ni l'un ni l'autre. Au lieu de tout cela, nous roulons doucement par des chemins creux de campagne, Catherine tenant le volant et moi, la tête sur son épaule. Nous traversons je crois la forêt d'Halatte, allons à pied jusqu'au sommet de la butte d'Aumont, repartons vers et dans Senlis, qui est superbe en ce mois de mai. Après, elle me ramène à l'aéroport sans que nous ayons échangé plus que quelques mots.

« Catherine, je n'en ai plus pour longtemps à présent. Le dénouement est proche, très proche.

– Combien de temps ?

– Deux semaines, ou trois. Mais même pas. La danse de Cimballi s'achève. Nous en sommes aux dernières mesures.

– Et qu'arrivera-t-il ?

– Ce qui arrive quand une danse est terminée, quand les violons se taisent. On rentre chez soi. Et l'on referme sa porte en écrivant dessus : « Prière de ne pas déranger. »

– Cinquième Coup, jeune Cimballi. Si tout, si vraiment tout jusque-là s'est déroulé comme prévu, il est peut-être temps de se souvenir de ces trois cent cinquante millions que Fezzali a accepté de verser

sur votre compte, tandis qu'il en déposait six cents autres à la banque Yahl de Genève. De cet argent, vous vous êtes une première fois servi pour approvisionner les chèques que vous avez complaisamment agités sous les yeux de Stern et de Glatzman, sans la moindre intention de les leur remettre vraiment. Vous vous en êtes également servi, cette fois réellement, pour ce que j'appellerai l'Opération Grande Rafle. N'oubliez pas que vous devez constamment contrôler, animer, relancer celle-ci. Tout dépend de son succès. Faites le point chaque jour, chaque heure, pressez les hommes, harcelez-les, ne leur laissez pas la moindre minute de répit. S'ils grognent, surpayez-les...

Cela a commencé avant même que je rencontre Fezzali à Rome pour lui réclamer presque un milliard de dollars. Tout le dispositif était en place avant même qu'il ne donne son accord, il a démarré sitôt cet accord arraché. De quoi s'agissait-il ?

– Franz, vous avez le choix entre deux possibilités. Soit constituer une Association de défense des petits porteurs, en laissant par exemple entendre qu'un coup fourré lésant les minoritaires est en préparation. Soit, et c'est la meilleure solution, à chaque fois que c'est possible, racheter vous-même un maximum afin de pouvoir, comme promis à Fezzali, revendre ensuite aux émirs s'ils le souhaitent. Pour les détails de ce qui doit être la plus grande et la plus discrète rafle de l'histoire boursière, laissez faire Vandenbergh, Rosen et

Lupino, surtout Rosen qui a du génie pour ces choses. Pourquoi croyez-vous que j'ai choisi ces hommes ? Ils vont vous mettre en piste deux ou trois cents courtiers. Et les meilleurs. Et je vous parie que rien ne transpirera.

Et naturellement, c'est moi qui paie les courtiers, tout comme je paie, un prix exorbitant, Vandenbergh, Rosen et Lupino, ainsi que leurs innombrables assistants. Ce n'est pas là ma seule dépense importante. J'ai proposé à Fezzali de lui vendre tous les titres « minoritaires » que je pourrais acquérir, donc les titres ne faisant pas partie des cinquante-cinq pour cent rachetés par Yahl. Fezzali a accepté, lampant sa glace :

« D'accord. Mais que votre père ait été mon ami n'entraîne pas que je doive m'abandonner à la prodigalité la plus folle. Je vous rachète tout ce que vous aurez à vendre, payez-vous sur les trois cent cinquante millions que je vous ai prêtés pour « paraître », mais du calme : l'action UNICHEM est actuellement cotée à trois cent vingt-huit, je vous la paierai trois cent trente.

– Mais pour convaincre les petits porteurs, je suis obligé de les payer plus de trois cent quatre-vingts !

– Votre problème, mon jeune ami, pas le mien. »

Et de lamper sa saloperie de glace.

« Trois cent trente, Franz. Rien de plus. Mettez la différence de votre poche. »

Martin Yahl a lancé son O.P.A. le jeudi 8 mai. Cette O.P.A. doit se clore le vendredi 23. L'opération baptisée Grande Rafle par Scarlett a, quant à elle, commencé vingt-huit jours plus tôt, exactement le

10 avril. C'est ce jour-là que les quelque deux cents courtiers enrégimentés par mes avocats-conseils sont partis en guerre. Leur consigne : avant tout tenter de racheter un maximum d'actions et, uniquement dans le cas où le porteur refuserait de se dessaisir de ses titres, l'amener à rejoindre l'Association de défense.

Tout cela bien évidemment dans le secret le plus absolu.

A seule fin de suivre minute par minute le déroulement de cette fantastique rafle, j'ai transformé les bureaux loués dans la 59e Rue en un véritable quartier général. Pas moins de douze opératrices y sont chargées de collationner les informations expédiées par les courtiers, dont certains traquent les actionnaires jusque dans leurs retraites dorées de Jamaïque, des îles grecques ou de Suisse, voire à Scottsbluff dans le Nebraska. Outre leur rémunération qui est déjà coquette, les courtiers se sont vu promettre une surprime de mille dollars chacun pour chaque tranche de vingt-cinq mille actions rachetées. L'idée est de Rosen, tout à fait généreux avec mon argent. Rosen est un petit Juif triste et taciturne, formidablement travailleur, doué pour l'organisation et le travail d'équipe comme Mozart pour la musique. Il est d'une énergie et d'une ténacité véritablement féroces.

Le mercredi 7 mai, une heure avant que nous ne nous rendions chez Stern, il nous a fait un premier point général de la situation :

« L'action UNICHEM n'a guère bougé depuis cinq ans. Elle suit. Par ailleurs, sauf cas particulier, nos courtiers ne proposent pas carrément de racheter des UNICHEM ; le plus souvent, ils offrent des échanges contre d'autres valeurs de tout premier ordre : I.B.M., Royal Dutch, General Motors et autres Hoffman La Roche dont nous les avons munis. Très souvent, ils manœuvrent de telle sorte que c'est le porteur lui-même qui offre ses UNICHEM dont la stabilité est peu enthousiasmante...

– Des chiffres.

– A ce jour, huit mille actionnaires contactés. Soixante-huit pour cent d'entre eux ont accepté la cession, vingt-sept pour cent ont rejoint l'Association. Soit cent trente-cinq mille actions rachetées et quarante-huit mille regroupées au sein de l'Association.

– Sur ?

– Cinq cent quarante-huit mille au total.

– On est loin du compte.

– Ne vous fiez pas aux chiffres. Nous avons progressé plus qu'il n'y paraît. Nous n'avons touché à ce jour que les très petits porteurs, certains ne détenant qu'une action ou deux. Depuis hier, nous déchaînons toute notre puissance de feu sur les gros petits porteurs, quelques-uns ayant jusqu'à vingt mille actions en portefeuille. Ceux-là seront en un sens plus faciles à convaincre : ils suivent mieux les mouvements de la bourse et dès l'instant où nous leur donnerons dix pour cent de plus que le prix qu'en offrira l'O.P.A...

– Ça va me coûter une fortune. »

Mince sourire de Vandenbergh. J'adore ce type.

« La vengeance coûte cher », dit-il.

Ça me coûte effectivement une fortune. Le 12 mai, le total des actions minoritaires contrôlées par moi, d'une façon ou d'une autre, cession ou regroupement au sein de l'Association, passe la barre des trois cent mille. Deux jours plus tard, on en est à trois cent cinquante mille. Ensuite, chaque heure change les chiffres inscrits sur les tableaux installés par Rosen dans les bureaux de la 59e Rue. Et la montée va se poursuivre, avec l'inexorable puissance d'une marée. Le « prix futur de l'O.P.A. » plus dix pour cent avait, selon les ordres de Rosen, été promis par les courtiers à tout actionnaire acceptant de vendre : cela revient à me faire acheter des titres à quatre cent dix-huit dollars et je ne pourrai jamais les revendre que trois cent trente à cette vieille crapule de Fezzali. Dans la matinée du 22 mai, faisant mes comptes, ajoutant les rémunérations, les primes et les frais des courtiers, les honoraires royaux de Vandenbergh, Lupino et Rosen, les salaires de leurs assistants, les primes que j'ai dû payer afin de pouvoir racheter des centaines de milliers de titres à perte, les frais énormes que j'ai encore eus de toutes parts, les dessous de table qu'il a fallu glisser çà et là, j'arrive au total de trente-deux millions six cent mille dollars définitivement envolés.

Mais le résultat est là, fascinant dans son incroyable brutalité. Martin Yahl a lancé son O.P.A. ; il a déboursé – en vendant soit dit en passant le groupe qu'il avait volé à mon père – deux cent cinquante-quatre millions six cent mille dollars et en fait assez nettement plus avec les frais. Il a déjà puisé vingt millions à peu près dans ses réserves, lesquelles réserves ne sont plus, peut-être que d'une soixantaine de millions. Le jeudi 22 mai dans la matinée, au moment même où dans ma chambre du Pierre, regardant le jour se lever sur Central Park, je suis moi-même en train de faire mes comptes, il me plaît de penser qu'il est peut-être en train de faire les siens. A Genève ou à Zurich – je ne sais pas où il se trouve au juste – sans doute est-il déjà en train de savourer sa victoire.

Il est six heures du matin à New York. Je n'ai pas dormi de la nuit et les nuits précédentes ont été tout autant agitées, mais je suis bien trop énervé pour seulement fermer les yeux. En Suisse, il est midi.

Il est encore probablement à son bureau, c'est un homme d'ordre, de ponctualité, de rigueur. Je décroche le téléphone et je forme le numéro de la banque du quai Général-Guisan à Genève.

« Je voudrais parler à M. Martin Yahl, personnellement.

– De la part de qui, s'il vous plaît ? »

Le premier nom me passant par l'esprit :

« Prince Henri d'Orléans. »

Quelques secondes et puis la voix glacée, teintée de son accent germanique :

« Quel plaisir de vous entendre, Monseigneur. »

Je me tais. J'écoute le silence qui n'est fait que de sa respiration. Et lui, à l'autre bout du fil, s'inquiète peu à peu de ce silence.

« Allô ? Allô ? Allô ? »

Je raccroche. A huit heures moins le quart, je sors dans le matin de New York, et je remonte à pied la 5e Avenue, sans hâte, flânant, prenant le temps de deux cafés aussi épouvantables l'un que l'autre. L'air est vif et tiède malgré tout. Il est presque neuf heures quand je pénètre enfin dans les bureaux de la 59e Rue. Rosen et Lupino sont déjà ou encore là. Les yeux noirs de Rosen croisent les miens, et il répond à ma question avant même que je l'aie formulée.

« Trois cent trente-neuf mille actions rachetées, cent trente-cinq mille regroupées au sein de l'Association de défense. Soit un total de quatre cent soixante-quatorze mille.

– Ça peut encore changer ?

– Plus vraiment. Nous avons fait le plein, à mon avis. »

Pour la centième fois depuis l'instant où, ayant renoncé au sommeil qui me fuyait, je me suis décidé à me lever carrément, je consulte ma montre : il est neuf heures et deux minutes du matin. Le délai de l'offre publique d'achat de Martin Yahl s'achèvera dans vingt-quatre heures et cinquante-huit minutes. Je m'assois, les jambes lourdes.

« Quatre cent soixante-quatorze mille actions à... »

Le téléphone sonne. Lupino décroche, me passe l'écouteur.

« Franz ? »

C'est Fezzali.

« Franz, je suis à l'aéroport de Rome. Je pars à l'instant. L'un de mes vieux oncles, mon préféré, est très malade, tout au fond du désert, en un endroit où il n'y a ni téléphone, ni télégraphe, ni radio. Deux jours pour aller, deux sur place, deux jours pour rentrer. Six jours au total pendant lesquels personne ne pourra me toucher, s'agirait-il des affaires les plus importantes. Personne ne le pourra, Franz. Vous me comprenez ?

– Je comprends. »

La ligne redevient muette. Philip Vandenbergh entre à ce moment-là. Lui non plus n'a probablement pas dormi et pourtant il est impeccablement rasé et net, tout au contraire de Rosen qui ressemble à un vieux sac. Je lui dis, à lui et aux autres :

« Personne ne pourra joindre Fezzali pendant les six prochains jours. »

Je n'ajoute pas : et Fezzali est le seul à pouvoir disposer des centaines de millions de pétro-dollars déposés à la Banque privée Yahl. Mes interlocuteurs peuvent tout autant que moi mesurer le poids de la nouvelle. Un autre des mécanismes du piège vient de se mettre en place. J'achève le compte que je venais de commencer au moment où Fezzali a appelé : quatre cent soixante-quatorze mille titres à trois cent quatre-vingts dollars l'un font cent quatre-vingts millions cent vingt mille dollars.

Que Martin Yahl sera, au terme de la loi, contraint de payer. Et il devra payer l'énorme somme entre le moment où je déciderai de présenter à la vente ces quatre cent soixante-quatorze mille actions que je détiens, et cet autre moment où l'O.P.A. lancée par lui atteindra son terme.

Il va de soi que je vais lui laisser le moins de temps possible. Cela se jouera en quelques heures.

Selon Scarlett, selon Lavater et ses enquêteurs, selon toutes les estimations que nous avons pu faire, Martin Yahl possède au mieux, ce jeudi 22 mai, une soixantaine de millions de dollars, pas forcément immédiatement négociables dans leur totalité. Cela dans le meilleur (pour lui) des cas. Et dans le meilleur de ces cas, cela signifie qu'il devra trouver cent vingt millions de dollars avec, devant lui, juste assez de temps pour traverser une rue.

Il avait compté sur l'aide de Fezzali, ayant même l'argent de celui-ci dans ses coffres. La malencontreuse absence du Libanais, les ordres formels qu'il a donnés à son remplaçant : NE STRICTEMENT RIEN FAIRE, vont bloquer les capitaux dont Yahl espérait se servir.

– *Coup Numéro Six, jeune Cimballi : lui présenter en bloc, le moins de temps possible avant la clôture de son* O.P.A.*, le plus grand nombre possible d'actions minoritaires soit rachetées par vous, soit regroupées au sein de l'Association. Il ne pourra pas payer. Il se tournera vers Fezzali : porte close, pour une raison que vous imaginerez. Martin Yahl, en dépit de ce coup dur de dernière minute, conservera encore un* *espoir : trouver du crédit auprès d'autres groupes financiers. Il va s'y employer. Après tout, il a encore des dizaines de millions de dollars et surtout, il a encore sa banque. C'est à ce moment-là que vous faites démarrer cette affaire dont vous m'avez parlé...*

« Cette affaire dont j'ai parlé » à Scarlett démarre ce même jeudi 22 mai, sous la forme d'un article de deux colonnes qui paraît simultanément dans *Le Monde* à Paris, *The Financial Times* à Londres, le *Washington Post* aux États-Unis, dans *La Tribune de Genève*, le *Bild Zeitung* de Hambourg (qui va titrer sur trois colonnes à la une avec une photo de Martin Yahl) et le *Frankfuter Allgemeine Zeitung*. Dans l'ensemble, s'appuyant sur le dossier que je leur ai confidentiellement fourni, tous ont à peu près respecté l'idée générale : L'ÉTRANGE O.P.A. DE L'ANCIEN BANQUIER NAZI SUR UNE ENTREPRISE JUIVE AMÉRICAINE.

Le dossier a coûté à Marc Lavater et à moi près de quatre ans de recherches et énormément d'argent. Il n'est pourtant pas aussi péremptoire que nous l'espérions. Cependant il établit sans aucun doute possible les rapports et même la connivence de la famille Yahl, de Martin Yahl notamment, avec Heinrich Meinhardt, chef du commando envoyé en Suisse par Hitler au printemps de 1933, pour y récupérer tout l'argent allemand, et surtout juif allemand réfugié dans les coffres helvétiques ; il donne les preuves de la communauté d'idéal existant à cette époque entre le jeune Martin Yahl et des hommes comme le *gaufurher* suisse Robert Tobler, de Zurich, et le fondateur des sections fascistes suisses Arthur Fonjallaz ; il démontre tout de même qu'une fois au moins la Banque Yahl (et le responsable de la transaction est bien Martin Yahl lui-même et non son père) a accepté d'effectuer un « rapatriement » de fonds juifs allemands dans des conditions tout à fait irrégulières, à savoir qu'elle a bien voulu opérer sur une banque allemande le virement de capitaux qui lui avaient été confiés par un banquier juif de Hanovre, sous le prétexte que ce virement lui était demandé par un des fils dudit banquier, encadré par deux hommes en imperméable et présentant d'un air épouvanté un pouvoir tracé d'une main tremblante ; il contient encore, ce dossier que nous avons mis des années à constituer, des photos de Martin Yahl en compagnie de ses amis S.S. lors d'un voyage effectué en 1941 à Nuremberg et il renferme surtout une lettre adressée par lui à un fonctionnaire de la *Volksdeutsche Mittelstelle*, administration S.S., dans laquelle il dresse une liste – « complémentaire à celle que je vous ai déjà fait parvenir » écrit-il – une liste de ses clients juifs allemands dont les capitaux étaient susceptibles d'être « rapatriés ». Et une telle révélation à des tiers, quels qu'ils soient mais à plus forte raison s'ils sont des nazis allemands, est en contravention formelle avec l'article 47 de la Loi fédérale suisse sur les banques et les caisses d'épargne, article en date du 8 novembre 1934, ayant instauré, précisément pour protéger les avoirs tels que ceux des Juifs, le secret bancaire par le truchement des comptes numérotés.

– Jeune Cimballi, après le coup que vous venez de lui porter, il doit être, il est assurément aux abois. Il sait parfaitement qu'aucun groupe bancaire, surtout suisse et surtout dans un laps de temps aussi fantastiquement court, ne se risquera à lui porter secours. Mettez-vous à la place des financiers : ils ont

d'abord cru à une O.P.A. *à peu près normale, telle qu'il s'en pratique couramment aux États-Unis, moins fréquemment en Europe. Mais ce qui vient de se passer, la brusque et tardive irruption de centaines de milliers de titres, ces révélations dans la presse prouvent qu'en réalité il s'agit d'un formidable match entre la banque Yahl et un adversaire inconnu. Quel adversaire ? Nul ne le sait. Qui donc irait se mêler à ce combat sans en connaître les protagonistes, avec moins de vingt-quatre heures de délai ? Dans la finance, jeune Franz le Danseur, quand un homme se noie, on tourne la tête et l'on regarde ailleurs. Yahl est seul. Le Septième Coup a été superbement joué par vous, mon garçon. Laissez-moi le soin du Huitième...*

La voix calme, froide, éduquée de Philip Vandenbergh, sa voix de chirurgien se posant dans le silence d'une salle d'opération :

« Monsieur Yahl, je viens de vous le dire. Je viens de vous dire mon nom, ma qualité et le nom de l'homme au nom de qui j'ai pris contact avec vous.

– Je sais parfaitement ce que vous venez de me dire. Ce que je vous demande est la raison de votre appel. »

J'ai entendu mille fois la voix de Martin Yahl, il m'est même arrivé de l'entendre en rêve, dans les nuits vibrantes du Kenya ou la touffeur de Hong Kong. Jamais elle n'a résonné ainsi à mon oreille, jamais elle n'a été aussi tendue, sourde, comme celle d'un homme conduit inéluctablement au terme d'un combat et se pénétrant de l'impossibilité de sa victoire.

« Monsieur Yahl, je m'appelle Philip Vandenbergh, je dirige un important cabinet d'avocats à

New York, d'où je vous appelle, je vous téléphone sur le conseil de M. John Carradine et je suis mandaté, non par lui mais par les clients qu'il représente, pour vous offrir cinq cent mille dollars des États-Unis en échange des six cent soixante-dix mille actions de la UNICHEM actuellement en votre possession. En échange de cette vente à ces conditions expresses, mes clients prennent l'engagement écrit de relever l'offre publique d'achat que vous avez lancée et de la conclure. »

Un silence.

« Quelle somme avez-vous dit ?

– Cinq cent mille dollars. Mais j'ai autre chose à vous dire, monsieur Yahl... »

Avec le même calme de chirurgien, Philip Vandenbergh déplie un journal, de façon que le bruit du papier froissé atteigne les oreilles, passe au travers de l'écouteur et franchisse du même coup l'Atlantique.

« Monsieur Yahl, j'ai sous les yeux la photocopie d'une lettre que nous avons reçue hier par courrier, et qui est adressée par vous, en date du 11 février 1935, à un certain Joachim Schaer, de l'*Ausland Organization* de Berlin *. »

Ce que Philip Vandenbergh a en réalité sous les yeux est le compte rendu d'une pièce off-off-Broadway, jugée d'ailleurs catastrophique par la critique.

« Monsieur Yahl, le délai de votre O.P.A. vient à expiration dans maintenant deux heures. Vous n'êtes pas en situation de répondre aux exigences des vendeurs que vous avez vous-même invités à se manifester. Acceptez l'offre de mes clients...

– Qui sont-ils ?

– Je ne suis pas autorisé à vous le révéler.

– Est-ce Franz Cimballi ?

* Section étrangère du Parti national-socialiste hitlérien.

– Je vous donne ma parole qu'il ne s'agit pas de ce nom. »

Ce qui est absolument exact. Ce n'est pas moi – pour une fois – qui vais payer les cinq cent mille dollars, mais le prince Aziz.

« ... qu'il ne s'agit pas de ce nom. Acceptez l'offre qui vous est faite, monsieur Yahl, et vous pourrez au moins conserver votre banque. C'est le conseil que M. John Carradine m'a chargé de vous transmettre. Si vous souhaitez joindre vous-même M. Carradine, je peux...

– Non... Non... »

La voix de Martin Yahl est sourde, presque inaudible. Le regard bleu glacé de Philip Vandenbergh quitte le journal étalé et vient chercher le mien, une interrogation au fond des prunelles claires : « Que ressent-on face à un ennemi mort ? »

« Monsieur Yahl, reprend toujours aussi froidement Vandenbergh, il est huit heures et quatre minutes, heure de New York. Deux de mes associés en cette affaire, MM. James Rosen et Joseph Lupino viennent d'arriver à Genève. Ils sont à quelques centaines de mètres de vous, dans les bureaux de la Banque nationale suisse. Ils vous attendent pour régler les formalités de la vente de six cent soixante-dix mille titres de la UNICHEM pour une somme de cinq cent mille dollars. Ils sont habilités à vous garantir en retour l'achat par nos clients des quatre cent soixante-quatorze mille actions que vous ne pouvez acquérir vous-même. Sitôt l'opération de vente conclue, ils se mettront en relation avec nos bureaux de New York. »

– Jeune Cimballi, au terme du Huitième Coup, il aura revendu pour cinq cent mille dollars ce qu'il

a acheté dix ou douze jours plus tôt deux cent cinquante-quatre millions six cent mille dollars ou peu s'en faut. Mesurez vous-même ses pertes. Il n'est pas ruiné, évidemment. Il lui reste d'ailleurs sa banque, qui à ses yeux compte plus que tout, pour laquelle il a accepté de perdre plus d'un quart de milliard de dollars, avec laquelle il espère se refaire ou, à tout le moins car il a soixante ans passés, conserver et redéployer ensuite une partie de sa puissance.

Il ne suffit plus dès lors que du Neuvième Coup pour qu'il soit, comme annoncé, échec et mat.

De ce Neuvième Coup, c'est Marc Lavater qui sera le joueur. En Suisse, Marc a toujours eu et conservé des amitiés solides. Notamment avec ce banquier privé de Bâle qui, conformément à la tradition, préside l'Association suisse des banquiers. Marc Lavater se présente, suite à un rendez-vous téléphonique, dans la grande salle de l'hôtel Dolder à Zurich. Il transporte dans une mallette ce dossier dont certains éléments ont déjà été communiqués à la presse, et qui s'est singulièrement épaissi par l'adjonction de la déposition de John Carradine, déposition recueillie légalement au Nevada et notamment relative à l'ensemble des opérations ayant entraîné la transformation de Curaçao Un et la naissance subséquente de Curaçao Deux, autrement dit un vol.

Le lendemain, mardi 27 mai, Martin Yahl débarque lui-même à Zurich, convoqué par ses pairs assemblés en tribunal véritable. Il sait ce qui l'attend. Il se passe exactement ce à quoi il s'attendait.

– Jeune Cimballi, le Neuvième Coup sera le plus terrible. Il sera là, devant ses pairs qui seront en même temps ses juges. Franz qui avez dansé votre danse de mort autour de lui, soyez satisfait, le moment est venu. Franz, en Suisse, ils sont nombreux ceux qui, avec l'argent des Juifs, des Arabes, des rois nègres, des dictateurs de tout bord, gauche ou droite, des grands truands de la drogue ou des armes, ils sont nombreux ceux qui ont fait autant et même pis que Martin Yahl. Mais Martin Yahl s'est fait prendre, son affaire est publique, son dossier avec mes aveux le sera demain s'il n'accepte pas les conditions de l'ultimatum qu'on lui pose : il devra sur-le-champ et à jamais abandonner toute activité bancaire ou financière ayant quelque rapport même lointain avec la Suisse. Franz, vous ne l'aurez pas ruiné, c'était une mission impossible. Mais vous l'aurez détruit. Aussi détruit que je le suis moi-même, attendant cette mort si douce...

J'ai déjeuné avec Rosen et Lupino, Philip Vandenbergh n'étant, bien sûr, pas libre. Le soir, j'ai offert mon dîner d'adieux à Leo Sussman et à Robin sa femme. Je suis rentré au Pierre et j'ai bu du champagne, seul. Jusqu'à ce qu'enfin le sommeil me prenne et m'assomme.

Fezzali m'a appelé le lendemain matin.

« Il faudra nous voir, mon ami. »

J'ai dit :

« Pas tout de suite.

– Le prince et ses cousins ont des projets pour vous. Vous les avez énormément impressionnés.

– Pas maintenant. »

J'ai raccroché. La réception m'a confirmé que ma place d'avion était bien retenue et qu'on allait venir prendre mes bagages.

Je regarde Central Park.

Je pense à Sarah et Joachim, à Hyatt et à Li et à Liu, au Turc et à Ute Jenssen, à David et Leo et Robin Sussman, à Marc et Françoise Lavater, à Philip Vandenbergh, James Rosen et à Joseph Lupino au clin d'œil complice, je pense à Robert Zarra et à Suzie Kendall quoique, entre eux deux, il y ait des univers de différence, je pense à M. Hak. Je pense à Sarah encore et j'ai les larmes aux yeux.

La sonnerie retentit longuement sans que nul ne réponde et j'imagine les femmes aux blouses empesées, mains croisées à plat sur le ventre, venant sans hâte sur leurs pieds nus, dans un silence de sépulcre.

On décroche enfin, je donne mon nom, je demande à lui parler, et l'on me dit qu'il est déjà mort depuis dix jours, qu'il a, on ne sait comment, réussi à se traîner sur le sable brûlant de la vallée de la Mort, autour de la maison hispano-mauresque, qu'il est allé jusqu'au garage et qu'il y a trouvé l'essence qu'il cherchait, qu'il s'en est arrosé et qu'il a ainsi mis un terme au pus s'écoulant de tout son corps, n'en pouvant plus de survivre dans l'attente de cette mort si douce.

La voix de John Carradine, dit Scarlett, qui m'avait guidé dans ce dernier combat, m'était parvenue d'outre-tombe.

22

JE dis à Catherine :

« Ça ne tient pas debout, ton histoire. Nous ne trouverons jamais de chambre à Saint-Tropez, en juillet. Ou alors à des prix invraisemblables. C'est à croire que tu me prends pour un milliardaire.

– Tu es un milliardaire », dit Catherine.

Il n'y a pas très longtemps que nous nous sommes mariés, dans ce coin perdu de Fournac et nous l'avons quitté aussi vite que nous l'avons pu. Dès la sortie du village, Catherine insistait pour garder le volant, jurant avoir une idée fabuleuse pour notre voyage de noces.

Le 2 juillet, au moment où le soleil envisage visiblement de disparaître, nous entrons dans Saint-Tropez, pas tout à fait vraiment dans Saint-Tropez d'ailleurs, puisque mon épouse favorite prend à droite vers Ramatuelle. Ma tête est sur son épaule et je me sens tout à fait bien. Je dis sans ouvrir les yeux :

« Attention dans trente mètres, ça se rétrécit vraiment.

– Je sais parfaitement où nous allons. Sale milliardaire pourri, tu te vantes.

– Je sais parfaitement où nous allons et pourquoi nous y allons. Il y a longtemps que je savais que ta mère était une cousine de Martin Yahl, que c'était elle qui m'avait adressé cette carte anonyme que j'ai reçue au Kenya, que je savais qui tu étais et la raison du regard que ta mère portait sur moi et sur nous. »

Nous nous embrassons et une aile de la Ferrari s'envole sur un mur qui passait justement par là.

« Ça ne tient pas la route, ces voitures italiennes, dit Catherine. Et ma mère était amoureuse de ton père depuis qu'elle avait quinze ans, si bien que quand ton père est mort et qu'elle a deviné sans jamais en avoir la preuve que le cousin Martin était une horrible crapule, elle a racheté la maison de Saint-Tropez et l'a gardée telle qu'elle a toujours été. »

Nous nous embrassons encore, et l'aile gauche érafle un poteau télégraphique.

« Et notre rencontre aux Bahamas ?

– Marc Lavater ne te l'a pas dit ? Tant qu'il y était... C'est lui qui a dit à maman que tu partais pour Nassau. J'ai eu juste le temps de sauter dans le même avion que mes amis anglais. Je voulais voir la tête que tu avais. »

La route devient de plus en plus étroite et sur un autre de nos enlacements, c'est cette fois l'arrière qui frappe un muret.

« Je ne conduis pas un peu vite ? »

A mesure que nous approchons, elle accélère. C'est un jeu et une immense impatience, une fébrilité qui nous gagne l'un et l'autre. Vient un moment où l'asphalte cesse simplement, où la route devient un chemin, presque un sentier.

« Arrête. »

Elle stoppe.

« Je voudrais finir à pied. »

Elle acquiesce sans un mot, avec sur les lèvres ce demi-sourire que je commence à bien connaître et qui est chez elle l'expression d'un profond contentement intérieur.

Je fais le tour de la voiture, je la prends par la main et nous partons ensemble, suivant le sentier. Nous avons l'un et l'autre un peu envie, en même temps, de pleurer et de rire, et nous avançons lentement, réprimant avec volupté notre impatience, prenant tout ce temps qui désormais nous appartient. Nous allons au travers des cistes et des arbousiers, vers cette maison que nous ne voyons pas encore, au bord ensoleillé de la plage de Pampelonne, mais dont nous savons depuis longtemps qu'elle est là et nous attend.

Nous prenons le chemin courbe et j'aperçois bientôt les hauts murs au crépi d'ocre velouté.

Un coup sourd dans ma poitrine.

Catherine a senti ma main se durcir. Elle a cessé de sourire.

Je fixe la maison que je contourne. Le perron, la terrasse, le jardin et la piscine morte en cette saison. Tous les volets sont clos.

Je lâche la main de Catherine et descends les quelques marches. Tant d'images se bousculent dans ma mémoire. Des rires aussi. Enfin, je crois. Des rires lointains. Des cris d'enfants.

Je marche et je me retrouve au bout du ponton, là où oscillait paisiblement le yacht d'acajou.

Je ne sais même pas à quoi je pense. Je regarde la plage de Pampelonne déserte sans être solitaire.

Deuxième coup sourd dans ma poitrine.

Je m'assieds et mes pieds plongent doucement dans une eau tiède. Catherine est là, derrière moi, silencieuse. Je suis sûr qu'elle ne se demande même pas pourquoi je n'ai pas songé à ôter mes chaussures.

Le ciel prend une couleur indigo face au déclin du soleil.

Encore des images. Plus précises. La main de mon père qui se tend vers moi pour me hisser à bord du canot. Une saloperie de boule se noue dans ma gorge.

Et alors, j'entends ma voix d'enfant qui murmure : « Papa. »

J'imagine sans mal pour en avoir organisé, prévu, mis en scène chaque détail, ce qui s'est passé le même jour, presque à la même heure, peut-être un peu plus tôt, dans cette propriété majestueuse et froide en bordure du lac Léman dans sa partie helvétique, sur la gauche quand, sortant de Genève, vous dépassez les Eaux-Vives et poursuivez sur Évian.

Ce même jour, donc, les journaux arrivent, dans la fourgonnette que j'ai tout spécialement louée pour la circonstance.

Alfred Morf en a pris livraison.

Accompagné par le chauffeur-livreur, il a traversé de son pas rapide et mécanique la grande allée. Il y a *Le Monde* et le *Washington Post*. Mais aussi le *Wall Street Journal*, *The Times*, *Die Welt*, le *Corriere della Sera*, *Bild Zeitung* de Hambourg et *Kronen Zeitung* de Vienne ; il y a aussi *La Meuse* et la *Gazet* d'Anvers, la *Presse* de Montréal et le *Toronto Star*, *The New York Times* et *The Chicago Tribune*, *The Los Angeles Times* et *The Daily Mirror*, *The Daily Express*, *The Sun* et *The Financial Times*, *Il Messagero*, *Yedioth Aharonath* de Tel Aviv et *Al Akbar* du Caire, *Asahi Shimbub* de Tokyo, la *Trybuna Ludu* de Varsovie. Et il y a encore l'*Expressen* de Stockholm, *De Telegraaf* d'Amsterdam, *Ya* de Madrid ; et encore des journaux brésilien, argentin, mexicain, australien, néo-zélandais ; et d'autres des Bahamas, de Nairobi et Mombasa au Kenya, de Hong Kong, de San Francisco, de Marseille et de Nice, des Antilles néerlandaises et de Glasgow, de tous ces endroits où la Danse de Cimballi a eu lieu.

Et cela est la dernière, l'ultime mesure, tonitruante et flamboyante de la Danse.

Car aucun de ces journaux n'est là pour simplement présenter sa couverture, sa « une » au regard. Alfred Morf les saisit l'un après l'autre, se conformant scrupuleusement aux ordres que je lui ai donnés, à compter de ce jour récent où j'ai acheté ses services. Alfred Morf est cet homme ; exécutant impassible, qui m'a quatre ans plus tôt mis dans l'avion pour Mombasa. Il déplie chaque journal, il en montre le titre, en annonce l'origine géographique, le déploie à l'endroit voulu, aligne chacun des quotidiens à côté des autres, sur l'immense table de chêne ciré où Martin Yahl déjeune seul.

Et j'imagine le visage de Martin Yahl à cet instant, je l'imagine avec mieux que de la joie : de la délectation et de la volupté. Le visage de Martin Yahl doit mathématiquement refléter d'abord une surprise froide et puis, au fil des secondes, une colère, une rage aux limites de la folie.

Provenant du monde entier, représentant le monde entier auquel ils proclament et hurlent insolemment la nouvelle, tous ces journaux renferment une page absolument identique dans toutes leurs éditions : cette page est totalement blanche, à la seule exception d'une photographie, d'un cliché à peine grand comme la main, au centre, nous représentant, Catherine et moi, à l'instant précis de notre mariage.

Et ce cliché ne comporte en tout et pour tout que trois mots en guise de légende :

I AM HAPPY !

Composition réalisée par MAURY Imprimeur S.A. — 45330 Malesherbes

---

IMPRIMÉ EN FRANCE PAR BRODARD ET TAUPIN
7, bd Romain-Rolland - Montrouge - Usine de La Flèche.
LIBRAIRIE GÉNÉRALE FRANÇAISE - 14, rue de l'Ancienne-Comédie - Paris.

ISBN : 2 - 253 - 03225 - 5 30/5778/3